BIBLIOTHECA « EPHEMERIDES LITURGICAE »
« SUBSIDIA »

COLLECTIO CURA A. PISTOIA, C.M., ET A.M. TRIACCA, S.D.B. RECTA

—————————————————— 71 ——————————————————

INSTRUMENTA LITURGICA QUARRERIENSIA
Moderantibus A. Ward, s.m. et C. Johnson, o.s.b.

——— 3 ———

CUTHBERT JOHNSON, O.S.B. - ANTHONY WARD, S.M.

MISSALE ROMANUM
ANNO 1975 PROMULGATUM
ORATIONES ET BENEDICTIONES

1994
C.L.V. - EDIZIONI LITURGICHE
Via Pompeo Magno, 21 - 00192 Roma

C.L.V. - EDIZIONI LITURGICHE - Via Pompeo Magno, 21 - 00192 Roma
Tel. 06/3216114 - Fax 06/3221078 - C.C.P. n. 56307002

INDEX

BENEDICTIONES SOLLEMNES

ORATIONES SUPER POPULUM

EX APPENDICE MISSALIS ROMANI

PRESENTATION

It has already been my pleasure to present a volume in the series *Instrumenta Liturgica Quarreriensia* edited by Father Anthony Ward, s.m. and Dom Cuthbert Johnson, o.s.b. It is, however, with great satisfaction that it can be seen that in less than a year this series has established itself with three volumes and promises speedily to attain its aim of putting liturgical texts and related material at the disposition of students of liturgy.

A work concerning the euchological texts of the *Missale Romanum* is no small undertaking. This work consequently is divided into two volumes the present one which provides the text of the editio typica altera of 1975, and a shortly to be published second volume which will contain indexes, bibliography and useful related material.

May I express the hope that both of these volumes will mark the beginning of a renewed interest and impetus for research in the sphere of the texts of the Roman Missal. Scientific research and scholarly research are at the service of the Church's mission to proclaim the good news of salvation. This is especially so when that research deals directly with those texts which are instrumental in the actualization through the liturgical celebration of the mystery which the Church is called to proclaim.

Rome, 27 March 1994

✠ GERALDO MAJELLA AGNELO
Secretary of the Congregation for Divine Worship
and the Discipline of the Sacraments

INTRODUCTION

On July 14, 1570, Pope Pius V promulgated with the Apostolic Constitution *Quo primum* a Missal revised *ex decreto concilii Tridentini*. According to the terms of the Bull promulgating the new Missal, it was prescribed for use in all Churches and religious orders of the Latin rite except for those which had a particular or local rite which had been in use for a period of two hundred years prior to the Tridentine revision.

A revised version of the Roman Breviary had been published two years earlier in 1568 and promulgated by the Bull *Quod a nobis*. Despite the statements made in both the Bulls of promulgation that no changes were to be made in the Breviary or Missal, changes were taking place within a decade of their publication. Between 1570 and 1600, thirteen new feasts were introduced into the Roman Calendar with the consequent modifications in both Breviary and Missal. The Roman Breviary of 1568 was never regarded as wholly satisfactory and was frequently the subject of consideration for improvement by several popes right up to the present century.

The Roman Missal, which had been revised in accord with the wishes of the Council of Trent, was for four centuries at the heart of Latin Catholic worship. It was promulgated shortly after Christian Europe had undergone an enormous religious crisis and at a moment when it was entering a phase of development that would lead through political, social and industrial revolutions into the present century.

It is not, therefore, surprising that when the Roman Missal again became the subject of a revision, that work was consequent upon the mandate of an Ecumenical Council. When Pope Paul VI gave definitive approval to the Roman Missal *ex decreto Sacrosancti Oecumenici Concilii Vaticani II instauratum* on March 11, 1970, he was acting with the same authority as his predecessor Pius V four centuries previously. That Pope Paul VI was himself very conscious of this fact is evident throughout the Apostolic Constitution *Missale Romanum* of April 3, 1969.

As part of the introductory material to this volume we have decided to present the *Proemium* of the *Institutio Generalis Missalis Romanum* and the relevant paragaphs of the *Institutio* concerning the minor euchology.

The *Proemium* presents a valuable and indispensable introduction to the Missal. It is divided into three sections. The first section (§§ 1-5) *Testimonium fidei immutatae* is an outline of the history of the Roman Missal from the Council of Trent until the Second Vatican Council. Its purpose, conditioned somewhat by the polemic surrounding its promulgation, is to explain the changes that have been introduced.

The second section (§§ 6-9) *Traditio non intermissa declaratur* underlines the fidelity of both Missals to the unchanging teaching of the Church especially regarding the sacrifice of the Mass and the ministerial priesthood.

The third section (§§ 10-15) *Ad novas rerum condiciones accommodatio* is concerned with the norms which were at the basis of the reform.

An underlying motive for this introduction was the desire to emphasise the fact that the Constitution on the Sacred Liturgy of the Second Vatican Council is imbued with concern that there should be an organic growth as well as a notable and progressive deepening of a fully aware, active, and fruitful participation in liturgical celebration among all sections of the people of God.

From the very beginning of the Liturgical Movement stress has been laid upon the importance of the study of the sources of the liturgy as a means to a deeper understanding of the way in which the Church celebrates the mysteries of salvation. It was such patient study which laid the firm foundations for the thorough-going reform of the Roman Rite launched by the Second Vatican Council.

Shortly after the publication of the revised Roman Missal in 1970 a series of articles and short studies on the sources of the new Missal began to be published. Many of these works, valuable in themselves, were produced in haste and sometimes under considerable pressure, in the attempt to meet the immediate need of presenting the new Missal. It should not be forgotten that many here written by those who were personally involved in the process of revision, and so have a unique value.

This work needs to continue and be promoted. The present authors have made their own contribution to this task and it is a work which is still being pursued.[1] This present series, *Instrumenta Liturgica Quarreriensia*, has as its chief aim to put at the disposal of students the liturgical texts and then instrumenta to facilitate their research.

It has to be admitted, and indeed it is already being recognized and attempts are being made to remedy the deficiency, that not all ecclesiastical students today have an adequate knowledge of Latin nor do they commonly possess copies of the liturgical texts promulgated by the Second Vatican Council.

With this present publication we believe that we are meeting an urgent need by providing for the students of the liturgy the texts of the minor euchology (Collecta, Super Oblata, Post Communionem, Benedictiones, Super populum) of the editio typica altera of the Latin *Missale Romanum*, issued in 1975 in a format which will assist their researches. Whenever a liturgical text is given the present authors will insist in every instance, as Dom Cuthbert pointed out in the second volume of this series on Christian Burial, that the student is not dispensed from consulting and thus becoming familiar with the actual liturgical book. Our series aims to provide a working tool not a substitute.

The numbering is continuous: the *Orationes* 1-1507, the *Benedictiones sollemnes* 1508-1527, *Orationes super populum* 1528-1553, followed by the *Ordo ad faciendam et aspergendam aquam benedictam* 1554-1557 and the *Specimina formularum pro oratione universali* 1558-1568. The Solemn Blessings follow

---

[1] Cuthbert JOHNSON, o.s.b. & Anthony WARD, s.m., 'Fontes Liturgici. Sources of the Roman Missal: I. Advent, Christmas', in *Notitiae* 23 (1986) 440-747; Cuthbert JOHNSON, o.s.b. & Anthony WARD, s.m., 'Fontes 'Fontes Liturgici, Sources of the Roman Missal: Prefaces,' in *Notitiae* 24 (1987) 409-1010; Cuthbert JOHNSON, o.s.b. & Anthony WARD, s.m., *The Prefaces of the Roman Missal: A Source Compendium with Concordance and Indices*, Congregation for Divine Worship, Rome, 1989; and Cuthbert JOHNSON, o.s.b. & Anthony WARD, s.m., 'Praecelsa Filia Sion: Approaching the Euchological Vocabulary of the « Collectio Missarum de Beata Maria Virgine »', in *Notitiae* 25 (1989) 625-788. We would like to take this opportunity of acknowledging the encouragement that we received in this undertaking from the then Secretary of the Congregation for Divine Worship, and now Archpriest of the Patriarchal Basilica of Saint Peter's in the Vatican his Eminence Virgilio Cardinal Noè.

the prayers in order not to interrupt their flow, in the Missal they occur after the *Ordo Missae* (*Missale Romanum*, 1975, pp. 495-511). It will also be noticed that the Solemn Blessings have been given an internal number 1, 2, 3, this is in view of future concordancing.

A companion volume to this one will shortly appear containing biographical material and extensive reference tools in order to help to put the student on a road which if arduous is at least well signposted.

We should like to make our own the words of His Eminence Cardinal Virgilio Noè with which he concluded the presentation of our first joint work on the Prayers of the Roman Missal:

> « So may the liturgy become in truth, as the Council ardently desired, a foretaste of the heavenly liturgy celebrated in the holy city of Jerusalem towards which we journey as pilgrims (SC 8), truly the summit towards which the activity of the Church is directed, and the fountain from which her strength flows (SC 10). And may this be the aim of all our common efforts. *Qui coepit in nobis opus bonum, ipse perficiat usque in diem Christi Jesu* ».

CUTHBERT JOHNSON, o.s.b.

ANTHONY WARD, s.m.

EX INSTITUTIONE GENERALI MISSALIS ROMANI

PROOEMIUM

1. Cenam paschalem cum discipulis celebraturus, in qua Sacrificium sui Corporis et Sanguinis instituit, Christus Dominus cenacu-
lum magnum, stratum (Lc 22,12) parari mandavit. Quod quidem
iussum etiam ad se pertinere Ecclesia semper est arbitrata, cum de iis
statuebat, quae, in disponendis hominum animis, locis, ritibus, textibus, ad sanctissimae Eucharistiae celebrationem spectarent. Normae
quoque hodiernae, quae, voluntate Concilii Œcumenici Vaticani II
innixae, praescriptae sunt, atque novum Missale, quo Ecclesia ritus
Romani in Missa celebranda posthac utetur, iterum sunt argumentum
huius sollicitudinis Ecclesiae, eius fidei immutatique amoris erga summum mysterium eucharisticum, atque continuam contextamque eius
traditionem, quamquam res novae quaedam inductae sunt, testantur.

Testimonium fidei immutatae

2. Missae natura sacrificalis, a Concilio Tridentino, quod universae traditioni Ecclesiae congruebat, sollemniter asserta [1], rursus
enuntiata est a Concilio Vaticano II, quod circa Missam haec signi-
ficantia protulit verba: « Salvator noster in Cena novissima Sacrificium
eucharisticum Corporis et Sanguinis sui instituit, quo Sacrificium Crucis in saecula, donec veniret, perpetuaret, atque adeo Ecclesiae dile-
ctae Sponsae memoriale concrederet Mortis et Resurrectionis suae » [2].
Quod sic a Concilio docetur, id formulis Missae continenter exprimitur. Etenim doctrina, quae hac sententia Sacramentarii Leoniani
presse significatur: « quoties huius hostiae commemoratio celebratur,
opus nostrae redemptionis exercetur » [3], apte accurateque explicatur
in Precibus Eucharisticis; in his enim sacerdos, dum anamnesin pera-
git, ad Deum nomine etiam totius populi conversus, ei gratias per-
solvit et sacrificium offert vivum et sanctum, oblationem scilicet

---

[1] Sessio XXII, 17 sept. 1562.
[2] Const. de Sacra Liturgia, *Sacrosanctum Concilium*, n. 47; cf. Const.
dogm. de Ecclesia, *Lumen Gentium*, nn. 3, 28; Decr. de Presbyterorum ministerio et vita, *Presbyterorum ordinis*, nn. 2, 4, 5.
[3] Cf. *Sacram. Veronense*, ed. Mohlberg, n. 93.

Ecclesiae et hostiam, cuius immolatione ipse Deus voluit placari [4], atque orat, ut Corpus et Sanguis Christi sint Patri sacrificium acceptabile et toti mundo salutare [5].

Ita in novo Missali lex orandi Ecclesiae respondet perenni legi credendi, qua nempe monemur unum et idem esse, excepta diversa offerendi ratione, Crucis Sacrificium eiusque in Missa sacramentalem renovationem, quam in Cena novissima Christus Dominus instituit Apostolisque faciendam mandavit in sui memoriam, atque proinde Missam simul esse sacrificium laudis, gratiarum actionis, propitiatorium et satisfactorium.

3. Mirabile etiam mysterium praesentiae realis Domini sub speciebus eucharisticis, a Concilio Vaticano II [6] aliisque Ecclesiae Magisterii documentis [7] eodem sensu eademque sententia, quibus Concilium Tridentinum id credendum proposuerat [8], confirmatum, in Missae celebratione declaratur non solum ipsis verbis consecrationis, quibus Christus per transubstantiationem praesens redditur, sed etiam sensu et exhibitione summae reverentiae et adorationis, quae in liturgia eucharistica fieri contingit. Eadem de causa populus christianus adducitur, ut Feria V in Cena Domini et in sollemnitate Ss.mi Corporis et Sanguinis Christi hoc admirabile Sacramentum peculiarem in modum excolat adorando.

4. Natura vero sacerdotii ministerialis, quod presbyteri proprium est, qui in persona Christi sacrificium offert coetuique populi sancti praesidet, in ipsius ritus forma, e praestantiore loco et munere eiusdem sacerdotis elucet. Huius vero muneris rationes edicuntur et perspicue ac fusius explanantur in gratiarum actione Missae Chrismatis, Feria V in Cena Domini; quo videlicet die institutio sacerdotii commemoratur. In illa enim collatio potestatis sacerdotalis per manuum impositionem facta illustratur; atque ipsa potestas, singulis officiis recensitis, describitur, quae est continuatio potestatis Christi, Summi Pontificis Novi Testamenti.

5. Sed hac sacerdotii ministerialis natura etiam aliud quiddam, magni sane faciendum, in sua luce collocatur, id est regale sacerdo-

---

[4] Cf. Prex Eucharistica III.

[5] Cf. Prex Eucharistica IV.

[6] Const. de Sacra Liturgia, *Sacrosanctum Concilium*, nn. 7, 47; Decr. de Presbyterorum ministerio et vita, *Presbyterorum ordinis*, nn. 5, 18.

[7] Cf. Pius XII, Litt. Enc. *Humani generis*, A.A.S. 42 (1950) pp. 570-571; Paulus VI, Litt. Enc. *Mysterium Fidei*, A.A.S. 57 (1965) pp. 762-769; Sollemnis Professio Fidei, A.A.S. 60 (1968) pp. 442-443; S. Congr. Rituum, Instr. *Eucharisticum mysterium*, 25 maii 1967, nn. 3 f, 9, A.A.S. 59 (1967) pp. 543, 547.

[8] Cf. Conc. Trid., Sessio XIII, 11 oct. 1551; DS 1635-1661.

tium fidelium, quorum sacrificium spiritale per presbyterorum ministerium in unione cum sacrificio Christi, unici Mediatoris, consummatur[9]. Namque celebratio Eucharistiae est actio Ecclesiae universae; in qua unusquisque solum et totum id agat, quod ad ipsum pertinet, respectu habito gradus eius in populo Dei. Quo efficitur, ut etiam rationes quaedam celebrationis magis attendantur, quibus saeculorum decursu interdum est minor cura adhibita. Hic enim populus est populus Dei, sanguine Christi acquisitus, a Domino congregatus, eius verbo nutritus, populus ad id vocatus, ut preces totius familiae humanae ad Deum admoveat, populus, qui pro mysterio salutis gratias in Christo agit eius Sacrificium offerendo, populus denique, qui per communionem Corporis et Sanguinis Christi in unum coalescit. Qui populus, licet origine sua sit sanctus, tamen per ipsam participationem consciam, actuosam et fructuosam mysterii eucharistici in sanctitate continenter crescit[10].

Traditio non intermissa declaratur

6. Cum praecepta enuntiaret, quibus Ordo Missae recognosceretur, Concilium Vaticanum II praeter alia mandavit quoque, ut ritus nonnulli restituerentur « ad pristinam sanctorum Patrum normam »[11], iisdem videlicet usum verbis ac S. Pius V in Apostolicis Litteris « Quo primum » inscriptis, quibus anno 1570 Missale Tridentinum est promulgatum. Ob hanc vero ipsam verborum convenientiam notari potest, qua ratione ambo Missalia Romana, quamvis intercesserint quattuor saecula, aequalem et parem complectantur traditionem. Si autem huius traditionis ponderentur interiora elementa, intellegitur etiam, quam egregie ac feliciter prius perficiatur altero.

7. Temporibus sane difficilibus, quibus catholica fides de indole sacrificali Missae, de ministeriali sacerdotio, de reali et perpetua Christi sub eucharisticis speciebus praesentia in discrimen fuerat adducta, id S. Pii V imprimis intererat, ut recentiorem traditionem, immerito oppugnatam, servaret, minimis tantummodo ritus sacri mutationibus inductis. Re quidem vera Missale illud anni 1570 paulum admodum distat a primo omnium anno 1474 typis edito Missali, quod vicissim fideliter quidem repetit Missale temporis Innocentii PP. III. Codices insuper Bibliothecae Vaticanae, quamquam aliquot intulerant locutio-

---

[9] Cf. Conc. Vat. II, Decr. de Presbyterorum ministerio et vita, *Presbyterorum ordinis*, n. 2.

[10] Cf. Conc. Vat. II, Const. de Sacra Liturgia, *Sacrosanctum Concilium*, n. 11.

[11] *Ibid.*, n. 50.

num emendationes, haud tamen permiserunt, ut in illa pervestigatione « veterum et probatorum auctorum » plus quam liturgici commentarii mediae aetatis inquirerentur.

8. Hodie, contra, illa « sanctorum Patrum norma », quam sectabantur Missalis S. Pii V emendatores, locupletata est innumerabilibus eruditorum scriptis. Postquam enim Sacramentarium Gregorianum anno 1571 primum editum est, vetera Sacramentaria Romana et Ambrosiana critica arte saepe typis sunt divulgata, perinde ac vetusti libri liturgici Hispani et Gallicani, qui plurimas preces non levis praestantiae spiritalis, eo usque ignoratas, in conspectum produxerunt. Traditiones pariter priscorum saeculorum, antequam ritus Orientis et Occidentis constituerentur, nunc idcirco melius cognoscuntur, quod tot reperta sunt documenta liturgica. Praeterea progredientia sanctorum Patrum studia theologiam mysterii eucharistici lumine perfuderunt doctrinae Patrum in antiquitate christiana excellentissimorum, uti S. Irenaei, S. Ambrosii, S. Cyrilli Hierosolymitani, S. Ioannis Chrysostomi.

9. Quapropter « sanctorum Patrum norma » non postulat solum, ut conserventur ea, quae maiores nostri proximi tradiderint, sed ut comprehendantur altiusque perpendantur cuncta praeterita Ecclesiae tempora ac modi universi, quibus unica eius fides declarata est in humani civilisque cultus formis tam inter se differentibus, quippe quae vigerent in regionibus Semiticis, Graecis, Latinis. Amplior autem hic prospectus cernere nos sinit, quemadmodum Spiritus Sanctus praestet populo Dei mirandam fidelitatem in conservando immutabili fidei deposito, licet permagna sit precum rituumque varietas.

Ad novas rerum condiciones accommodatio

10. Novum igitur Missale, dum testificatur legem orandi Ecclesiae Romanae, fideique depositum a Conciliis recentioribus traditum tutatur, ipsum vicissim magni momenti gradum designat in liturgica traditione. Cum enim Patres Concilii Vaticani II asseverationes dogmaticas Concilii Tridentini iterarunt, in longe alia mundi aetate sunt locuti; qua de causa in re pastorali valuerunt afferre proposita et consilia, quae ante quattuor saecula ne praevideri quidem potuerunt.

11. Agnoverat iam Tridentinum Concilium magnam utilitatem catecheticam, quae in Missae celebratione contineretur; unde tamen colligere omnia consectaria, ad vitae usum quod attinet, nequibat. A multis reapse flagitabatur, ut sermonem vulgarem in Sacrificio eucharistico peragendo usurpari liceret. Ad talem quidem postulationem, Concilium, rationem ducens adiunctorum illa aetate obtinentium, sui officii esse arbitrabatur doctrinam Ecclesiae tralaticiam denuo inculcare, secundum quam Sacrificium eucharisticum imprimis Christi ipsius est actio, cuius proinde efficacitas propria eo modo non afficitur, quo fideles eiusdem fiunt participes. Idcirco firmis hisce simulque moderatis verbis edictum est: « Etsi Missa magnam continet populi fidelis eruditionem, non tamen expedire visum est Patribus, ut vulgari passim lingua celebraretur » [12]. Atque condemnandum esse pronuntiavit eum, qui censeret « Ecclesiae Romanae ritum, quo submissa voce pars Canonis et verba consecrationis proferuntur, damnandum esse; aut lingua vulgari Missam celebrari debere » [13]. Nihilominus, dum hinc vetuit in Missa linguae vernaculae usum, illinc animarum pastores eius in locum congruentem substituere catechesim iussit: « Ne oves Christi esuriant ... mandat sancta Synodus pastoribus et singulis curam animarum gerentibus, ut frequenter inter Missarum celebrationem vel per se vel per alios, ex his, quae in Missa leguntur, aliquid exponant atque inter cetera sanctissimi huius sacrificii mysterium aliquod declarent, diebus praesertim dominicis et festis » [14].

12. Propterea congregatum, ut Ecclesiam aptaret ad proprii muneris apostolici necessitates hisce ipsis temporibus, Concilium Vaticanum II funditus perspexit, quemadmodum Tridentinum, didascalicam et pastoralem indolem sacrae Liturgiae [15]. Et, cum nemo catholicorum esset, qui legitimum efficacemque ritum sacrum negaret lingua Latina peractum, concedere etiam valuit: « Haud raro linguae vernaculae usurpatio valde utilis apud populum exsistere possit », eiusque adhibendae facultatem dedit [16]. Flagrans illud studium, quo hoc consultum ubivis est susceptum, profecto effecit ut, ducibus Episcopis atque ipsa Apostolica Sede, universae liturgicae celebrationes quas populus participaret, exsequi liceret vulgari sermone, quo plenius intellegeretur mysterium, quod celebraretur.

13. Verumtamen, cum linguae vernaculae usus in sacra Liturgia instrumentum sit, quamvis magni momenti, quo apertius exprimeretur catechesis mysterii, quae in celebratione continetur, Concilium Vaticanum II admonuit praeterea, ut aliqua Tridentini praescripta, quibus non omnibus locis erat obtemperatum, ad exitum deduceren-

---

[12] Conc. Trid., Sessio XXII, Doctr. de SS. Missae sacrificio, cap. 8. DS 1749.

[13] *Ibid.*, cap. 9. DS 1759.

[14] *Ibid.*, cap. 8. DS 1749

[15] Cf. Conc. Vat. II, Const. de Sacra Liturgia, *Sacrosanctum Concilium*, n. 33.

[16] *Ibid.*, n. 36.

tur, veluti homilia diebus dominicis et festis habenda [17] et facultas inter ipsos sacros ritus quasdam monitiones intericiendi [18]. Potissimum vero Concilium Vaticanum II, a quo suadebatur « illa perfectior Missae participatio, qua fideles post communionem sacerdotis ex eodem sacrificio corpus dominicum sumunt » [19], incitavit, ut aliud optatum Patrum Tridentinorum in rem transferretur, ut scilicet ad sacram Eucharistiam plenius participandam « in singulis Missis fideles adstantes non solum spiritali affectu, sed sacramentali etiam Eucharistiae perceptione communicarent » [20].

14. Eodem quidem animo ac studio pastorali permotum, Concilium Vaticanum II nova ratione expendere potuit institutum Tridentinum de communione sub utraque specie. Etenim, quoniam hodie in dubium minime revocantur doctrinae principia de plenissima vi communionis, qua Eucharistia sub una specie panis suscipitur, permisit interdum communionem sub utraque specie, cum scilicet, per declaratiorem signi sacramentalis formam, opportunitas peculiaris offerretur altius intellegendi mysterii, quod fideles participarent [21].

15. Hoc pacto, dum fida permanet Ecclesia suo muneri ut magistrae veritatis, custodiens « vetera », id est depositum traditionis, officium quoque explet considerandi prudenterque adhibendi « nova » (cfr. Mt 13, 52). Pars enim quaedam novi Missalis preces Ecclesiae apertius ordinat ad temporis nostri necessitates; cuius generis sunt potissimum Missae rituales et « ad diversa », in quibus traditio et novitas opportune inter se sociantur. Itaque, dum complures dictiones integrae manserunt ex antiquissima haustae Ecclesiae traditione, per ipsum saepius editum Missale Romanum patefacta, aliae plures ad hodierna requisita et condiciones accommodatae sunt, aliae, contra, uti orationes pro Ecclesia, laicis, operis humani sanctificatione, omnium gentium communitate, necessitatibus quibusdam nostrae aetatis propriis, ex integro sunt contextae, sumptis cogitationibus ac saepe ipsis locutionibus ex recentibus Concilii documentis. Ob eandem porro aestimationem novi status mundi, qui nunc est, in vetustissimae traditionis textuum usu, nulla prorsus videbatur inferri iniuria tam venerando thesauro, si quaedam sententiae immutarentur, quo convenientius sermo ipse cum hodiernae theologiae lingua con-

---

[17] *Ibid.*, n. 52.

[18] *Ibid.*, nn. 35, 3.

[19] Cf. Conc. Vat. II, Const. de Sacra Liturgia, *Sacrosanctum Concilium*, n. 55.

[20] Sessio XXII, Doctr. de SS. Missae Sacrificio, cap. 6. DS 1747.

[21] Cf. Conc. Vat. II, Const. de Sacra Liturgia, *Sacrosanctum Concilium*, n. 55.

cineret referretque ex veritate condicionem disciplinae Ecclesiae praesentem. Hinc dicta nonnulla, ad existimationem et usum bonorum terrestrium attinentia, sunt mutata, haud secus ac nonnulla, quae exterioris quandam paenitentiae formam prodebant aliarum Ecclesiae aetatum propriam. Hoc denique modo normae liturgicae Concilii Tridentini pluribus sane in partibus completae et perfectae sunt normis Concilii Vaticani II, quod ad exitum perduxit conatus ad sacram Liturgiam fideles propius admovendi, qui per haec quattuor saecula sunt suscepti, praesertim vero recentiore aetate, maxime studio rei liturgicae a S. Pio X eiusque Successoribus promoto.

[...]

DE STRUCTURA MISSAE EIUSQUE ELEMENTIS ET PARTIBUS

De orationibus aliisque partibus ad sacerdotem pertinentibus

10. Inter ea quae sacerdoti tribuuntur, primum locum obtinet prex eucharistica, quae culmen est totius celebrationis. Accedunt deinde orationes, idest collecta, oratio super oblata et oratio post communionem. Hae preces a sacerdote, qui coetui personam Christi gerens praeest, ad Deum diriguntur nomine totius plebis sanctae et omnium circumstantium[22]. Merito igitur « orationes praesidentiales » nominantur.

11. Item ad sacerdotem, munere praesidis coetus congregati fungentem, spectat proferre quasdam monitiones atque formulas introductionis et conclusionis in ipso ritu praevisas. Natura sua hae monitiones non exigunt ut omnino ad verbum proferantur forma qua in Missali exhibentur; unde expedire poterit, saltem in aliquibus casibus, veris communitatis condicionibus aliquatenus eas aptare »[23]. Sacerdoti praesidi etiam spectat verbum Dei nuntiare, necnon benedictionem finalem impertire. Ipsi insuper licet, brevissimis verbis, introducere fideles in Missam diei, antequam celebratio inchoetur; in liturgiam verbi, ante lectiones; in Precem eucharisticam, ante praefationem; necnon universam actionem sacram, ante dimissionem, concludere.

---

[22] Cf. Conc. Vat. II, Const. de Sacra Liturgia, *Sacrosanctum Concilium*, n. 33.

[23] Cf. S. Congr. pro Cultu Divino, Litt. circ. de Precibus eucharisticis, 27 aprilis 1973, n. 14, A.A.S. 65 (1973) p. 346.

12. Natura partium « praesidentialium » exigit ut clara et elata voce proferantur et ab omnibus cum attentione auscultentur [24]. Proinde dum sacerdos eas profert aliae orationes vel cantus non habeantur, atque organum vel alia instrumenta musica sileant.

13. Sacerdos vero non solum tamquam praeses nomine totius communitatis preces effundit, sed etiam aliquando nomine dumtaxat suo, ut ministerium suum maiore cum animi attentione et pietate adimpleat. Huiusmodi preces secreto proferuntur.

Collecta

32. Deinde sacerdos populum ad orandum invitat; et omnes una cum sacerdote parumper silent, ut conscii fiant se in conspectu Dei stare, et vota sua in animo possint nuncupare. Tunc sacerdos profert orationem, quae solet « collecta » nominari. Per eam indoles celebrationis exprimitur et precatio verbis sacerdotis ad Deum Patrem, per Christum in Spiritu Sancto, dirigitur.

Populus precationi se coniungens, illique assentiens, acclamatione « Amen » suam facit orationem.

In Missa unica dicitur collecta; quod valet etiam de orationibus super oblata et post Communionem.

Collecta concluditur conclusione longiore, idest:

si dirigitur ad Patrem: « Per Dominum nostrum Iesum Christum Filium tuum, qui tecum vivit et regnat in unitate Spiritus Sancti, Deus, per omnia saecula saeculorum »;

si dirigitur ad Patrem, sed in fine ipsius fit mentio Filii: « Qui tecum vivit et regnat in unitate Spiritus Sancti, Deus, per omnia saecula saeculorum »;

si dirigitur ad Filium: « Qui vivis et regnas cum Deo Patre in unitate Spiritus Sancti, Deus, per omnia saecula saeculorum ».

Orationes vero super oblata et post Communionem concluduntur conclusione breviore, idest:

si diriguntur ad Patrem: « Per Christum Dominum nostrum »;

si diriguntur ad Patrem, sed in fine ipsarum fit mentio Filii: « Qui vivit et regnat in saecula saeculorum »;

si diriguntur ad Filium: « Qui vivis et regnas in saecula saeculorum ».

---

[24] Cf. S. Congr. Rituum, Instructio *Musicam sacram*, 5 martii 1967, n. 14, A.A.S.

53. ... per orationem super oblata praeparatio donorum concluditur et Prex eucharistica praeparatur.

56. In oratione post Communionem, sacerdos pro fructibus mysterii celebrati deprecatur. Populus acclamatione « Amen » orationem facit suam.

ORATIONES

PROPRIUM DE TEMPORE

TEMPUS ADVENTUS

DOMINICA I ADVENTUS
Collecta
1 Da, quaesumus, omnipotens Deus,
hanc tuis fidelibus voluntatem,
ut, Christo tuo venienti iustis operibus occurrentes,
eius dexterae sociati, regnum mereantur possidere caeleste.
Per Dominum.

Super oblata
2 Suscipe, quaesumus, Domine, munera
quae de tuis offerimus collata beneficiis,
et, quod nostrae devotioni concedis effici temporali,
tuae nobis fiat praemium redemptionis aeternae. Per Christum.

Post communionem
3 Prosint nobis, quaesumus, Domine, frequentata mysteria,
quibus nos, inter praetereuntia ambulantes,
iam nunc instituis amare caelestia et inhaerere mansuris.
Per Christum.

DOMINICA II ADVENTUS
Collecta
4 Omnipotens et misericors Deus,
in tui occursum Filii festinantes
nulla opera terreni actus impediant,
sed sapientiae caelestis eruditio
nos faciat eius esse consortes. Qui tecum vivit.

Super oblata
5 Placare, Domine, quaesumus,
nostrae precibus humilitatis et hostiis
et, ubi nulla suppetunt suffragia meritorum,
tuae nobis indulgentiae succurre praesidiis. Per Christum.

Post communionem
6 Repleti cibo spiritalis alimoniae,
supplices te, Domine, deprecamur,
et, huius participatione mysterii,
doceas nos terrena sapienter perpendere
et caelestibus inhaerere. Per Christum.

Dominica III Adventus

Collecta

7 Deus, qui conspicis populum tuum
nativitatis dominicae festivitatem fideliter exspectare,
praesta, quaesumus,
ut valeamus ad tantae salutis gaudia pervenire,
et ea votis sollemnibus alacri semper laetitia celebrare.
Per Dominum.

Super oblata

8 Devotionis nostrae tibi, Domine, quaesumus,
hostia iugiter immoletur,
quae et sacri peragat instituta mysterii,
et salutare tuum nobis potenter operetur. Per Christum.

Post communionem

9 Tuam, Domine, clementiam imploramus,
ut haec divina subsidia, a vitiis expiatos,
ad festa ventura nos praeparent. Per Christum.

Dominica IV Adventus

Collecta

10 Gratiam tuam, quaesumus, Domine, mentibus nostris infunde,
ut qui, Angelo nuntiante,
Christi Filii tui incarnationem cognovimus,
per passionem eius et crucem
ad resurrectionis gloriam perducamur. Per Dominum.

Super oblata

11 Altari tuo, Domine, superposita munera
Spiritus ille sanctificet,
qui beatae Mariae viscera sua virtute replevit. Per Christum.

Post communionem

12 Sumpto pignore redemptionis aeternae,
quaesumus, omnipotens Deus,
ut quanto magis dies salutiferae festivitatis accedit,
tanto devotius proficiamus
ad Filii tui digne nativitatis mysterium celebrandum. Per Christum.

IN FERIIS ADVENTUS
usque ad diem 16 decembris

Feria secunda

Collecta

Hebd. I

13 Fac nos, quaesumus, Domine Deus noster,
adventum Christi Filii tui sollicitos exspectare,
ut, dum venerit pulsans, orationibus vigilantes,
et in suis inveniat laudibus exsultantes. Per Dominum.

Hebd. II

14 Dirigatur, quaesumus, Domine,
in conspectu tuo nostrae petitionis oratio,
ut ad magnum incarnationis Unigeniti tui mysterium
nostrae vota servitutis illibata puritate perveniant. Per Dominum.

Hebd. III

15 Voci nostrae, quaesumus, Domine,
aures tuae pietatis accommoda,
et cordis nostri tenebras gratia Filii tui nos visitantis illustra.
Per Dominum.

Super oblata

16 Suscipe, quaesumus, Domine, munera
quae de tuis offerimus collata beneficiis,
et, quod nostrae devotioni concedis effici temporali,
tuae nobis fiat praemium redemptionis aeternae. Per Christum.

Post communionem

17 Prosint nobis, quaesumus, Domine, frequentata mysteria,
quibus nos, inter praetereuntia ambulantes,
iam nunc instituis amare caelestia et inhaerere mansuris.
Per Christum.

Feria tertia

Collecta

Hebd. II

18 Propitiare, Domine Deus, supplicationibus nostris,
et tribulantibus, quaesumus, tuae concede pietatis auxilium,
ut, de Filii tui venientis praesentia consolati,
nullis iam polluamur contagiis vetustatis. Per Dominum.

Hebd. II

19 Deus, qui salutare tuum cunctis terrae finibus declarasti,
tribue, quaesumus,
ut nativitatis eius gloriam laetanter praestolemur. Per Dominum.

Hebd. III

20 Deus, qui novam creaturam
per Unigenitum tuum nos esse fecisti,
in opera misericordiae tuae propitius intuere,
et in adventu Filii tui
ab omnibus nos maculis vetustatis emunda. Per Dominum.

Super oblata

21 Placare, Domine, quaesumus,
nostrae precibus humilitatis et hostiis
et, ubi nulla suppetunt suffragia meritorum,
tuae nobis indulgentiae succurre praesidiis. Per Christum.

Post communionem

22 Repleti cibo spiritalis alimoniae,
supplices te, Domine, deprecamur,
et, huius participatione mysterii,
doceas nos terrena sapienter perpendere
et caelestibus inhaerere. Per Christum.

Feria quarta

Collecta
Hebd. I

23 Praepara, quaesumus, Domine Deus noster,
corda nostra divina tua virtute,
ut, veniente Christo Filio tuo,
digni inveniamur aeternae vitae convivio,
et cibum caelestem, ipso ministrante, percipere mereamur.
Per Dominum.

Hebd. II

24 Omnipotens Deus, qui nos praecipis
iter Christo Domino praeparare,
concede propitius, ut nullis infirmitatibus fatigemur,
qui caelestis medici consolantem praesentiam sustinemus.
Per Dominum.

Hebd. III

25 Praesta, quaesumus, omnipotens Deus,
ut Filii tui ventura sollemnitas
et praesentis nobis vitae remedia largiatur,
et praemia aeterna concedat. Per Dominum.

Super oblata

26 Devotionis nostrae tibi, Domine, quaesumus,
hostia iugiter immoletur,
quae et sacri peragat instituta mysterii,
et salutare tuum nobis potenter operetur. Per Christum.

Post communionem

27 Tuam, Domine, clementiam imploramus,
ut haec divina subsidia, a vitiis expiatos,
ad festa ventura nos praeparent. Per Christum.

Feria quinta

Collecta
Hebd. I

28 Excita, Domine, potentiam tuam,
et magna nobis virtute succurre,
ut, quod nostra peccata praepediunt,
gratia tuae propitiationis acceleret. Per Dominum.

Hebd II

29 Excita, Domine, corda nostra
ad praeparandas Unigeniti tui vias,
ut, per eius adventum,
purificatis tibi mentibus servire mereamur. Per Christum.

Hebd. III

30 Indignos, quaesumus, Domine, nos famulos tuos,
quos actionis propriae culpa contristat,
Unigeniti tui adventu salutari laetifica. Per Dominum.

Super oblata

31 Suscipe, quaesumus, Domine, munera
quae de tuis offerimus collata beneficiis,
et, quod nostrae devotioni concedis effici temporali,
tuae nobis fiat praemium redemptionis aeternae. Per Christum.

Post communionem

32 Prosint nobis, quaesumus, Domine, frequentata mysteria,
quibus nos, inter praetereuntia ambulantes,
iam nunc instituis amare caelestia et inhaerere mansuris.
Per Christum.

Feria sexta

Collecta

Hebd. I

33 Excita, quaesumus, Domine, potentiam tuam, et veni,
ut, ab imminentibus peccatorum nostrorum periculis,
te mereamur protegente eripi,
te liberante salvari. Qui vivis et regnas.

Hebd. II

34 Concede, quaesumus, omnipotens Deus, plebi tuae
adventum Unigeniti tui cum summa vigilantia exspectare,
ut, sicut ipse docuit auctor nostrae salutis,
accensis lampadibus in eius occursum vigilantes properemus.
Per Dominum.

Hebd. III

35 Praeveniat nos, omnipotens Deus,
tua gratia semper atque subsequatur,
ut, qui adventum Unigeniti tui
summo cordis desiderio sustinemus,
et praesentis vitae subsidia et futurae pariter consequamur.
Per Dominum.

Super oblata

36 Placare, Domine, quaesumus,
nostrae precibus humilitatis et hostiis
et, ubi nulla suppetunt suffragia meritorum,
tuae nobis indulgentiae succurre praesidiis. Per Christum.

Post communionem

37 Repleti cibo spiritalis alimoniae,
supplices te, Domine, deprecamur,
et, huius participatione mysterii,
doceas nos terrena sapienter perpendere
et caelestibus inhaerere. Per Christum.

Sabbato

Collecta

Hebd. I

38 Deus, qui, ad liberandum humanum genus
a vetustatis condicione,
Unigenitum tuum in hunc mundum misisti,
largire devote exspectantibus supernae tuae gratiam pietatis,
ut ad verae perveniamus praemium libertatis. Per Dominum.

Hebd. II

39 Oriatur, quaesumus, omnipotens Deus, in cordibus nostris
splendor gloriae tuae,
ut, omni noctis obscuritate sublata,
filios nos esse lucis Unigeniti tui manifestet adventus. Per Dominum.

Super oblata

40 Devotionis nostrae tibi, Domine, quaesumus,
hostia iugiter immoletur,
quae et sacri peragat instituta mysterii,
et salutare tuum nobis potenter operetur. Per Christum.

Post communionem

41 Tuam, Domine, clementiam imploramus,
ut haec divina subsidia, a vitiis expiatos,
ad festa ventura nos praeparent. Per Christum.

IN FERIIS ADVENTUS
a die 17 ad diem 24 decembris

DIE 17 DECEMBRIS

Collecta

42 Deus, humanae conditor et redemptor naturae,
qui Verbum tuum in utero perpetuae virginitatis
carnem assumere voluisti,
respice propitius ad preces nostras,
ut Unigenitus tuus, nostra humanitate suscepta,
nos divino suo consortio sociare dignetur. Per Dominum.

Super oblata

43 Ecclesiae tuae, Domine, dona sanctifica,
et concede ut, per haec veneranda mysteria,
pane caelesti refici mereamur. Per Christum.

Post communionem

44 Divino munere satiati, quaesumus, omnipotens Deus,
hoc desiderio potiamur,
ut, a tuo accensi Spiritu,
ante conspectum venientis Christi tui,
velut clara luminaria fulgeamus. Per Christum.

DIE 18 DECEMBRIS
Collecta

45 Concede, quaesumus, omnipotens Deus,
ut, qui sub peccati iugo ex vetusta servitute deprimimur,
exspectata Unigeniti tui nova nativitate liberemur. Per Dominum.

Super oblata

46 Sacrificium tibi, Domine, celebrandum
tuo nomini nos reddat acceptos,
ut ipsius aeternitatis mereamur esse consortes,
qui mortalitatem nostram sua mortalitate curavit. Per Christum.

Post communionem

47 Suscipiamus, Domine, misericordiam tuam
in medio templi tui,
et redemptionis nostrae ventura sollemnia
congruis honoribus praecedamus. Per Christum.

DIE 19 DECEMBRIS
Collecta

48 Deus, qui splendorem gloriae tuae
per sacrae Virginis partum mundo dignatus es revelare,
tribue, quaesumus, ut tantae incarnationis mysterium
et fidei integritate colamus,
et devoto semper obsequio frequentemus. Per Dominum.

Super oblata

49 Propitius intuere munera, Domine, quaesumus,
quae tuis altaribus exhibemus,
ut, quod nostra fragilitate defertur,
tua virtute sacretur. Per Christum.

Post communionem

50 Gratias de collatis muneribus referentes,
fac nos propitius, omnipotens Deus,
quae ventura sunt desiderare praestanda,
ut nativitatem Salvatoris nostri
purificatis suscipiamus mentibus honorandam. Per Christum.

DIE 20 DECEMBRIS
Collecta

51 Deus, cuius ineffabile Verbum,
Angelo nuntiante, Virgo immaculata suscepit,

et, domus divinitatis effecta, Sancti Spiritus luce repletur,
quaesumus, ut nos, eius exemplo,
voluntati tuae humiliter adhaerere valeamus. Per Dominum.

Super oblata

52 Intende, quaesumus, Domine, sacrificium singulare,
ut, huius participatione mysterii,
quae speranda credimus, exspectata sumamus. Per Christum.

Post communionem

53 Quos munere caelesti reficis, Domine, divino tuere praesidio,
ut, tuis mysteriis perfruentes,
in vera facias pace gaudere. Per Christum.

DIE 21 DECEMBRIS
Collecta

54 Preces populi tui, quaesumus, Domine, clementer exaudi,
ut, qui de Unigeniti tui in nostra carne adventu laetantur,
cum venerit in sua maiestate,
aeternae vitae praemium consequantur. Per Dominum.

Super oblata

55 Ecclesiae tuae, Domine, munera placatus assume,
quae et misericors offerenda tribuisti,
et in nostrae salutis potenter efficis transire mysterium.
Per Christum.

Post communionem

56 Sit plebi tuae, Domine, continuata defensio
divini participatio mysterii,
ut, maiestati tuae plena devotione subiecta,
salvationem mentis et corporis affluenter accipiat. Per Christum.

DIE 22 DECEMBRIS
Collecta

57 Deus, qui hominem delapsum in mortem conspiciens,
Unigeniti tui adventu redimere voluisti,
praesta, quaesumus,
ut qui humili eius incarnationem devotione fatentur,
ipsius etiam Redemptoris consortia mereantur. Per Dominum.

Super oblata

58 In tua pietate confidentes, Domine,
cum muneribus ad altaria veneranda concurrimus,
ut, tua purificante nos gratia,
iisdem quibus famulamur mysteriis emundemur. Per Christum.

Post communionem

59 Roboret nos, quaesumus, Domine, tui sacramenti perceptio,
ut venienti Salvatori mereamur cum dignis operibus obviare,
et beatitudinis praemia promereri. Per Christum.

Die 23 decembris

Collecta

60 Omnipotens sempiterne Deus,
nativitatem Filii tui secundum carnem propinquare cernentes,
quaesumus, ut nobis indignis famulis tuis
misericordiam praestet Verbum,
quod ex Virgine Maria dignatum est caro fieri
et habitare in nobis. Qui tecum.

Super oblata

61 Haec oblatio, qua divini cultus nobis est indita plenitudo,
sit tibi, Domine perfecta placatio,
ut nostri Redemptoris exordia
purificatis mentibus celebremus. Per Christum.

Post communionem

62 Caelesti munere satiatis, Domine,
pacem tuam propitiatus indulge,
ut Filio tuo dilectissimo venienti
accensis lampadibus digni praestolemur occursum. Per Christum.

Die 24 decembris, Ad Missam matutinam

Collecta

63 Festina, quaesumus, ne tardaveris, Domine Iesu,
ut adventus tui consolationibus subleventur,
qui in tua pietate confidunt. Qui vivis.

Super oblata

64 Oblata tibi, Domine, munera benignus assume,
ut eorum perceptione expiemur a peccatis,
et adventus Filii tui gloriam
puris mereamur mentibus praestolari. Per Christum.

Post communionem

65 Da nobis, Domine, hoc dono tuo mirabili recreatis,
ut, sicut adoranda Filii tui natalicia praevenimus,
sic eius munera capiamus sempiterna gaudentes. Per Christum.

TEMPUS NATIVITATIS

DIE 25 DECEMBRIS - IN NATIVITATE DOMINI
SOLLEMNITAS

AD MISSAM IN VIGILIA

Collecta

66 Deus, qui nos redemptionis nostrae
annua exspectatione laetificas,
praesta, ut Unigenitum tuum,
quem laeti suscipimus Redemptorem,
venientem quoque Iudicem securi videre mereamur. Per Dominum.

Super oblata

67 Tanto nos, Domine, quaesumus,
promptiori servitio haec praecurrere concede sollemnia,
quanto in his constare principium
nostrae redemptionis ostendis. Per Christum.

Post communionem

68 Da nobis, quaesumus, Domine,
unigeniti Filii tui recensita nativitate vegetari,
cuius caelesti mysterio pascimur et potamur. Per Christum.

AD MISSAM IN NOCTE

Collecta

69 Deus, qui hanc sacratissimam noctem
veri luminis fecisti illustratione clarescere,
da, quaesumus, ut, cuius in terra mysteria lucis agnovimus,
eius quoque gaudiis perfruamur in caelo. Per Dominum.

Super oblata

70 Grata tibi sit, Domine, quaesumus,
hodiernae festivitatis oblatio,
ut, per haec sacrosancta commercia,
in illius inveniamur forma, in quo tecum est nostra substantia.
Per Christum.

Post communionem

71 Da nobis, quaesumus, Domine Deus noster,
ut, qui nativitatem Redemptoris nostri frequentare gaudemus,
dignis conversationibus
ad eius mereamur pervenire consortium. Per Christum.

AD MISSAM IN AURORA

Collecta

72 Da, quaesumus, omnipotens Deus,
ut dum nova incarnati Verbi tui luce perfundimur,

hoc in nostro resplendeat opere,
quod per fidem fulget in mente. Per Dominum.

Super oblata

73 Munera nostra, quaesumus, Domine,
nativitatis hodiernae mysteriis apta proveniant,
ut sicut homo genitus idem praefulsit et Deus,
sic nobis haec terrena substantia conferrat quod divinum est.
Per Christum.

Post communionem

74 Da nobis, Domine, Filii tui nativitatem
laeta devotione colentibus,
huius arcana mysterii et plena fide cognoscere,
et pleniore caritatis ardore diligere. Per Christum.

AD MISSAM IN DIE

Collecta

75 Deus, qui humanae substantiae dignitatem
et mirabiliter condidisti, et mirabilius reformasti,
da, quaesumus, nobis eius divinitatis esse consortes,
qui humanitatis nostrae fieri dignatus est particeps. Qui tecum vivit.

Super oblata

76 Oblatio tibi sit, Domine,
hodiernae sollemnitatis accepta,
qua et nostrae reconciliationis processit perfecta placatio,
et divini cultus nobis est indita plenitudo. Per Christum.

Post communionem

77 Praesta, misericors Deus, ut natus hodie Salvator mundi,
sicut divinae nobis generationis est auctor,
ita et immortalitatis sit ipse largitor. Qui vivit.

S. FAMILIAE IESU, MARIAE ET IOSEPH

Collecta

78 Deus, qui praeclara nobis sanctae Familiae
dignatus es exempla praebere,
concede propitius,
ut, domesticis virtutibus caritatisque vinculis illam sectantes,
in laetitia domus tuae praemiis fruamur aeternis. Per Dominum.

Super oblata

79 Hostiam tibi placationis offerimus, Domine,
suppliciter deprecantes,
ut, Deiparae Virginis Beatique Ioseph interveniente suffragio,
familias nostras in tua gratia firmiter et pace constitutas.
Per Christum.

Post communionem

80 Quos caelestibus reficis sacramentis,
fac, clementissime Pater,
Sanctae Familiae exempla iugiter imitari,
ut, post aerumnas saeculi,
eius consortium consequamur aeternum. Per Christum.

DE V DIE INFRA OCTAVAM NATIVITATIS DOMINI

Collecta

81 Omnipotens et invisibilis Deus,
qui tuae lucis adventu mundi tenebras effugasti,
sereno vultu nos, quaesumus, intuere,
ut magnificentiam nativitatis Unigeniti tui
dignis praeconiis collaudemus. Qui tecum vivit.

Super oblata

82 Suscipe, Domine, munera nostra,
quibus exercentur commercia gloriosa,
ut, offerentes quae dedisti,
teipsum mereamur accipere. Per Christum.

Post communionem

83 Da, quaesumus, omnipotens Deus,
ut mysteriorum virtute sanctorum
iugiter vita nostra firmetur. Per Christum.

DE VI DIE INFRA OCTAVAM NATIVITATIS DOMINI

Collecta

84 Concede, quaesumus, omnipotens Deus,
ut nos Unigeniti tui nova per carnem nativitas liberet,
quos sub peccati iugo vetusta servitus tenet. Per Dominum.

Super oblata

85 Munera, quaesumus, Domine, tuae plebis propitiatus assume,
ut, quae fidei pietate profitentur,
sacramentis caelestibus apprehendant. Per Christum.

Post communionem

86 Deus, qui nos sacramenti tui participatione contingis,
virtutis eius effectus in nostris cordibus operare,
ut suscipiendo muneri tuo per ipsum munus aptemur. Per Christum.

DE VII DIE INFRA OCTAVAM NATIVITATIS DOMINI

Collecta

87 Omnipotens sempiterne Deus,
qui in Filii tui nativitate

tribuisti totius religionis initium perfectionemque constare,
da nobis, quaesumus, in eius portione censeri,
in quo totius salutis humanae summa consistit. Per Dominum.

Super oblata

88 Deus, auctor sincerae devotionis et pacis,
da, quaesumus, ut et maiestatem tuam
convenienter hoc munere veneremur,
et sacri participatione mysterii fideliter sensibus uniamur.
Per Christum.

Post communionem

89 Diversis plebs tua, Domine, gubernata subsidiis,
et praesentia pietatis tuae remedia capiat et futura,
ut, transeuntium rerum necessaria consolatione fovente,
fiducialius ad aeterna contendat. Per Christum.

DIE 1 IANUARII - IN OCTAVA NATIVITATIS DOMINI
SOLLEMNITAS SANCTAE DEI GENETRICIS MARIAE

Collecta

90 Deus, qui salutis aeternae, beatae Mariae virginitate fecunda,
humano generi praemia praestitisti,
tribue, quaesumus, ut ipsam pro nobis intercedere sentiamus,
per quam meruimus Filium tuum auctorem vitae suscipere.
Qui tecum vivit.

Super oblata

91 Deus, qui bona cuncta inchoas benignus et perficis,
da nobis, de sollemnitate sanctae Dei Genetricis laetantibus,
sicut de initiis tuae gratiae gloriamur,
ita de perfectione gaudere. Per Christum.

Post communionem

92 Sumpsimus, Domine, laeti sacramenta caelestia:
praesta, quaesumus,
ut ad vitam nobis proficiant sempiternam,
qui beatam semper Virginem Mariam
Filii tui Genetricem et Ecclesiae Matrem
profiteri gloriamur. Per Christum.

DOMINICA II POST NATIVITATEM
Collecta

93 Omnipotens sempiterne Deus, fidelium splendor animarum,
dignare mundum gloria tua implere benignus,
et cunctis populis appare per tui luminis claritatem. Per Dominum.

Super oblata

94 Oblata, Domine, munera Unigeniti tui nativitate sanctifica,
qua nobis et via ostenditur veritatis,
et regni caelestis vita promittitur. Per Christum.

Post communionem

95 Domine Deus noster, suppliciter te rogamus,
ut, huius operatione mysterii,
vitia nostra purgentur, et iusta desideria compleantur. Per Christum.

DIE **6** IANUARII - IN EPIPHANIA DOMINI
SOLLEMNITAS

Collecta

96 Deus, qui hodierna die Unigenitum tuum
gentibus stella duce revelasti,
concede propitius, ut qui iam te ex fide cognovimus,
usque ad contemplandam speciem tuae celsitudinis perducamur.
Per Dominum.

Super oblata

97 Ecclesiae tuae, quaesumus, Domine, dona propitius intuere,
quibus non iam aurum, thus et myrrha profertur,
sed quod eisdem muneribus declaratur, immolatur et sumitur,
Iesus Christus. Qui vivit.

Post communionem

98 Caelesti lumine, quaesumus, Domine,
semper et ubique nos praeveni,
ut mysterium, cuius nos participes esse voluisti,
et puro cernamus intuitu, et digno percipiamus affectu.
Per Christum.

DOMINICA POST DIEM **6** IANUARII OCCURRENTE - IN BAPTISMATE DOMINI
FESTUM

Collecta

99 Omnipotens sempiterne Deus,
qui Christum, in Iordane flumine baptizatum,
Spiritu Sancto super eum descendente,
dilectum Filium tuum sollemniter declarasti,
concede filiis adoptionis tuae, ex aqua et Spiritu Sancto renatis,
ut in beneplacito tuo iugiter perseverent. Per Dominum.

Vel:

100 Deus, cuius Unigenitus in substantia nostrae carnis apparuit,
praesta, quaesumus, ut, per eum,
quem similem nobis foris agnovimus,
intus reformari mereamur. Qui tecum vivit.

Super oblata

101 Suscipe munera, Domine,
in dilecti Filii tui revelatione delata,
ut fidelium tuorum oblatio in eius sacrificium transeat,
qui mundi voluit peccata miseratus abluere. Qui vivit.

Post communionem

102 Sacro munere satiati,
clementiam tuam, Domine, suppliciter exoramus,
ut, Unigenitum tuum fideliter audientes,
filii tui vere nominemur et simus. Per Christum.

IN FERIIS TEMPORIS NATIVITATIS

a die 2 ianuarii usque ad sabbatum ante festum Baptismatis Domini

Feria secunda

Collecta

Ante sollemnitatem Epiphaniae

103 Da, quaesumus, Domine,
populo tuo inviolabilem fidei firmitatem,
ut, qui Unigenitum tuum in tua tecum gloria sempiternum
in veritate nostri corporis natum de Matre Virgine confitentur,
et a praesentibus liberentur adversis,
et mansuris gaudiis inserantur. Per Dominum.

Post sollemnitatem Epiphaniae

104 Corda nostra, quaesumus, Domine,
tuae maiestatis splendor illustret,
quo per mundi huius tenebras transire valeamus,
et perveniamus ad patriam claritatis aeternae. Per Dominum.

Super oblata

105 Suscipe, Domine, munera nostra,
quibus exercentur commercia gloriosa,
ut, offerentes quae dedisti,
teipsum mereamur accipere. Per Christum.

Post communionem

106 Da, quaesumus, omnipotens Deus,
ut mysteriorum virtute sanctorum
iugiter vita nostra firmetur. Per Christum.

Feria tertia

Collecta

Ante sollemnitatem Epiphaniae

107 Deus, qui, per beatum sacrae Virginis partum,
Filii tui carnem humanis fecisti praeiudiciis non teneri,
praesta, quaesumus, ut, huius creaturae novitate suscepti,
vetustatis antiquae contagiis exuamur. Per Dominum.

Post sollemnitatem Epiphaniae

108 Deus, cuius Unigenitus in substantia nostrae carnis apparuit,
praesta, quaesumus, ut, per eum,
quem similem nobis foris agnovimus,
intus reformari mereamur. Qui tecum vivit.

Super oblata

109 Munera, quaesumus, Domine, tuae plebis propitiatus assume,
ut, quae fidei pietate profitentur,
sacramentis caelestibus apprehendant. Per Christum.

Post communionem

110 Deus, qui nos sacramenti tui participatione contingis,
virtutis eius effectus in nostris cordibus operare,
ut suscipiendo muneri tuo per ipsum munus aptemur. Per Christum.

Feria quarta

Collecta

Ante sollemnitatem Epiphaniae

111 Concede nobis, omnipotens Deus,
ut salutare tuum, quod ad redemptionem mundi
luce nova caelorum processit,
nostris semper innovandis cordibus oriatur. Per Dominum.

Post sollemnitatem Epiphaniae

112 Deus, illuminator omnium gentium,
da populis tuis perpetua pace gaudere,
et illud cordibus nostris splendidum lumen infunde,
quod patrum nostrorum mentibus aspersisti. Per Dominum.

Super oblata

113 Deus, auctor sincerae devotionis et pacis,
da, quaesumus, ut et maiestatem tuam
convenienter hoc munere veneremur,
et sacri participatione mysterii fideliter sensibus uniamur.
Per Christum.

Post communionem

114 Diversis plebs tua, Domine, gubernata subsidiis,
et praesentia pietatis tuae remedia capiat et futura,
ut, transeuntium rerum necessaria consolatione fovente,
fiducialius ad aeterna contendat. Per Christum.

Feria quinta

Collecta

Ante sollemnitatem Epiphaniae

115 Deus, qui populo tuo, Unigeniti tui nativitate,
redemptionis effectum mirabiliter inchoasti,
ita, quaesumus, fidei famulis tuis tribue firmitatem,
ut usque ad promissum gloriae praemium,
ipso gubernante, perveniant. Per Dominum.

Post sollemnitatem Epiphaniae

116 Deus, qui per Filium tuum
aeternitatis tuae lumen cunctis gentibus suscitasti,

da plebi tuae fulgorem plenum sui Redemptoris agnoscere,
ut ad perpetuam claritatem per eius incrementa perveniat.
Per Dominum.

Super oblata

117 Suscipe, Domine, munera nostra,
quibus exercentur commercia gloriosa,
ut, offerentes quae dedisti,
teipsum mereamur accipere. Per Christum.

Post communionem

118 Da, quaesumus, omnipotens Deus,
ut mysteriorum virtute sanctorum
iugiter vita nostra firmetur. Per Christum.

Feria sexta

Collecta

Ante sollemnitatem Epiphaniae

119 Fideles tuos, quaesumus, Domine, benignus illumina,
et splendore gloriae tuae corda eorum semper accende,
ut Salvatorem suum et incessanter agnoscant,
et veraciter apprehendant. Per Dominum.

Post sollemnitatem Epiphaniae

120 Praesta, quaesumus, omnipotens Deus,
ut Salvatoris mundi, stella duce, manifestata nativitas,
mentibus nostris reveletur semper et crescat. Per Dominum.

Super oblata

121 Munera, quaesumus, Domine, tuae plebis propitiatus assume,
ut, quae fidei pietate profitentur,
sacramentis caelestibus apprehendant. Per Christum.

Post communionem

122 Deus, qui nos sacramenti tui participatione contingis,
virtutis eius effectus in nostris cordibus operare,
ut suscipiendo muneri tuo per ipsum munus aptemur. Per Christum.

Sabbato

Collecta

Ante sollemnitatem Epiphaniae

123 Omnipotens sempiterne Deus,
qui per adventum unigeniti Filii tui
nova luce radiare dignatus es,
concede nobis, ut sicut eum per Virginis partum
in forma nostri corporis meruimus habere participem,
ita in eius regno gratiae mereamur esse consortes. Per Dominum.

Post sollemnitatem Epiphaniae

124 Omnipotens sempiterne Deus,
qui per Unigenitum tuum
novam creaturam nos tibi esse fecisti,
praesta, quaesumus, ut per gratiam tuam
in illius inveniamur forma,
in quo tecum est nostra substantia. Per Dominum.

Super oblata

125 Deus, auctor sincerae devotionis et pacis,
da, quaesumus, ut et maiestatem tuam
convenienter hoc munere veneremur,
et sacri participatione mysterii fideliter sensibus uniamur.
Per Christum.

Post communionem

126 Diversis plebs tua, Domine, gubernata subsidiis,
et praesentia pietatis tuae remedia capiat et futura,
ut, transeuntium rerum necessaria consolatione fovente,
fiducialius ad aeterna contendat. Per Christum.

TEMPUS QUADRAGESIMAE

Feria quarta Cinerum

Collecta

127 Concede nobis, Domine, praesidia militiae christianae
sanctis inchoare ieiuniis,
ut, contra spiritales nequitias pugnaturi,
continentiae muniamur auxiliis. Per Dominum.

Super oblata

128 Sacrificium quadragesimalis initii sollemniter immolamus,
te, Domine, deprecantes,
ut per paenitentiae caritatisque labores
a noxiis voluptatibus temperemur,
et, a peccatis mundati,
ad celebrandam Filii tui passionem
mereamur esse devoti. Per Christum.

Post communionem

129 Percepta, nobis, Domine, praebeant sacramenta subsidium,
ut tibi grata sint nostra ieiunia,
et nobis proficiant ad medelam. Per Christum.

Feria quinta post Cineres

Collecta

130 Actiones nostras, quaesumus, Domine,
aspirando praeveni et adiuvando prosequere,
ut cuncta nostra operatio a te semper incipiat,
et per te coepta finiatur. Per Dominum.

Super oblata

131 Hostias, quaesumus, Domine, propitius intende,
quas sacris altaribus exhibemus,
ut, nobis indulgentiam largiendo,
tuo nomini dent honorem. Per Christum.

Post communionem

132 Caelestis doni benedictione percepta,
supplices te, Deus omnipotens, deprecamur,
ut hoc idem nobis semper et indulgentiae causa sit et salutis.
Per Christum.

Feria sexta post Cineres

Collecta

133 Inchoata paenitentiae opera, quaesumus, Domine,
benigno favore prosequere,
ut observantiam, quam corporaliter exercemus,
mentibus etiam valeamus implere sinceris. Per Dominum.

Super oblata

134 Sacrificium, Domine, observantiae quadragesimalis offerimus,
quod tibi, quaesumus, mentes nostras reddat acceptas,
et continentiae promptioris nobis tribuat facultatem. Per Christum.

Post communionem

135 Quaesumus, omnipotens Deus,
ut, huius participatione mysterii
a delictis omnibus expiati,
remediis tuae pietatis aptemur. Per Christum.

Sabbato post Cineres

Collecta

136 Omnipotens sempiterne Deus,
infirmitatem nostram propitius respice,
atque ad protegendum nos
dexteram tuae maiestatis extende. Per Dominum.

Super oblata

137 Suscipe, quaesumus, Domine, sacrificium placationis et laudis,
et praesta, ut, huius operatione mundati,
beneplacitum tibi nostrae mentis offeramus affectum. Per Christum.

Post communionem

138 Caelestis vitae munere vegetati, quaesumus, Domine,
ut, quod est nobis in praesenti vita mysterium,
fiat aeternitatis auxilium. Per Christum.

DOMINICA I IN QUADRAGESIMA

Collecta

139 Concede nobis, omnipotens Deus,
ut, per annua quadragesimalis exercitia sacramenti,
et ad intellegendum Christi proficiamus arcanum,
et effectus eius digna conversatione sectemur. Per Dominum.

Super oblata

140 Fac nos, quaesumus, Domine,
his muneribus offerendis convenienter aptari,
quibus ipsius venerabilis sacramenti celebramus exordium.
Per Christum.

Post communionem

141 Caelesti pane refecti,
quo fides alitur, spes provehitur et caritas roboratur,
quaesumus, Domine,
ut ipsum, qui est panis vivus et verus, esurire discamus,
et in omni verbo, quod procedit de ore tuo, vivere valeamus.
Per Christum.

Feria secunda

Collecta

142 Converte nos, Deus, salutaris noster,
et, ut nobis opus quadragesimale proficiat,
mentes nostras caelestibus instrue disciplinis. Per Dominum.

Super oblata

143 Accepta tibi sit, Domine, nostrae devotionis oblatio,
quae et conversationem nostram, te operante, sanctificet,
et indulgentiam nobis tuae propitiationis obtineat. Per Christum.

Post communionem

144 Sentiamus, Domine, quaesumus, tui perceptione sacramenti,
subsidium mentis et corporis,
ut, in utroque salvati,
de caelestis remedii plenitudine gloriemur. Per Christum.

Feria tertia

Collecta

145 Respice, Domine, familiam tuam, et praesta,
ut apud te mens nostra tuo desiderio fulgeat,
quae se corporalium moderatione castigat. Per Dominum.

Super oblata

146 Suscipe, creator omnipotens Deus,
quae de tuae munificentiae largitate deferimus,
et temporalia nobis collata praesidia
ad vitam converte propitiatus aeternam. Per Christum.

Post communionem

147 His nobis, Domine, mysteriis conferatur,
quo, terrena desideria mitigantes,
discamus amare caelestia. Per Christum.

Feria quarta

Collecta

148 Devotionem populi tui, quaesumus, Domine, benignus intende,
ut, qui per abstinentiam temperantur in corpore,
per fructum boni operis reficiantur in mente. Per Dominum.

Super oblata

149 Offerimus tibi, Domine, quae dicanda tuo nomini tu dedisti,
ut, sicut eadem nobis efficis sacramentum,
ita fieri tribuas remedium sempiternum. Per Christum.

Post communionem

150 Deus, qui nos sacramentis tuis pascere non desistis,
tribue, ut eorum nobis indulta refectio
vitam, quaesumus, conferat sempiternam. Per Christum.

Feria quinta

Collecta

151 Largire nobis, quaesumus, Domine,
semper spiritum cogitandi quae recta sunt,
promptius et agendi,
ut, qui sine te esse non possumus,
secundum te vivere valeamus. Per Dominum.

Super oblata

152 Supplicum votis, Domine, esto propitius,
et, populi tui oblationibus precibusque susceptis,
omnium nostrum ad te corda converte. Per Christum.

Post communionem

153 Quaesumus, Domine Deus noster,
ut sacrosancta mysteria,
quae pro reparationis nostrae munimine contulisti,
et praesens nobis remedium esse facias et futurum. Per Christum.

Feria sexta

Collecta

154 Da, quaesumus, Domine, fidelibus tuis
observationi paschali convenienter aptari,
ut suscepta sollemniter castigatio corporalis
cunctis ad fructum proficiat animarum. Per Dominum.

Super oblata

155 Suscipe, Domine, propitiatus hostias,
quibus et te placari voluisti,
et nobis salutem potenti pietate restitui. Per Christum.

Post communionem

156 Tui nos, Domine, sacramenti refectio sancta restauret,
et, a vetustate purgatos,
in mysterii salutaris faciat transire consortium. Per Christum.

Sabbato

Collecta

157 Ad te corda nostra, Pater aeterne, converte,
ut nos, unum necessarium semper quaerentes
et opera caritatis exercentes,
tuo cultui praestes esse dicatos. Per Dominum.

Super oblata

158 Haec quae nos reparent, quaesumus, Domine, beata mysteria
suo nos munere dignos efficiant. Per Christum.

Post communionem

159 Perpetuo, Domine, favore prosequere,
quos reficis divino mysterio,

et, quos imbuisti caelestibus institutis,
salutaribus comitare solaciis. Per Christum.

DOMINICA II IN QUADRAGESIMA
Collecta
160 Deus, qui nobis dilectum Filium tuum audire praeceptisti,
verbo tuo interius nos pascere digneris,
ut, spiritali purificato intuitu,
gloriae tuae laetemur aspectu. Per Dominum.

Super oblata
161 Haec hostia, Domine, quaesumus, emundet nostra delicta,
et ad celebranda festa paschalia
fidelium tuorum corpora mentesque sanctificet. Per Christum.

Post communionem
162 Percipientes, Domine, gloriosa mysteria,
gratias tibi referre satagimus,
quod, in terra positos,
iam caelestium praestas esse participes. Per Christum.

Feria secunda
Collecta
163 Deus, qui ob animarum medelam castigare corpora praecepisti,
concede, ut ab omnibus possimus abstinere peccatis,
et corda nostra pietatis tuae valeant exercere mandata.
Per Dominum.

Super oblata
164 Preces nostras, Domine, propitiatus admitte,
et a terrenis effice illecebris liberatos,
quos caelestibus tribuis servire mysteriis. Per Christum.

Post communionem
165 Haec nos communio, Domine, purget a crimine,
et caelestis gaudii faciat esse consortes. Per Christum.

Feria tertia
Collecta
166 Custodi, Domine, quaesumus,
Ecclesiam tuam propitiatione perpetua,
et quia sine te labitur humana mortalitas,
tuis semper auxiliis et abstrahatur a noxiis,
et ad salutaria dirigatur. Per Dominum.

Super oblata
167 Sanctificationem tuam nobis, Domine,
his mysteriis operare placatus,

quae nos et a vitiis terrenis emundet,
et ad caelestia dona perducat. Per Christum.

Post communionem

168 Sacrae nobis, quaesumus, Domine, mensae refectio,
et piae conversationis augmentum,
et tuae propitiationis continuum praestet auxilium. Per Christum.

Feria quarta

Collecta

169 Conserva, Domine, familiam tuam
bonis semper operibus eruditam,
et sic praesentibus consolare praesidiis,
ut propitius ad superna dona perducas. Per Dominum.

Super oblata

170 Hostias, Domine, quas tibi offerimus, propitius intuere,
et, per haec sancta commercia,
vincula peccatorum nostrorum absolve. Per Christum.

Post communionem

171 Quaesumus, Domine Deus noster,
ut, quod nobis ad immortalitatis pignus esse voluisti,
ad salutis aeternae tribuas provenire suffragium. Per Christum.

Feria quinta

Collecta

172 Deus, innocentiae restitutor et amator,
dirige ad te tuorum corda servorum,
ut, Spiritus tui fervore concepto,
et in fide inveniantur stabiles, et in opere efficaces. Per Dominum.

Super oblata

173 Praesenti sacrificio, quaesumus, Domine,
observantiam nostram sanctifica,
ut, quod quadragesimalis exercitatio profitetur exterius,
interius operetur effectu. Per Christum.

Post communionem

174 Haec in nobis sacrificia, Deus,
et actione permaneant,
et operatione firmentur. Per Christum.

Feria sexta

Collecta

175 Da, quaesumus, omnipotens Deus,
ut, sacro nos purificante paenitentiae studio,
sinceris mentibus ad sancta ventura facias pervenire. Per Dominum.

Super oblata

176 Miseratio tua, Deus, ad haec peragenda mysteria,
   famulos tuos, quaesumus, et praeveniat competenter,
   et devota conversatione perducat. Per Christum.

Post communionem

177 Accepto, Domine, pignore salutis aeternae,
   fac nos, quaesumus, sic tendere congruenter,
   ut ad eam pervenire possimus. Per Christum.

Sabbato

Collecta

178 Deus, qui nos gloriosis remediis in terris adhuc positos
   iam caelestium rerum facis esse consortes,
   tu, quaesumus, in ista qua vivimus nos vita guberna,
   ut ad illam, in qua ipse es, lucem perducas. Per Dominum.

Super oblata

179 Per haec veniat, quaesumus, Domine, sacramenta
   nostrae redemptionis effectus,
   qui nos et ab humanis retrahat semper excessibus,
   et ad salutaria dona perducat. Per Christum.

Post communionem

180 Sacramenti tui, Domine, divina perceptio
   penetralia nostri cordis infundat,
   et sui nos participes potenter efficiat. Per Christum.

DOMINICA III IN QUADRAGESIMA

Collecta

181 Deus, omnium misericordiarum et totius bonitatis auctor,
   qui peccatorum remedia
   in ieiuniis, orationibus et eleemosynis demonstrasti,
   hanc humilitatis nostrae confessionem propitius intuere,
   ut, qui inclinamur conscientia nostra,
   tua semper misericordia sublevemur. Per Dominum.

Super oblata

182 His sacrificiis, Domine, concede placatus,
   ut, qui propriis oramus absolvi delictis,
   fraterna dimittere studeamus. Per Christum.

Post communionem

183 Sumentes pignus caelestis arcani,
   et in terra positi iam superno pane satiati,
   te, Domine, supplices deprecamur,
   ut, quod in nobis mysterio geritur, opere impleatur. Per Christum.

Feria secunda

Collecta

184 Ecclesiam tuam, Domine,
    miseratio continuata mundet et muniat,
    et quia sine te non potest salva consistere,
    tuo semper munere gubernetur. Per Dominum.

Super oblata

185 Munus quod tibi, Domine, nostrae servitutis offerimus,
    tu salutare nobis perfice sacramentum. Per Christum.

Post communionem

186 Tui nobis, quaesumus, Domine, communio sacramenti
    et purificationem conferat, et tribuat unitatem. Per Christum.

Feria tertia

Collecta

187 Gratia tua ne nos, quaesumus, Domine, derelinquat,
    quae et sacrae nos deditos faciat servituti,
    et tuam nobis opem semper acquirat. Per Dominum.

Super oblata

188 Concede nobis, quaesumus, Domine,
    ut haec hostia salutaris nostrorum fiat purgatio delictorum,
    et tuae propitiatio potestatis. Per Christum.

Post communionem

189 Vivificet nos, quaesumus, Domine,
    huius participatio sancta mysterii,
    et pariter nobis expiationem tribuat et munimen. Per Christum.

Feria quarta

Collecta

190 Praesta, quaesumus, Domine,
    ut, per quadragesimalem observantiam eruditi
    et tuo verbo nutriti,
    sancta continentia tibi simus toto corde devoti,
    et in oratione tua semper efficiamur concordes. Per Dominum.

Super oblata

191 Suscipe, quaesumus, Domine,
    preces populi tui cum oblationibus hostiarum,
    et tua mysteria celebrantes
    ab omnibus nos defende periculis. Per Christum.

Post communionem

192 Sanctificet nos, Domine, qua pasti sumus, mensa caelestis,
    et, a cunctis erroribus expiatos,
    supernis promissionibus reddat acceptos. Per Christum.

Feria quinta

Collecta

193 Maiestatem tuam, Domine, suppliciter imploramus,
ut, quanto magis dies salutiferae festivitatis accedit,
tanto devotius ad eius celebrandum
proficiamus paschale mysterium. Per Dominum.

Super oblata

194 Ut tibi grata sint, Domine, munera populi tui,
ab omni, quaesumus, eum contagio perversitatis emunda,
nec falsis gaudiis inhaerere patiaris,
quem ad veritatis tuae praemia venire promittis. Per Christum.

Post communionem

195 Quos reficis, Domine, sacramentis, attolle benignus auxiliis,
ut tuae salvationis effectum
et mysteriis capiamus et moribus. Per Christum.

Feria sexta

Collecta

196 Cordibus nostris, quaesumus, Domine,
gratiam tuam benignus infunde,
ut ab humanis semper retrahamur excessibus,
et monitis inhaerere valeamus, te largiente, caelestibus.
Per Dominum.

Super oblata

197 Respice, quaesumus, Domine,
propitius ad munera, quae sacramus,
ut tibi grata reddantur,
et nobis salutaria semper exsistant. Per Christum.

Post communionem

198 Mentes nostras et corpora, Domine, quaesumus,
operatio tuae virtutis infundat,
ut, quod participatione sumpsimus,
plena redemptione capiamus. Per Christum.

Sabbato

Collecta

199 Observationis huius annua celebritate laetantes,
quaesumus, Domine, ut, paschalibus sacramentis inhaerentes,
plenis eorum effectibus gaudeamus. Per Dominum.

Super oblata

200 Deus, de cuius gratia venit
ut ad mysteria tua purgatis sensibus accedamus,
praesta, quaesumus,
ut, in eorum traditione sollemniter honoranda,
competens deferamus obsequium. Per Christum.

Post communionem

201 Da nobis, quaesumus, misericors Deus,
ut sancta tua, quibus incessanter explemur,
sinceris tractemus obsequiis,
et fideli semper mente sumamus. Per Christum.

DOMINICA IV IN QUADRAGESIMA
Collecta

202 Deus, qui per Verbum tuum
humani generis reconciliationem mirabiliter operaris,
praesta, quaesumus, ut populus christianus
prompta devotione et alacri fide
ad ventura sollemnia valeat festinare. Per Dominum.

Super oblata

203 Remedii sempiterni munera, Domine, laetantes offerimus,
suppliciter exorantes,
ut eadem nos et fideliter venerari,
et pro salute mundi congruenter exhibere perficias. Per Christum.

Post communionem

204 Deus, qui illuminas omnem hominem
venientem in hunc mundum,
illumina, quaesumus, corda nostra gratiae tuae splendore,
ut digna ac placita maiestati tuae cogitare semper,
et te sincere diligere valeamus. Per Christum.

Feria secunda

Collecta

205 Deus, qui ineffabilibus mundum renovas sacramentis,
praesta quaesumus
ut Ecclesia tua et aeternis proficiat institutis,
et temporalibus non destituatur auxiliis. Per Dominum.

Super oblata

206 Dicatae tibi, Domine, quaesumus, capiamus oblationis effectum,
ut, a terrenae vetustatis conversatione mundati,
caelestis vitae profectibus innovemur. Per Christum.

Post communionem

207 Sancta tua nos, Domine, quaesumus,
et renovando vivificent,
et sanctificando ad aeterna perducant. Per Christum.

Feria tertia

Collecta

208 Exercitatio veneranda sanctae devotionis, Domine,
tuorum fidelium corda disponat,

ut et dignis mentibus suscipiant paschale mysterium,
et salvationis tuae nuntient praeconium. Per Dominum.

Super oblata

209 Offerimus tibi, Domine, munera quae dedisti,
ut et creationis tuae circa mortalitatem nostram
testificentur auxilium,
et remedium nobis immortalitatis operentur. Per Christum.

Post communionem

210 Purifica, quaesumus, Domine, mentes nostras benignus,
et renova caelestibus sacramentis,
ut consequenter et corporum praesens
pariter et futurum capiamus auxilium. Per Christum.

Feria quarta

Collecta

211 Deus, qui et iustis praemia meritorum
et peccatoribus veniam per paenitentiam praebes,
tuis supplicibus miserere,
ut reatus nostri confessio
indulgentiam valeat percipere delictorum. Per Dominum.

Super oblata

212 Huius sacrificii potentia, Domine, quaesumus,
et vetustatem nostram clementer abstergat,
et novitatem nobis augeat et salutem. Per Christum.

Post communionem

213 Caelestia dona capientibus, quaesumus, Domine,
non ad iudicium provenire patiaris,
quae fidelibus tuis ad remedium providisti. Per Christum.

Feria quinta

Collecta

214 Clementiam tuam, Domine, supplici voto deposcimus,
ut nos famulos tuos, paenitentia emendatos
et bonis operibus eruditos,
in mandatis tuis facias perseverare sinceros,
et ad paschalia festa pervenire illaesos. Per Dominum.

Super oblata

215 Concede, quaesumus, omnipotens Deus,
ut huius sacrificii munus oblatum
fragilitatem nostram ab omni malo purget semper et muniat.
Per Christum.

Post communionem

216 Purificent nos, quaesumus, Domine,
sacramenta quae sumpsimus,

et famulos tuos ab omni culpa liberos esse concede,
ut, qui conscientiae reatu constringuntur,
caelestis remedii plenitudine glorientur. Per Christum.

Feria sexta

Collecta

217 Deus, qui fragilitati nostrae congrua subsidia praeparasti,
concede, quaesumus, ut suae reparationis effectum
et cum exultatione suscipiat, et pia conversatione recenseat.
Per Dominum.

Super oblata

218 Haec sacrificia nos, omnipotens Deus,
potenti virtute mundatos,
ad suum faciant puriores venire principium. Per Christum.

Post communionem

219 Praesta, quaesumus, Domine,
ut, sicut de praeteritis ad nova transimus,
ita, vetustate deposita, sanctificatis mentibus innovemur.
Per Christum.

Sabbato

Collecta

220 Dirigat corda nostra, quaesumus, Domine,
tuae miserationis operatio,
quia tibi sine te placere non possumus. Per Dominum.

Super oblata

221 Oblationibus nostris, quaesumus, Domine, placare susceptis,
et ad te nostras etiam rebelles compelle propitius voluntates.
Per Christum.

Post communionem

222 Tua nos, quaesumus, Domine, sancta purificent,
et operatione sua tibi placitos esse perficiant. Per Christum.

DOMINICA V IN QUADRAGESIMA

Collecta

223 Quaesumus, Domine Deus noster,
ut in illa caritate, qua Filius tuus
diligens mundum morti se tradidit,
inveniamur ipsi, te opitulante, alacriter ambulantes. Per Dominum.

Super oblata

224 Exaudi nos, omnipotens Deus,
et famulos tuos, quos fidei christianae eruditionibus imbuisti,
huius sacrificii tribuas operatione mundari. Per Christum.

Post communionem

225 Quaesumus, omnipotens Deus,
ut inter eius membra semper numeremur,
cuius Corpori communicamus et Sanguini. Per Christum.

Feria secunda

Collecta

226 Deus, per cuius ineffabilem gratiam
omni benedictione ditamur,
praesta nobis, ita in novitatem a vetustate transire,
ut regni caelestis gloriae praeparemur. Per Dominum.

Super oblata

227 Concede nobis, Domine, quaesumus,
ut, celebraturi sancta mysteria,
tamquam paenitentiae corporalis fructum,
laetam tibi exhibeamus mentium puritatem. Per Christum.

Post communionem

228 Sacramentorum tuorum benedictione roborati,
quaesumus, Domine, ut per haec semper emundemur a vitiis,
et per sequelam Christi ad te festinanter gradiamur. Per Christum.

Feria tertia

Collecta

229 Da nobis, quaesumus, Domine,
perseverantem in tua voluntate famulatum,
ut in diebus nostris
et merito et numero populus tibi serviens augeatur. Per Dominum.

Super oblata

230 Hostias tibi, Domine, placationis offerimus,
ut et delicta nostra miseratus absolvas,
et nutantia corda tu dirigas. Per Christum.

Post communionem

231 Da, quaesumus, omnipotens Deus,
ut, quae divina sunt iugiter ambientes,
donis semper mereamur caelestibus propinquare. Per Christum.

Feria quarta

Collecta

232 Sanctificata per paenitentiam
tuorum corda filiorum, Deus miserator, illustra,
et, quibus praestas devotionis affectum,
praebe supplicantibus pium benignus auditum. Per Dominum.

Super oblata

233 Tibi, Domine, sacrificia dicata reddantur,
     quae sic ad honorem nominis tui deferenda tribuisti,
     ut eadem remedia fieri nostra praestares. Per Christum.

Post communionem

234 Caelestem nobis, Domine,
     praebeant sumpta mysteria medicinam,
     ut et vitia nostri cordis expurgent,
     et sempiterna nos protectione confirment. Per Christum.

Feria quinta

Collecta

235 Adesto, Domine, supplicibus tuis,
     et spem suam in tua misericordia collocantes tuere propitius,
     ut, a peccatorum labe mundati,
     in sancta conversatione permaneant,
     et promissionis tuae perficiantur heredes. Per Dominum.

Super oblata

236 Sacrificiis praesentibus, quaesumus, Domine, placatus intende,
     ut et conversioni nostrae proficiant
     et totius mundi saluti. Per Christum.

Post communionem

237 Satiati munere salutari,
     tuam, Domine, misericordiam deprecamur,
     ut hoc eodem sacramento, quo nos temporaliter vegetas,
     efficias perpetuae vitae participes. Per Christum.

Feria sexta

Collecta

238 Absolve, quaesumus, Domine, tuorum delicta populorum,
     ut a peccatorum nexibus,
     quae pro nostra fragilitate contraximus,
     tua benignitate liberemur. Per Dominum.

Super oblata

239 Praesta nobis, misericors Deus,
     ut digne tuis servire semper altaribus mereamur,
     et eorum perpetua participatione salvari. Per Christum.

Post communionem

240 Sumpti sacrificii, Domine, perpetua nos tuitio non relinquat,
     et noxia semper a nobis cuncta depellat. Per Christum.

Sabbato

Collecta

241 Deus, qui, licet salutem hominum semper operaris,
nunc tamen populum tuum gratia abundantiore laetificas,
respice propitius ad electionem tuam,
ut piae protectionis auxilium
et regenerandos muniat et renatos. Per Dominum.

Super oblata

242 Omnipotens sempiterne Deus, qui nos ad aeternam vitam
in confessione tui nominis baptismatis reparas sacramento,
suscipe tuorum munera et vota famulorum,
ut in te sperantium et desideria iubeas perfici et peccata deleri.
Per Christum.

Post communionem

243 Maiestatem tuam, Domine, suppliciter deprecamur,
ut, sicut nos Corporis et Sanguinis sacrosancti pascis alimento,
ita divinae naturae facias esse consortes. Per Christum.

HEBDOMADA SANCTA

DOMINICA IN PALMIS DE PASSIONE DOMINI
Collecta

244 Omnipotens sempiterne Deus,
hos palmites tua benedictione sanctifica,
ut nos, qui Christum Regem exsultando prosequimur,
per ipsum valeamus ad aeternam Ierusalem pervenire.
Qui vivit et regnat in saecula saeculorum.

Vel:

245 Auge fidem in te sperantium, Deus,
et supplicum preces clementer exaudi,
ut, qui hodie Christo triumphanti palmites exhibemus,
in ipso fructus tibi bonorum operum afferamus.
Qui vivit et regnat in saecula saeculorum.

MISSA

Collecta

246 Omnipotens sempiterne Deus,
qui humano generi, ad imitandum humilitatis exemplum,
Salvatorem nostrum carnem sumere,
et crucem subire fecisti,
concede propitius,
ut et patientiae ipsius habere documenta
et resurrectionis consortia mereamur. Per Dominum.

Super oblata

247 Per Unigeniti tui passionem,
placatio tua nobis, Domine, sit propinqua,
quam, etsi nostris operibus non meremur,
interveniente sacrificio singulari,
tua percipiamus miseratione praeventi. Per Christum.

Post communionem

248 Sacro munere satiati, supplices te, Domine, deprecamur,
ut, qui fecisti nos morte Filii tui sperare quod credimus,
facias nos, eodem resurgente, pervenire quo tendimus.
Per Christum.

FERIA II HEBDOMADAE SANCTAE
Collecta

249 Da, quaesumus, omnipotens Deus,
ut, qui ex nostra infirmitate deficimus,
intercedente unigeniti Filii tui passione, respiremus. Qui tecum vivit.

Super oblata

250 Respice, Domine, propitius sacra mysteria quae gerimus,
et, quod ad nostra evacuanda praeiudicia

misericors praevidisti,
vitam nobis tribue fructificare perpetuam. Per Christum.

Post communionem

251 Visita, quaesumus, Domine, plebem tuam,
et corda sacris dicata mysteriis pietate tuere pervigili,
ut remedia salutis aeternae,
quae te miserante percipit,
te protegente custodiat. Per Christum.

FERIA III HEBDOMADAE SANCTAE

Collecta

252 Omnipotens sempiterne Deus,
da nobis ita dominicae passionis sacramenta peragere,
ut indulgentiam percipere mereamur. Per Dominum.

Super oblata

253 Hostias familiae tuae, quaesumus, Domine, placatus intende,
et, quam sacris muneribus facis esse participem,
tribuas ad eorum plenitudinem pervenire. Per Christum.

Post communionem

254 Satiati munere salutari,
tuam, Domine, misericordiam deprecamur,
ut hoc eodem sacramento,
quo nos voluisti temporaliter vegetari,
perpetuae vitae facias esse participes. Per Christum.

FERIA IV HEBDOMADAE SANCTAE

Collecta

255 Deus, qui pro nobis
Filium tuum crucis patibulum subire voluisti,
ut inimici a nobis expelleres potestatem,
concede nobis famulis tuis,
ut resurrectionis gratiam consequamur. Per Dominum.

Super oblata

256 Suscipe, quaesumus, Domine, munus oblatum,
et dignanter operare,
ut, quod gerimus Filii tui mysterio passionis,
piis effectibus consequamur. Per Christum.

Post communionem

257 Largire sensibus nostris, omnipotens Deus,
ut per temporalem Filii tui mortem,
quam mysteria veneranda testantur,
vitam te nobis dedisse perpetuam confidamus. Per Christum.

FERIA V HEBDOMADAE SANCTAE
AD MISSAM CHRISMATIS

Collecta

258 Deus, qui unigenitum Filium tuum unxisti Spiritu Sancto
Christumque Dominum constituisti,
concede propitius,
ut, eiusdem consecrationis participes effecti,
testes Redemptionis inveniamur in mundo. Per Dominum.

Super oblata

259 Huius sacrificii potentia, Domine, quaesumus,
et vetustatem nostram clementer abstergat,
et novitatem nobis augeat et salutem. Per Christum.

Post communionem

260 Supplices te rogamus, omnipotens Deus,
ut, quos tuis reficis sacramentis,
Christi bonus odor effici mereantur. Per Christum.

SACRUM TRIDUUM PASCHALE

MISSA VESPERTINA IN CENA DOMINI

Collecta

261 Sacratissimam, Deus, frequentantibus Cenam,
in qua Unigenitus tuus, morti se traditurus,
novum in saecula sacrificium
dilectionisque suae convivium Ecclesiae commendavit,
da nobis, quaesumus,
ut ex tanto mysterio
plenitudinem caritatis hauriamus et vitae. Per Dominum.

Super oblata

262 Concede nobis, quaesumus, Domine,
haec digne frequentare mysteria,
quia, quoties huius hostiae commemoratio celebratur,
opus nostrae redemptionis exercetur. Per Christum.

Post communionem

263 Concede nobis, omnipotens Deus,
ut sicut Cena Filii tui reficimur temporali,
ita satiari mereamur aeterna. Per Christum.

Feria VI in Passione Domini
CELEBRATIO PASSIONIS DOMINI

Oratio

264 Reminiscere miserationum tuarum, Domine,
et famulos tuos aeterna protectione sanctifica,
pro quibus Christus, Filius tuus,
per suum cruorem instituit paschale mysterium.
Qui vivit et regnat in saecula saeculorum.

Vel:

265 Deus, qui peccati veteris hereditariam mortem,
in qua posteritatis genus omne successerat,
Christi Filii tui, Domini nostri, passione solvisti,
da, ut conformes eidem facti,
sicut imaginem terreni hominis
naturae necessitate portavimus,
ita imaginem caelestis
gratiae sanctificatione portemus.
Per Christum Dominum nostrum.

I. Pro sancta Ecclesia

266 Omnipotens sempiterne Deus,
qui gloriam tuam omnibus in Christo gentibus revelasti:
custodi opera misericordiae tuae,
ut Ecclesia tua, toto orbe diffusa,
stabili fide in confessione tui nominis perseveret.
Per Christum Dominum nostrum.

II. Pro Papa

267 Omnipotens sempiterne Deus,
cuius iudicio universa fundantur,
respice propitius ad preces nostras,
et electum nobis Antistitem tua pietate conserva,
ut christiana plebs, quae te gubernatur auctore,
sub ipso Pontifice, fidei suae meritis augeatur.
Per Christum Dominum nostrum.

III. Pro omnibus ordinibus gradibusque fidelium

268 Omnipotens sempiterne Deus,
cuius Spiritu totum corpus Ecclesiae sanctificatur et regitur,
exaudi nos pro ministris tuis supplicantes,
ut, gratiae tuae munere, ab omnibus tibi fideliter serviatur.
Per Christum Dominum nostrum.

IV. Pro catechumenis

269 Omnipotens sempiterne Deus,
qui Ecclesiam tuam nova semper prole fecundas,
auge fidem et intellectum catechumenis (nostris),
ut, renati fonte baptismatis,
adoptionis tuae filiis aggregentur.
Per Christum Dominum nostrum.

V. Pro unitate Christianorum

270 Omnipotens sempiterne Deus,
qui dispersa congregas et congregata conservas,
ad gregem Filii tui placatus intende,
ut, quos unum baptisma sacravit,
eos et fidei iungat integritas et vinculum societ caritatis.
Per Christum Dominum nostrum.

VI. Pro Iudaeis

271 Omnipotens sempiterne Deus,
qui promissiones tuas Abrahae eiusque semini contulisti,
Ecclesiae tuae preces clementer exaudi,
ut populus acquisitionis prioris
ad redemptionis mereatur plenitudinem pervenire.
Per Christum Dominum nostrum.

VII. Pro iis qui in Christum non credunt

272 Omnipotens sempiterne Deus,
fac ut qui Christum non confitentur,
coram te sincero corde ambulantes, inveniant veritatem,
nosque, mutuo proficientes semper amore
et ad tuae vitae mysterium plenius percipiendum sollicitos,
perfectiores effice tuae testes caritatis in mundo.
Per Christum Dominum nostrum.

VIII. Pro iis qui in Deum non credunt

273 Omnipotens sempiterne Deus,
    qui cunctos homines condidisti,
    ut te semper desiderando quaererent
    et inveniendo quiescerent,
    praesta quaesumus,
    ut inter noxia quaeque obstacula
    omnes, tuae signa pietatis
    et in te credentium testimonium
    bonorum operum percipientes,
    te solum verum Deum nostrique generis Patrem
    gaudeant confiteri.
    Per Christum Dominum nostrum.

IX. Pro rempublicam moderantibus

274 Omnipotens sempiterne Deus,
    in cuius manu sunt hominum corda et iura populorum,
    respice benignus ad eos, qui nos in potestate moderantur,
    ut ubique terrarum populorum prosperitas,
    pacis securitas et religionis libertas,
    te largiente, consistant.
    Per Christum Dominum nostrum.

X. Pro tribulatis

275 Omnipotens sempiterne Deus,
    maestorum consolatio, laborantium fortitudo,
    perveniant ad te preces
    de quacumque tribulatione clamantium,
    ut omnes sibi in necessitatibus suis
    misericordiam tuam gaudeant affuisse.
    Per Christum Dominum nostrum.

Post communionem

276 Omnipotens sempiterne Deus,
    qui nos Christi tui beata morte et resurrectione reparasti,
    conserva in nobis opus misericordiae tuae,
    ut huius mysterii participatione
    perpetua devotione vivamus.
    Per Christum Dominum nostrum.

Oratio Super populum

277 Super populum tuum, quaesumus, Domine,
    qui mortem Filii tui in spe suae resurrectionis recoluit,
    benedictio copiosa descendat,
    indulgentia veniat, consolatio tribuatur,
    fides sancta succrescat, redemptio sempiterna firmetur.
    Per Christum Dominum nostrum.

DOMINICA PASCHAE IN RESURRECTIONE DOMINI
IN NOCTE SANCTA: VIGILIA PASCHALIS

Oratio cum benedicitur ignis

278 Deus, qui per Filium tuum
claritatis tuae ignem fidelibus contulisti,
novum hunc ignem sanctifica,
et concede nobis,
ita per haec festa paschalia caelestibus desideriis inflammari,
ut ad perpetuae claritatis
puris mentibus valeamus festa pertingere.
Per Christum Dominum nostrum.

Post primam lectionem

279 Omnipotens sempiterne Deus,
qui es in omnium operum tuorum dispensatione mirabilis,
intellegant redempti tui, non fuisse excellentius,
quod initio factus est mundus,
quam quod in fine saeculorum
Pascha nostrum immolatus est Christus. Qui vivit.

Vel (De creatione hominis):

280 Deus, qui mirabiliter creasti hominem
et mirabilius redemisti,
da nobis, quaesumus,
contra oblectamenta peccati mentis ratione persistere,
ut mereamur ad aeterna gaudia pervenire.
Per Christum Dominum nostrum.

Post secundam lectionem

281 Deus, Pater summe fidelium,
qui promissionis tuae filios diffusa adoptionis gratia
in toto terrarum orbe multipicas,
et per paschale sacramentum
Abraham puerum tuum
universarum, sicut iurasti, gentium efficis patrem,
da populis tuis digne ad gratiam tuae vocationis intrare.
Per Christum Dominum nostrum.

Post tertiam lectionem

282 Deus, cuius antiqua miracula
etiam nostris temporibus coruscare sentimus,
dum, quod uni populo a persecutione Pharaonis liberando
dexterae tuae potentia contulisti,
id in salutem gentium per aquam regenerationis operaris,
praesta, ut in Abrahae filios et in Israeliticam dignitatem
totius mundi transeat plenitudo.
Per Christum Dominum nostrum.

Vel:

283 Deus, qui primis temporibus
impleta miraculi novi testamenti luce reserasti,

ut et Mare Rubrum forma sacri fontis exsisteret,
et plebs a servitute liberata
christiani populi sacramenta praeferret,
da, ut omnes gentes,
Israelis privilegium merito fidei consecutae,
Spiritus tui participatione regenerentur.
Per Christum Dominum nostrum.

Post quartam lectionem

284 Omnipotens sempiterne Deus,
multiplica in honorem nominis tui
quod patrum fidei spopondisti,
et promissionis filios sacra adoptione dilata,
ut, quod priores sancti non dubitaverunt futurum,
Ecclesia tam magna ex parte iam cognoscat impletum.
Per Christum Dominum nostrum.

Post quintam lectionem

285 Omnipotens sempiterne Deus,
spes unica mundi,
qui prophetarum tuorum praeconio
praesentium temporum declarasti mysteria,
auge populi tui vota placatus,
quia in nullo fidelium nisi ex tua inspiratione proveniunt
quarumlibet incrementa virtutum.
Per Christum Dominum nostrum.

Post sextam lectionem

286 Deus, qui Ecclesiam tuam
semper gentium vocatione multiplicas,
concede propitius,
ut, quos aqua baptismatis abluis,
continua protectione tuearis.
Per Christum Dominum nostrum.

Post septimam lectionem

287 Deus, incommutabilis virtus et lumen aeternum,
respice propitius ad totius Ecclesiae sacramentum,
et opus salutis humanae perpetuae dispositionis effectu
tranquillius operare;
totusque mundus experiatur et videat
deiecta erigi, inveterata renovari
et per ipsum Christum redire omnia in integrum,
a quo sumpsere principium. Qui vivit.

Vel:

288 Deus, qui nos ad celebrandum paschale sacramentum
utriusque Testamenti paginis instruis,
da nobis intellegere misericordiam tuam,
ut ex perceptione praesentium munerum
firma sit exspectatio futurorum.
Per Christum Dominum nostrum.

Collecta

289 Deus, qui hanc sacratissimam noctem
gloria dominicae resurectionis illustras,
excita in Ecclesia tua adoptionis spiritum,
ut, corpore et mente renovati,
puram tibi exhibeamus servitutem. Per Dominum.

290 Omnipotens sempiterne Deus,
adesto magnae pietatis tuae sacramentis,
et ad recreandos novos populos,
quos tibi fons baptismatis parturit,
spiritum adoptionis emitte,
ut, quod nostrae humilitatis gerendum est ministerio,
virtutis tuae impleatur effectu.
Per Christum Dominum nostrum.

291 Et Deus omnipotens, Pater Domini nostri Iesu Christi,
qui nos regeneravit ex aqua et Spiritu Sancto,
quique nobis dedit remissionem peccatorum,
ipse nos custodiat gratia sua,
in Christo Iesu Domino nostro,
in vitam aeternam.

Super oblata

292 Suscipe, quaesumus, Domine, preces populi tui
cum oblationibus hostiarum,
ut, paschalibus initiata mysteriis,
ad aeternitatis nobis medelam, te operante, proficiant. Per Christum.

Post communionem

293 Spiritum nobis, Domine, tuae caritatis infunde,
ut, quos sacramentis paschalibus satiasti,
tua facias pietate concordes. Per Christum.

DOMINICA PASCHAE IN RESURRECTIONE DOMINI
AD MISSAM IN DIE

Collecta

294 Deus, qui hodierna die, per Unigenitum tuum,
aeternitatis nobis aditum, devicta morte, reserasti,
da nobis, quaesumus,
ut, qui resurrectionis dominicae sollemnia colimus,
per innovationem tui Spiritus in lumine vitae resurgamus.
Per Dominum.

Super oblata

295 Sacrificia, Domine, paschalibus gaudiis exsultantes offerimus,
quibus Ecclesia tua mirabiliter renascitur et nutritur. Per Christum.

Post communionem

296 Perpetuo, Deus, Ecclesiam tuam pio favore tuere,
ut, paschalibus renovata mysteriis,
ad resurrectionis perveniat claritatem. Per Christum.

FERIA II INFRA OCTAVAM PASCHAE

Collecta

297 Deus, qui Ecclesiam tuam nova semper prole multiplicas,
concede famulis tuis,
ut sacramentum vivendo teneant, quod fide perceperunt.
Per Dominum.

Super oblata

298 Suscipe, quaesumus, Domine,
munera tuorum propitius populorum,
ut, confessione tui nominis et baptismate renovati,
sempiternam beatitudinem consequantur. Per Christum.

Post communionem

299 Exuberet, quaesumus, Domine,
mentibus nostris paschalis gratia sacramenti,
ut, quos viam fecisti perpetuae salutis intrare,
donis tuis dignos efficias. Per Christum.

FERIA III INFRA OCTAVAM PASCHAE

Collecta

300 Deus, qui paschalia nobis remedia contulisti,
populum tuum caelesti dono prosequere,
ut, perfectam libertatem assecutus,
in caelis gaudeat, unde nunc in terris exsultat. Per Dominum.

Super oblata

301 Oblationes familiae tuae,
quaesumus, Domine, suscipe miseratus,
ut, sub tuae protectionis auxilio,
et collata non perdat, et ad aeterna dona perveniat. Per Christum.

Post communionem

302 Exaudi nos, omnipotens Deus,
et familiae tuae corda,
cui perfectam baptismatis gratiam contulisti,
ad promerendam beatitudinem aptes aeternam. Per Christum.

FERIA IV INFRA OCTAVAM PASCHAE

Collecta

303 Deus, qui nos resurrectionis dominicae
annua sollemnitate laetificas,
concede propitius, ut, per temporalia festa quae agimus,
pervenire ad gaudia aeterna mereamur. Per Dominum.

Super oblata

304 Suscipe, quaesumus, Domine, hostias redemptionis humanae,
et salutem nobis mentis et corporis operare placatus. Per Christum.

Post communionem

305 Ab omni nos, quaesumus, Domine, vetustate purgatos,
sacramenti Filii tui veneranda perceptio
in novam transferat creaturam. Per Christum.

FERIA V INFRA OCTAVAM PASCHAE
Collecta

306 Deus, qui diversitatem gentium
in confessione tui nominis adunasti,
da, ut renatis fonte baptismatis
una sit fides mentium et pietas actionum. Per Dominum.

Super oblata

307 Hostias, quaesumus, Domine, placatus assume,
quas et pro renatis gratanter deferimus,
et pro acceleratione caelestis auxilii. Per Christum.

Post communionem

308 Exaudi, Domine, preces nostras,
ut redemptionis nostrae sacrosancta commercia
et vitae nobis conferant praesentis auxilium,
et gaudia sempiterna concilient. Per Christum.

FERIA VI INFRA OCTAVAM PASCHAE
Collecta

309 Omnipotens sempiterne Deus, qui paschale sacramentum
in reconciliationis humanae foedere contulisti,
da mentibus nostris, ut, quod professione celebramus,
imitemur effectu. Per Dominum.

Super oblata

310 Perfice, Domine, benignus in nobis
paschalium munerum votiva commercia,
ut a terrenis affectibus ad caeleste desiderium transferamur.
Per Christum.

Post communionem

311 Continua, quaesumus, Domine, quos salvasti pietate custodi,
ut, qui Filii tui passione sunt redempti,
eius resurrectione laetentur. Per Christum.

SABBATO INFRA OCTAVAM PASCHAE
Collecta

312 Deus, qui credentes in te populos,
gratiae tuae largitate multiplicas,

ad electionem tuam propitius intuere,
ut, qui sacramento baptismatis sunt renati,
beata facias immortalitate vestiri. Per Dominum.

Super oblata

313 Concede, quaesumus, Domine,
semper nos per haec mysteria paschalia gratulari,
ut continua nostrae reparationis operatio
perpetuae nobis fiat causa laetitiae. Per Christum.

Post communionem

314 Populum tuum, quaesumus, Domine, intuere benignus,
et, quem aeternis dignatus es renovare mysteriis,
ad incorruptibilem glorificandae carnis resurrectionem
pervenire concede. Per Christum.

TEMPUS PASCHALE

Dominica II Paschae

Collecta

315 Deus misericordiae sempiternae,
qui in ipso paschalis festi recursu
fidem sacratae tibi plebis accendis,
auge gratiam quam dedisti,
ut digna omnes intelligentia comprehendant,
quo lavacro abluti, quo spiritu regenerati,
quo sanguine sunt redempti. Per Dominum.

Super oblata

316 Suscipe, quaesumus, Domine, plebis tuae
(et tuorum renatorum) oblationes,
ut, confessione tui nominis et baptismate renovati,
sempiternam beatitudinem consequantur. Per Christum.

Post communionem

317 Concede, quaesumus, omnipotens Deus,
ut paschalis perceptio sacramenti
continua in nostris mentibus perseveret. Per Christum.

Dominica III Paschae

Collecta

318 Semper exsultet poplus tuus, Deus,
renovata animae iuventute,
ut, qui nunc laetatur in adoptionis se gloriam restitutum,
resurrectionis diem spe certae gratulationis exspectet. Per Dominum.

Super oblata

319 Suscipe munera, Domine, quaesumus, exsultantis Ecclesiae,
et, cui causam tanti gaudii praestitisti,
perpetuae fructum concede laetitiae. Per Christum.

Post communionem

320 Populum tuum, quaesumus, Domine, intuere benignus,
et, quem aeternis dignatus es renovare mysteriis,
ad incorruptibilem glorificandae carnis resurrectionem
pervenire concede. Per Christum.

Dominica IV Paschae

Collecta

321 Omnipotens sempiterne Deus,
deduc nos ad societatem caelestium gaudiorum,
ut eo perveniat humilitas gregis,
quo processit fortitudo pastoris. Per Dominum.

Super oblata

322 Concede, quaesumus, Domine,
semper nos per haec mysteria paschalia gratulari,
ut continua nostrae reparationis operatio
perpetuae nobis fiat causa laetitiae. Per Christum.

Post communionem

323 Gregem tuum, Pastor bone, placatus intende,
et oves, quas pretioso Filii tui sanguine redemisti,
in aeternis pascuis collocare digneris. Per Christum.

Dominica V Paschae

Collecta

324 Deus, per quem nobis et redemptio venit et praestatur adoptio,
filios dilectionis tuae benignus intende,
ut in Christo credentibus
et vera tribuatur libertas et hereditas aeterna. Per Dominum.

Super oblata

325 Deus, qui nos, per huius sacrificii veneranda commercia,
unius summaeque divinitatis participes effecisti,
praesta, quaesumus, ut, sicut tuam cognovimus veritatem,
sic eam dignis moribus assequamur. Per Christum.

Post communionem

326 Populo tuo, quaesumus, Domine, adesto propitius,
et, quem mysteriis caelestibus imbuisti,
fac ad novitatem vitae de vetustate transire. Per Christum.

Dominica VI Paschae

Collecta

327 Fac nos, omnipotens Deus, hos laetitiae dies,
quos in honorem Domini resurgentis exsequimur,
affectu sedulo celebrare,
ut quod recordatione percurrimus
semper in opere teneamus. Per Dominum.

Super oblata

328 Ascendant ad te, Domine, preces nostrae
cum oblationibus hostiarum,
ut, tua dignatione mundati,
sacramentis magnae pietatis aptemur. Per Christum.

Post communionem

329 Omnipotens sempiterne Deus,
qui ad aeternam vitam in Christi resurrectione nos reparas,
fructum in nobis paschalis multiplica sacramenti,
et fortitudinem cibi salutaris nostris infunde pectoribus.
Per Christum.

In Ascensione Domini
SOLLEMNITAS

Collecta

330 Fac nos, omnipotens Deus, sanctis exsultare gaudiis,
et pia gratiarum actione laetari,
quia Christi Filii tui ascensio est nostra provectio,
et quo processit gloria capitis,
eo spes vocatur et corporis. Per Dominum.

Super oblata

331 Sacrificium, Domine, pro Filii tui supplices
venerabili nunc ascensione deferimus:
praesta, quaesumus, ut his commerciis sacrosanctis
ad caelestia consurgamus. Per Christum.

Post communionem

332 Omnipotens sempiterne Deus,
qui in terra constitutos divina tractare concedis,
praesta, quaesumus,
ut illuc tendat christianae devotionis affectus,
quo tecum est nostra substantia. Per Christum.

Dominica VII Psachae

Collecta

333 Supplicationibus nostris, Domine, adesto propitius,
ut, sicut humani generis Salvatorem
tecum in tua credimus maiestate,
ita eum usque ad consummationem saeculi manere nobiscum,
sicut ipse promisit, sentiamus. Per Dominum.

Super oblata

334 Suscipe, Domine, fidelium preces cum oblationibus hostiarum,
ut, per haec piae devotionis officia,
ad caelestem gloriam transeamus. Per Christum.

Post communionem

335 Exaudi nos, Deus, salutaris noster,
ut per haec sacrosancta mysteria
in totius Ecclesiae confidamus corpore faciendum,
quod eius praecessit in capite. Per Christum.

Dominica Pentecostes
AD MISSAM IN VIGILIA

Collecta

336 Omnipotens sempiterne Deus, qui paschale sacramentum
quinquaginta dierum voluisti mysterio contineri,
praesta, ut, gentium facta dispersione,
divisiones linguarum ad unam confessionem tui nominis
caelesti munere congregentur. Per Dominum.

Vel:

337 Praesta, quaesumus, omnipotens Deus,
ut claritatis tuae super nos splendor effulgeat,
et lux tuae lucis corda eorum,
qui per tuam gratiam sunt renati,
Sancti Spiritus illustratione confirmet. Per Dominum.

Super oblata

338 Praesentia munera, quaesumus, Domine,
Spiritus tui benedictione perfunde,
ut per ipsa Ecclesiae tuae ea dilectio tribuatur,
per quam salutaris mysterii toto mundo veritas enitescat.
Per Christum.

Post communionem

339 Haec nobis, Domine, munera sumpta proficiant,
ut illo iugiter Spiritu ferveamus,
quem Apostolis tuis ineffabiliter infudisti. Per Christum.

AD MISSAM IN DIE
Collecta

340 Deus, qui sacramento festivitatis hodiernae
universam Ecclesiam tuam
in omni gente et natione sanctificas,
in totam mundi latitudinem Spiritus Sancti dona defunde,
et, quod inter ipsa evangelicae praedicationis exordia
operata est divina dignatio,
nunc quoque per credentium corda perfunde. Per Dominum.

Super oblata

341 Praesta, quaesumus, Domine,
ut, secundum promissionem Filii tui,
Spiritus Sanctus huius nobis sacrificii
copiosius revelet arcanum,
et omnem propitius reseret veritatem. Per Christum.

Post communionem

342 Deus, qui Ecclesiae tuae caelestia dona largiris,
custodi gratiam quam dedisti,
ut Spiritus Sancti vigeat semper munus infusum,
et ad aeternae redemptionis augmentum
spiritalis esca proficiat. Per Christum.

IN FERIIS POST DOMINICAS II, IV ET VI PASCHAE

Feria secunda

Collecta
Hebd. II

343 Omnipotens sempiterne Deus,
quem paterno nomine invocare praesumimus,

perfice in cordibus nostris spiritum adoptionis filiorum,
ut promissam hereditatem ingredi mereamur. Per Dominum.

Hebd. IV

344 Deus, qui in Filii tui humilitate iacentem mundum erexisti,
fidelibus tuis sanctam concede laetitiam,
ut, quos eripuisti a servitute peccati,
gaudiis facias perfrui sempiternis. Per Dominum.

Hebd. VI

345 Concede, misericors Deus,
ut, quod paschalibus exsequimur institutis,
fructiferum nobis omni tempore sentiamus. Per Dominum.

Super oblata

346 Suscipe munera, Domine, quaesumus, exsultantis Ecclesiae,
et cui causam tanti gaudii praestitisti,
perpetuae fructum concede laetitiae. Per Christum.

Post communionem

347 Populum tuum, quaesumus, Domine, intuere benignus,
et, quem aeternis dignatus es renovare mysteriis,
ad incorruptibilem glorificandae carnis resurrectionem
pervenire concede. Per Christum.

Feria tertia

Collecta

Hebd. II

348 Fac nos, quaesumus, omnipotens Deus,
Domini resurgentis praedicare virtutem,
ut, cuius muneris pignus accepimus,
manifesta dona comprehendere valeamus. Per Dominum.

Hebd. IV

349 Praesta, quaesumus, omnipotens Deus,
ut, qui resurrectionis dominicae mysteria colimus,
redemptionis nostrae suscipere laetitiam mereamur. Per Dominum.

Hebd. VI

350 Semper exsultet populus tuus, Deus,
renovata animae iuventute,
ut, qui nunc laetatur in adoptionis se gloriam restitutum,
resurrectionis diem spe certae gratulationis exspectet. Per Dominum.

Super oblata

351 Concede, quaesumus, Domine,
semper nos per haec mysteria paschalia gratulari,
ut continua nostrae reparationis operatio
perpetuae nobis fiat causa laetitiae. Per Christum.

Post communionem

352 Exaudi, Domine, preces nostras,
ut redemptionis nostrae sacrosancta commercia
et vitae nobis conferant praesentis auxilium
et gaudia sempiterna concilient. Per Christum.

Feria quarta

Collecta

Hebd. II

353 Annua recolentes mysteria,
quibus per renovatam originis dignitatem
humana substantia spem resurrectionis accepit,
clementiam tuam, Domine, suppliciter exoramus,
ut, quod fide recolimus, perpetua dilectione capiamus.
Per Dominum.

Hebd. IV

354 Deus, vita fidelium, gloria humilium, beatitudo iustorum,
ad preces supplicum benignus intende,
ut, qui promissa tuae sitiunt largitatis,
de tua semper abundantia repleantur. Per Dominum.

Hebd. VI

355 Annue nobis, quaesumus, Domine,
ut, quemadmodum mysterio
resurrectionis Filii tui sollemnia colimus,
ita et in adventu eius gaudere cum Sanctis omnibus mereamur.
Per Dominum.

Super oblata

356 Deus, qui nos, per huius sacrificii veneranda commercia,
unius summaeque divinitatis participes effecisti,
praesta, quaesumus, ut, sicut tuam cognovimus veritatem,
sic eam dignis moribus assequamur. Per Christum.

Post communionem

357 Populo tuo, quaesumus, Domine, adesto propitius,
et, quem mysteriis caelestibus imbuisti,
fac ad novitatem vitae de vetustate transire. Per Christum.

Feria quinta

Collecta

Hebd. II

358 Concede, misericors Deus,
ut, quod paschalibus exsequimur institutis,
fructiferum nobis omni tempore sentiamus. Per Dominum.

Hebd. IV

359 Deus, qui humanam naturam
supra primae originis reparas dignitatem,
respice ad pietatis tuae ineffabile sacramentum,
ut, quos regenerationis mysterio dignatus es innovare,
in his dona tuae perpetuae gratiae benedictionisque conserves.
Per Dominum.

Hebd. VI

In regionibus ubi sollemnitas Ascensionis fit dominica sequenti:

360 Deus, qui populum tuum
tuae fecisti redemptionis participem,
concede nobis, quaesumus,
ut de resurrectione dominica perpetuo gratulemur. Per Dominum.

Super oblata

361 Ascendant ad te, Domine,
preces nostrae cum oblationibus hostiarum,
ut, tua dignatione mundati,
sacramentis magnae pietatis aptemur. Per Christum.

Post communionem

362 Omnipotens sempiterne Deus,
qui ad aeternam vitam in Christi resurrectione nos reparas,
fructus in nobis paschalis multiplica sacramenti,
et fortitudinem cibi salutaris nostris infunde pectoribus.
Per Christum.

Feria sexta

Collecta

Hebd. II

363 Deus, qui pro nobis Filium tuum
crucis patibulum subire voluisti,
ut inimici a nobis expelleres potestatem,
concede nobis, famulis tuis,
ut resurrectionis gratiam consequamur. Per Dominum.

Hebd. IV

364 Deus, qui et libertatis nostrae auctor es et salutis
exaudi supplicantium voces,
et, quos sanguinis Filii tui effusione redemisti,
fac, ut per te vivere
et perpetua in te valeant incolumitate gaudere. Per Dominum.

Hebd. VI

365 Deus, qui ad aeternam vitam
in Christi resurrectione nos reparas,
erige nos ad consedentem in dextera tua
nostrae salutis auctorem,

ut, cum in maiestate sua Salvator noster advenerit,
quos fecisti baptismo renasci,
facias beata immortalitate vestiri. Per Dominum.

In regionibus ubi sollemnitas Ascensionis fit dominica sequenti:

366 Exaudi, Domine, preces nostras,
ut, quod tui Verbi sanctificatione promissum est,
evangelico ubique compleatur effectu,
et plenitudo adoptionis obtineat
quod praedixit testificatio veritatis. Per Dominum.

Super oblata

367 Oblationes familiae tuae,
quaesumus, Domine, suscipe miseratus,
ut, sub tuae protectionis auxilio,
et collata non perdant, et ad aeterna dona perveniant. Per Christum.

Post communionem

368 Continua, quaesumus, Domine, quos salvasti pietate custodi,
ut, qui Filii tui passione sunt redempti,
eius resurrectione laetentur. Per Christum.

Sabbato

Collecta

Hebd. II

369 Deus, per quem nobis et redemptio venit et praestatur adoptio,
filios dilectionis tuae benignus intende,
ut in Christo credentibus
et vera tribuatur libertas et hereditas aeterna. Per Dominum.

Hebd. IV

370 Omnipotens sempiterne Deus,
semper in nobis paschale perfice sacramentum,
ut, quos sacro baptismate dignatus es renovare,
sub tuae protectionis auxilio multos fructus afferant,
et ad aeternae vitae gaudia pervenire concedas. Per Dominum.

Hebd. VI

371 Deus, cuius Filius ad caelos ascendens
Apostolis Sanctum Spiritum dignatus est polliceri,
praesta, quaesumus,
ut sicut illi multifaria doctrinae caelestis munera perceperunt,
ita nobis quoque spiritalia dona concedas. Per Dominum.

In regionibus ubi sollemnitas Ascensionis fit dominica sequenti:

372 Mentes nostras, quaesumus, Domine,
bonis operibus semper informa,
ut, ad meliora iugiter contendentes,
paschale mysterium studeamus habere perpetuum. Per Dominum.

Super oblata

373 Propitius, Domine, quaesumus, haec dona sanctifica,
    et, hostiae spiritalis oblatione suscepta,
    nosmetipsos tibi perfice munus aeternum. Per Christum.

Post communionem

374 Sumpsimus, Domine, sacri dona mysterii,
    humiliter deprecantes,
    ut, quae in sui commemorationem,
    nos Filius tuus facere praecepit,
    in nostrae proficiant caritatis augmentum. Per Christum.

IN FERIIS POST DOMINICAS III ET V PASCHAE

Feria secunda

Collecta

Hebd. III

375 Deus, qui errantibus, ut in viam possint redire,
    veritatis tuae lumen ostendis,
    da cunctis, qui christiana professione censentur,
    et illa respuere, quae huic inimica sunt nomini,
    et ea quae sunt apta sectari. Per Dominum.

Hebd. V

376 Deus, qui fidelium mentes unius efficis voluntatis,
    da populis tuis id amare quod praecipis,
    id desiderare quod promittis,
    ut, inter mundanas varietates,
    ibi nostra fixa sint corda, ubi vera sunt gaudia. Per Dominum.

Super oblata

377 Ascendant ad te, Domine, preces nostrae
    cum oblationibus hostiarum,
    ut, tua dignatione mundati,
    sacramentis magnae pietatis aptemur. Per Christum.

Post communionem

378 Omnipotens sempiterne Deus,
    qui ad aeternam vitam in Christi resurrectione nos reparas,
    fructus in nobis paschalis multiplica sacramenti,
    et fortitudinem cibi salutaris nostris infunde pectoribus.
    Per Christum.

Feria tertia

Collecta

Hebd. III

379 Deus, qui renatis ex aqua et Spiritu Sancto
    caelestis regni pandis introitum,

auge super famulos tuos gratiam quam dedisti,
ut, qui ab omnibus sunt purgati peccatis,
nullis priventur tua pietate promissis. Per Dominum.

Hebd. V

380 Deus, qui ad aeternam vitam
in Christi resurrectione nos reparas,
da populo tuo fidei speique constantiam,
ut non dubitemus implenda,
quae te novimus auctore promissa. Per Dominum.

Super oblata

381 Suscipe munera, Domine, quaesumus, exsultantis Ecclesiae,
et, cui causam tanti gaudii praestitisti,
perpetuae fructum concede laetitiae. Per Christum.

Post communionem

382 Populum tuum, quaesumus, Domine, intuere benignus,
et, quem aeternis dignatus es renovare mysteriis,
ad incorruptibilem glorificandae carnis resurrectionem
pervenire concede. Per Christum.

Feria quarta

Collecta

Hebd. III

383 Adesto, quaesumus, Domine, familiae tuae,
et dignanter impende,
ut, quibus fidei gratiam contulisti,
in resurrectione Unigeniti tui
portionem largiaris aeternam. Per Dominum.

Hebd. V

384 Deus, innocentiae restitutor et amator,
dirige ad te tuorum corda famulorum,
ut, quos de incredulitatis tenebris liberasti,
numquam a tuae veritatis luce discedant. Per Dominum.

Super oblata

385 Concede, quaesumus, Domine,
semper nos per haec mysteria paschalia gratulari,
ut continua nostrae reparationis operatio
perpetuae nobis fiat causa laetitiae. Per Christum.

Post communionem

386 Exaudi, Domine, preces nostras,
ut redemptionis nostrae sacrosancta commercia
et vitae nobis conferant praesentis auxilium
et gaudia sempiterna concilient. Per Christum.

Feria quinta

Collecta

Hebd. III

387 Omnipotens sempiterne Deus,
     propensius his diebus tuam pietatem consequamur,
     quibus eam plenius te largiente cognovimus,
     ut, quos ab erroris caligine liberasti,
     veritatis tuae firmius inhaerere facias documentis. Per Dominum.

Hebd. V

388 Deus, cuius gratia iusti ex impiis
     et beati efficimur ex miseris,
     adesto operibus tuis, adesto muneribus,
     ut quibus inest fidei iustificatio
     non desit perseverantiae fortitudo. Per Dominum.

Super oblata

389 Deus, qui nos, per huius sacrificii veneranda commercia,
     unius summaeque divinitatis participes effecisti,
     praesta, quaesumus, ut, sicut tuam cognovimus veritatem,
     sic eam dignis moribus assequamur. Per Christum.

Post communionem

390 Populo tuo, quaesumus, Domine, adesto propitius,
     et, quem mysteriis caelestibus imbuisti,
     fac ad novitatem vitae de vetustate transire. Per Christum.

Feria sexta

Collecta

Hebd. III

391 Praesta, quaesumus, omnipotens Deus,
     ut, qui gratiam dominicae resurrectionis cognovimus,
     ipsi per amorem Spiritus in novitatem vitae resurgamus.
     Per Dominum.

Hebd. V

392 Tribue nobis, quaesumus, Domine,
     mysteriis paschalibus convenienter aptari,
     ut quae laetanter exsequimur
     perpetua virtute nos tueantur et salvent. Per Dominum.

Super oblata

393 Propitius, Domine, quaesumus, haec dona sanctifica,
     et, hostiae spiritalis oblatione suscepta,
     nosmetipsos tibi perfice munus aeternum. Per Christum.

Post communionem

394 Sumpsimus, Domine, sacri dona mysterii,
     humiliter deprecantes,
     ut, quae in sui commemorationem

nos Filius tuus facere praecepit,
in nostrae proficiant caritatis augmentum. Per Christum.

Sabbato

Collecta

Hebd. III

395 Deus, qui credentes in te fonte baptismatis innovasti,
hanc renatis in Christo concede custodiam,
ut, omni erroris incursu devicto,
gratiam tuae benedictionis fideliter servent. Per Dominum.

Hebd. V

396 Omnipotens aeterne Deus,
qui nobis regeneratione baptismatis
caelestem vitam conferre dignatus es,
praesta, quaesumus,
ut, quos immortalitatis efficis iustificando capaces,
usque ad plenitudinem gloriae, te moderante, perveniant.
Per Dominum.

Super oblata

397 Oblationes familiae tuae, quaesumus, Domine,
suscipe miseratus,
ut, sub tuae protectionis auxilio, et collata non perdant,
et ad aeterna dona perveniant. Per Christum.

Post communionem

398 Continua, quaesumus, Domine, quos salvasti pietate custodi,
ut, qui Filii tui passione sunt redempti,
eius resurrectione laetentur. Per Christum.

IN FERIIS POST DOMINICAM VII PASCHAE

Feria secunda

Collecta

399 Adveniat nobis, quaesumus, Domine, virtus Spiritus Sancti,
qua voluntatem tuam fideli mente retinere,
et pia conversatione depromere valeamus. Per Dominum.

Super oblata

400 Sacrificia nos, Domine, immaculata purificent,
et mentibus nostris supernae gratiae dent vigorem. Per Christum.

Post communionem

401 Populo tuo, quaesumus, Domine, adesto propitius,
et, quem mysteriis caelestibus imbuisti,
fac ad novitatem vitae de vetustate transire. Per Christum.

Feria tertia

Collecta

402 Praesta, quaesumus, omnipotens et misericors Deus,
ut Spiritus Sanctus adveniens
templum nos gloriae suae dignanter inhabitando perficiat.
Per Dominum.

Super oblata

403 Suscipe, Domine, fidelium preces
cum oblationibus hostiarum,
ut, per haec piae devotionis officia,
ad caelestem gloriam transeamus. Per Christum.

Post communionem

404 Sumpsimus, Domine, sacri dona mysterii,
humiliter deprecantes,
ut, quae in sui commemorationem
nos Filius tuus facere praecepit,
in nostrae proficiant caritatis augmentum. Per Christum.

Feria quarta

Collecta

405 Ecclesiae tuae, misericors Deus, concede propitius,
ut, Sancto Spiritu congregata, toto sit corde tibi devota,
et pura voluntate concordet. Per Dominum.

Super oblata

406 Suscipe, quaesumus, Domine,
sacrificia tuis instituta praeceptis,
et sacris mysteriis, quae debitae servitutis celebramus officio,
sanctificationem tuae nobis redemptionis dignanter adimple.
Per Christum.

Post communionem

407 Gratiam tuam nobis, Domine,
semper accumulet divini participatio sacramenti,
et, sua nos virtute mundando,
tanti muneris capaces indesinenter efficiat. Per Christum.

Feria quinta

Collecta

408 Spiritus tuus, quaesumus, Domine,
spiritalia nobis dona potenter infundat,
ut det nobis mentem, quae tibi sit placita,
et aptet nos tuae propitius voluntati. Per Dominum.

Super oblata

409 Propitius, Domine, quaesumus, haec dona sanctifica,
et, hostiae spiritalis oblatione suscepta,
nosmetipsos tibi perfice munus aeternum. Per Christum.

Post communionem

410 Percepta mysteria, quaesumus, Domine,
et eruditione nos instruant et participatione restaurent,
ut ad spiritalia mereamur munera pervenire. Per Christum.

Feria sexta

Collecta

411 Deus, qui nobis aeternitatis aditum glorificatione Christi tui
et Sancti Spiritus illuminatione reserasti,
concede, quaesumus,
ut, tanti doni particeps, devotio nostra proficiat,
et ad fidei transferamur augmentum. Per Dominum.

Super oblata

412 Hostias populi tui, quaesumus, Domine, miseratus intende,
et, ut tibi reddantur acceptae,
conscientias nostras Sancti Spiritus emundet adventus.
Per Christum.

Post communionem

413 Deus, cuius mysteriis mundamur et pascimur,
tribue, quaesumus, ut eorum nobis indulta refectio
vitam conferat sempiternam. Per Christum.

SABBATO
AD MISSAM MATUTINAM

Collecta

414 Praesta, quaesumus, omnipotens Deus,
ut, qui paschalia festa peregimus,
haec, te largiente, moribus et vita teneamus. Per Dominum.

Super oblata

415 Mentes nostras, quaesumus, Domine,
Spiritus Sanctus adveniens divinis praeparet sacramentis,
quia ipse est remissio omnium peccatorum. Per Christum.

Post communionem

416 Annue, Domine, nostris precibus miseratus,
ut, sicut de praeteritis ad nova sumus sacramenta translati,
ita, vetustate deposita, sanctificatis mentibus innovemur.
Per Christum.

TEMPUS « PER ANNUM »

MISSAE DOMINICALES ET COTIDIANAE

HEBDOMADA I « PER ANNUM »

Collecta

417 Vota, quaesumus, Domine,
supplicantis populi caelesti pietate prosequere,
ut et quae agenda sunt videant,
et ad implenda quae viderint convalescant. Per Dominum.

Super oblata

418 Grata tibi sit, quaesumus, Domine, tuae plebis oblatio,
per quam et sanctificationem referat,
et quae pie precatur obtineat. Per Christum.

Post communionem

419 Supplices te rogamus, omnipotens Deus,
ut, quos tuis reficis sacramentis,
tibi etiam placitis moribus dignanter deservire concedas.
Per Christum.

DOMINICA II « PER ANNUM »

Collecta

420 Omnipotens sempiterne Deus,
qui caelestia simul et terrena moderaris,
supplicationes populi tui clementer exaudi,
et pacem tuam nostris concede temporibus. Per Dominum.

Super oblata

421 Concede nobis, quaesumus, Domine,
haec digne frequentare mysteria,
quia, quoties huius hostiae commemoratio celebratur,
opus nostrae redemptionis exercetur. Per Christum.

Post communionem

422 Spiritum nobis, Domine, tuae caritatis infunde,
ut, quos uno caelesti pane satiasti,
una facias pietate concordes. Per Christum.

DOMINICA III « PER ANNUM »

Collecta

423 Omnipotens sempiterne Deus,
dirige actus nostros in beneplacito tuo,
ut in nomine dilecti Filii tui
mereamur bonis operibus abundare. Per Dominum.

Super oblata

424 Munera nostra, Domine, suscipe placatus,
    quae sanctificando nobis, quaesumus,
    salutaria fore concede. Per Christum.

Post communionem

425 Praesta nobis, quaesumus, omnipotens Deus,
    ut, vivificationis tuae gratiam consequentes,
    in tuo semper munere gloriemur. Per Christum.

DOMINICA IV « PER ANNUM »

Collecta

426 Concede nobis, Domine Deus noster,
    ut te tota mente veneremur,
    et omnes homines rationabili diligamus affectu. Per Dominum.

Super oblata

427 Altaribus tuis, Domine, munera nostrae servitutis inferimus,
    quae, placatus assumens,
    sacramentum nostrae redemptionis efficias. Per Christum.

Post communionem

428 Redemptionis nostrae munere vegetati, quaesumus, Domine,
    ut hoc perpetuae salutis auxilio
    fides semper vera proficiat. Per Christum.

DOMINICA V « PER ANNUM »

Collecta

429 Familiam tuam, quaesumus, Domine, continua pietate custodi,
    ut, quae in sola spe gratiae caelestis innititur,
    tua semper protectione muniatur. Per Dominum.

Super oblata

430 Domine Deus noster,
    qui has potius creaturas
    ad fragilitatis nostrae subsidium condidisti,
    tribue, quaesumus,
    ut etiam aeternitatis nobis fiant sacramentum. Per Christum.

Post communionem

431 Deus, qui nos de uno pane et de uno calice
    participes esse voluisti,
    da nobis, quaesumus, ita vivere, ut, unum in Christo effecti,
    fructum afferamus pro mundi salute gaudentes. Per Christum.

DOMINICA VI « PER ANNUM »

Collecta

432 Deus, qui te in rectis et sinceris manere pectoribus asseris,
    da nobis tua gratia tales exsistere, in quibus habitare digneris.
    Per Dominum.

Super oblata

433 Haec nos oblatio, quaesumus, Domine, mundet et renovet,
atque tuam exsequentibus voluntatem
fiat causa remunerationis aeternae. Per Christum.

Post communionem

434 Caelestibus, Domine, pasti deliciis,
quaesumus, ut semper eadem,
per quae veraciter vivimus, appetamus. Per Christum.

Dominica VII « per annum »
Collecta

435 Praesta, quaesumus, omnipotens Deus,
ut, semper rationabilia meditantes,
quae tibi sunt placita, et dictis exsequamur et factis. Per Dominum.

Super oblata

436 Mysteria tua, Domine, debitis servitiis exsequentes,
supplices te rogamus,
ut, quod ad honorem tuae maiestatis offerimus,
nobis proficiat ad salutem. Per Christum.

Post communionem

437 Praesta, quaesumus, omnipotens Deus,
ut illius salutis capiamus effectum,
cuius per haec mysteria pignus accepimus. Per Christum.

Dominica VIII « per annum »
Collecta

438 Da nobis, quaesumus, Domine,
ut et mundi cursus pacifico nobis tuo ordine dirigatur,
et Ecclesia tua tranquilla devotione laetetur. Per Dominum.

Super oblata

439 Deus, qui offerenda tuo nomini tribuis,
et oblata devotioni nostrae servitutis ascribis,
quaesumus clementiam tuam,
ut, quod praestas unde sit meritum,
proficere nobis largiaris ad praemium. Per Christum.

Post communionem

440 Satiati munere salutari,
tuam, Domine, misericordiam deprecamur,
ut, hoc eodem quo nos temporaliter vegetas sacramento,
perpetuae vitae participes benignus efficias. Per Christum.

Dominica IX « per annum »
Collecta

441 Deus, cuius providentia in sui dispositione non fallitur,
te supplices exoramus,

ut noxia cuncta submoveas,
et omnia nobis profutura concedas. Per Dominum.

Super oblata

442 In tua pietate confidentes, Domine,
cum muneribus ad altaria veneranda concurrimus,
ut, tua purificante nos gratia,
iisdem quibus famulamur mysteriis emundemur. Per Christum.

Post communionem

443 Rege nos Spiritu tuo, quaesumus, Domine,
quos pascis Filii tui Corpore et Sanguine,
ut te, non solum verbo neque lingua,
sed opere et veritate confitentes,
intrare mereamur in regnum caelorum. Per Christum.

DOMINICA X « PER ANNUM »

Collecta

444 Deus, a quo bona cuncta procedunt, tuis largire supplicibus,
ut cogitemus, te inspirante, quae recta sunt,
et, te gubernante, eadem faciamus. Per Dominum.

Super oblata

445 Respice, Domine, quaesumus, nostram propitius servitutem,
ut quod offerimus sit tibi munus acceptum,
et nostrae caritatis augmentum. Per Christum.

Post communionem

446 Tua nos, Domine, medicinalis operatio,
et a nostris perversitatibus clementer expediat,
et ad ea quae sunt recta perducat. Per Christum.

DOMINICA XI « PER ANNUM »

Collecta

447 Deus, in te sperantium fortitudo,
invocationibus nostris adesto propitius,
et, quia sine te nihil potest mortalis infirmitas,
gratiae tuae praesta semper auxilium,
ut, in exsequendis mandatis tuis,
et voluntate tibi et actione placeamus. Per Dominum.

Super oblata

448 Deus, qui humani generis utramque substantiam
praesentium munerum et alimento vegetas
et renovas sacramento,
tribue, quaesumus,
ut eorum et corporibus nostris subsidium non desit
et mentibus. Per Christum.

Post communionem

449   Haec tua, Domine, sumpta sacra communio,
sicut fidelium in te unionem praesignat,
sic in Ecclesia tua unitatis operetur effectum. Per Christum.

DOMINICA XII « PER ANNUM »

Collecta

450   Sancti nominis tui, Domine,
timorem pariter et amorem fac nos habere perpetuum,
quia numquam tua gubernatione destituis,
quos in soliditate tuae dilectionis instituis. Per Dominum.

Super oblata

451   Suscipe, Domine, sacrificium placationis et laudis,
et praesta, ut, huius operatione mundati,
beneplacitum tibi nostrae mentis offeramus affectum. Per Christum.

Post communionem

452   Sacri Corporis et Sanguinis pretiosi alimonia renovati,
quaesumus, Domine, clementiam tuam,
ut, quod gerimus devotione frequenti,
certa redemptione capiamus. Per Christum.

DOMINICA XIII « PER ANNUM »

Collecta

453   Deus, qui, per adoptionem gratiae, lucis nos esse filios voluisti,
praesta, quaesumus, ut errorum non involvamur tenebris,
sed in splendore veritatis semper maneamus conspicui.
Per Dominum.

Super oblata

454   Deus, qui mysteriorum tuorum dignanter operaris effectus,
praesta, quaesumus,
ut sacris apta muneribus fiant nostra servitia. Per Christum.

Post communionem

455   Vivificet nos, quaesumus, Domine,
divina quam obtulimus et sumpsimus hostia,
ut, perpetua tibi caritate coniuncti,
fructum qui semper maneat afferamus. Per Christum.

DOMINICA XIV « PER ANNUM »

Collecta

456   Deus, qui in Filii tui humilitate iacentem mundum erexisti,
fidelibus tuis sanctam, concede laetitiam,
ut, quos eripuisti a servitute peccati,
gaudiis facias perfrui sempiternis. Per Dominum.

Super oblata

457 Oblatio nos, Domine, tuo nomini dicata purificet,
   et de die in diem ad caelestis vitae transferat actionem.
   Per Christum.

Post communionem

458 Tantis, Domine, repleti muneribus,
   praesta, quaesumus, ut et salutaria dona capiamus,
   et a tua numquam laude cessemus. Per Christum.

Dominica XV « PER ANNUM »

Collecta

459 Deus, qui errantibus, ut in viam possint redire,
   veritatis tuae lumen ostendis,
   da cunctis qui christiana professione censentur,
   et illa respuere, quae huic inimica sunt nomini,
   et ea quae sunt apta sectari. Per Dominum.

Super oblata

460 Respice, Domine, munera supplicantis Ecclesiae,
   et pro credentium sanctificationis incremento
   sumenda concede. Per Christum.

Post communionem

461 Sumptis muneribus, quaesumus, Domine,
   ut, cum frequentatione mysterii,
   crescat nostrae salutis effectus. Per Christum.

Dominica XVI « PER ANNUM »

Collecta

462 Propitiare, Domine, famulis tuis,
   et clementer gratiae tuae super eos dona multiplica,
   ut, spe, fide et caritate ferventes,
   semper in mandatis tuis vigili custodia perseverent. Per Dominum.

Super oblata

463 Deus, qui legalium differentiam hostiarum
   unius sacrificii perfectione sanxisti,
   accipe sacrificium a devotis tibi famulis,
   et pari benedictione, sicut munera Abel, sanctifica,
   ut, quod singuli obtulerunt ad maiestatis tuae honorem,
   cunctis proficiat ad salutem. Per Christum.

Post communionem

464 Populo tuo, quaesumus, Domine, adesto propitius,
   et, quem mysteriis caelestibus imbuisti,
   fac ad novitatem vitae de vetustate transire. Per Christum.

DOMINICA XVII « PER ANNUM »

Collecta

465 Protector in te sperantium, Deus,
sine quo nihil est validum, nihil sanctum,
multiplica super nos misericordiam tuam,
ut, te rectore, te duce,
sic bonis transeuntibus nunc utamur,
ut iam possimus inhaerere mansuris. Per Dominum.

Super oblata

466 Suscipe, quaesumus, Domine, munera,
quae tibi de tua largitate deferimus,
ut haec sacrosancta mysteria, gratiae tuae operante virtute,
et praesentis vitae nos conversatione sanctificent,
et ad gaudia sempiterna perducant. Per Christum.

Post communionem

467 Sumpsimus, Domine, divinum sacramentum,
passionis Filii tui memoriale perpetuum;
tribue, quaesumus,
ut ad nostram salutem hoc munus proficiat,
quod ineffabili nobis caritate ipse donavit. Qui vivit.

DOMINICA XVIII « PER ANNUM »

Collecta

468 Adesto, Domine, famulis tuis,
et perpetuam benignitatem largire poscentibus,
ut his, qui te auctorem et gubernatorem gloriantur habere,
et grata restaures, et restaurata conserves. Per Dominum.

Super oblata

469 Propitius, Domine, quaesumus, haec dona sanctifica,
et, hostiae spiritalis oblatione suscepta,
nosmetipsos tibi perfice munus aeternum. Per Christum.

Post communionem

470 Quos caelesti recreas munere,
perpetuo, Domine, comitare praesidio,
et, quos fovere non desinis,
dignos fieri sempiterna redemptione concede. Per Christum.

DOMINICA XIX « PER ANNUM »

Collecta

471 Omnipotens sempiterne Deus,
quem paterno nomine invocare praesumimus,
perfice in cordibus nostris spiritum adoptionis filiorum,
ut promissam hereditatem ingredi mereamur. Per Dominum.

Super oblata

472 Ecclesiae tuae, Domine, munera placatus assume,
quae et misericors offerenda tribuisti,
et in nostrae salutis potenter efficis transire mysterium.
Per Christum.

Post communionem

473 Sacramentorum tuorum, Domine,
communio sumpta nos salvet,
et in tuae veritatis luce confirmet. Per Christum.

DOMINICA XX « PER ANNUM »
Collecta

474 Deus, qui diligentibus te bona invisibilia praeparasti,
infunde cordibus nostris tui amoris affectum,
ut, te in omnibus et super omnia diligentes,
promissiones tuas, quae omne desiderium superant,
consequamur. Per Dominum.

Super oblata

475 Suscipe, Domine, munera nostra,
quibus exercentur commercia gloriosa,
ut, offerentes quae dedisti,
teipsum mereamur accipere. Per Christum.

Post communionem

476 Per haec sacramenta, Domine, Christi participes effecti,
clementiam tuam humiliter imploramus,
ut, eius imaginis conformes in terris,
et eius consortes in caelis fieri mereamur. Per Christum.

DOMINICA XXI « PER ANNUM »
Collecta

477 Deus, qui fidelium mentes unius efficis voluntatis,
da populis tuis id amare quod praecipis,
id desiderare quod promittis,
ut, inter mundanas varietates,
ibi nostra fixa sint corda, ubi vera sunt gaudia. Per Dominum.

Super oblata

478 Qui una semel hostia, Domine,
adoptionis tibi populum acquisisti,
unitatis et pacis in Ecclesia tua
propitius nobis dona concedas. Per Christum.

Post communionem

479 Plenum, quaesumus, Domine,
in nobis remedium tuae miserationis operare,
ac tales nos esse perfice propitius et sic foveri,
ut tibi in omnibus placere valeamus. Per Christum.

DOMINICA XXII « PER ANNUM »

Collecta

480 Deus virtutum, cuius est totum quod est optimum,
insere pectoribus nostris tui nominis amorem, et praesta,
ut in nobis, religionis augmento, quae sunt bona nutrias,
ac, vigilanti studio, quae sunt nutrita custodias. Per Dominum.

Super oblata

481 Benedictionem nobis, Domine, conferat salutarem
sacra semper oblatio,
ut, quod agit mysterio, virtute perficiat. Per Christum.

Post communionem

482 Pane mensae caelestis refecti, te, Domine, deprecamur,
ut hoc nutrimentum caritatis corda nostra confirmet,
quatenus ad tibi ministrandum in fratribus excitemur. Per Christum.

DOMINICA XXIII « PER ANNUM »

Collecta

483 Deus, per quem nobis et redemptio venit et praestatur adoptio,
filios dilectionis tuae benignus intende,
ut in Christo credentibus
et vera tribuatur libertas, et hereditas aeterna. Per Dominum.

Super oblata

484 Deus, auctor sincerae devotionis et pacis,
da, quaesumus,
ut et maiestatem tuam convenienter hoc munere veneremur,
et sacri participatione mysterii fideliter sensibus uniamur.
Per Christum.

Post communionem

485 Da fidelibus tuis, Domine,
quos et verbi tui et caelesti sacramenti pabulo
nutris et vivificas,
ita dilecti Filii tui tantis muneribus proficere,
ut eius vitae semper consortes effici mereamur. Per Christum.

DOMINICA XXIV « PER ANNUM »

Collecta

486 Respice nos, rerum omnium Deus creator et rector,
et, ut tuae propitiationis sentiamus effectum,
toto nos tribue tibi corde servire. Per Dominum.

Super oblata

487 Propitiare, Domine, supplicationibus nostris,
et has oblationes famulorum tuorum benignus assume,
ut, quod singuli ad honorem tui nominis obtulerunt,
cunctis proficiat ad salutem. Per Christum.

Post communionem

488 Mentes nostras et corpora possideat,
quaesumus, Domine, doni caelestis operatio,
ut non noster sensus in nobis,
sed eius praeveniat semper effectus. Per Christum.

DOMINICA XXV « PER ANNUM »
Collecta

489 Deus, qui sacrae legis omnia constituta
in tua et proximi dilectione posuisti,
da nobis, ut, tua praecepta servantes,
ad vitam mereamur pervenire perpetuam. Per Dominum.

Super oblata

490 Munera, quaesumus, Domine, tuae plebis propitiatus assume,
ut, quae fidei pietate profitentur,
sacramentis caelestibus apprehendant. Per Christum.

Post communionem

491 Quos tuis, Domine, reficis sacramentis,
continuis attolle benignus auxiliis,
ut redemptionis effectum et mysteriis capiamus et moribus.
Per Christum.

DOMINICA XXVI « PER ANNUM »
Collecta

492 Deus, qui omnipotentiam tuam
parcendo maxime et miserando manifestas,
gratiam tuam super nos indesinenter infunde,
ut, ad tua promissa currentes,
caelestium bonorum facias esse consortes. Per Dominum.

Super oblata

493 Concede nobis, misericors Deus,
ut haec nostra tibi oblatio sit accepta,
et per eam nobis fons omnis benedictionis aperiatur. Per Christum.

Post communionem

494 Sit nobis, Domine, reparatio mentis et corporis
caeleste mysterium, ut simus eius in gloria coheredes,
cui, mortem ipsius annuntiando, compatimur. Qui vivit.

DOMINICA XXVII « PER ANNUM »
Collecta

495 Omnipotens sempiterne Deus, qui abundantia pietatis tuae
et merita supplicum excedis et vota,
effunde super nos misericordiam tuam,
ut dimittas quae conscientia metuit,
et adicias quod oratio non praesumit. Per Dominum.

Super oblata

496 Suscipe, quaesumus, Domine,
sacrificia tuis instituta praeceptis,
et sacris mysteriis, quae debitae servitutis celebramus officio,
sanctificationem tuae nobis redemptionis dignanter adimple.
Per Christum.

Post communionem

497 Concede nobis, omnipotens Deus,
ut de perceptis sacramentis inebriemur atque pascamur,
quatenus in id quod sumimus transeamus. Per Christum.

Dominica XXVIII « per annum »
Collecta

498 Tua nos, quaesumus, Domine, gratia
semper et praeveniat et sequatur,
ac bonis operibus iugiter praestet esse intentos. Per Dominum.

Super oblata

499 Suscipe, Domine, fidelium preces cum oblationibus hostiarum,
ut, per haec piae devotionis officia,
ad caelestem gloriam transeamus. Per Christum.

Post communionem

500 Maiestatem tuam, Domine, suppliciter deprecamur,
ut, sicut nos Corporis et Sanguinis sacrosancti pascis alimento,
ita divinae naturae facias esse consortes. Per Christum.

Dominica XXIX « per annum »
Collecta

501 Omnipotens sempiterne Deus,
fac nos tibi semper et devotam gerere voluntatem,
et maiestati tuae sincero corde servire. Per Dominum.

Super oblata

502 Tribue nos, Domine, quaesumus,
donis tuis libera mente servire,
ut, tua purificante nos gratia,
iisdem quibus famulamur mysteriis emundemur. Per Christum.

Post communionem

503 Fac nos, quaesumus, Domine,
caelestium rerum frequentatione proficere,
ut et temporalibus beneficiis adiuvemur,
et erudiamur aeternis. Per Christum.

Dominica XXX « per annum »
Collecta

504 Omnipotens sempiterne Deus,
da nobis fidei, spei et caritatis augmentum,

et, ut mereamur assequi quod promittis,
fac nos amare quod praecipis. Per Dominum.

Super oblata

505 Respice, quaesumus, Domine,
munera quae tuae offerimus maiestati,
ut, quod nostro servitio geritur,
ad tuam gloriam potius dirigatur. Per Christum.

Post communionem

506 Perficiant in nobis, Domine, quaesumus,
tua sacramenta quod continent,
ut, quae nunc specie gerimus,
rerum veritate capiamus. Per Christum.

DOMINICA XXXI « PER ANNUM »
Collecta

507 Omnipotens et misericors Deus, de cuius munere venit,
ut tibi a fidelibus tuis digne et laudabiliter serviatur,
tribue, quaesumus, nobis,
ut ad promissiones tuas sine offensione curramus. Per Dominum.

Super oblata

508 Fiat hoc sacrificium, Domine, oblatio tibi munda,
et nobis misericordiae tuae sancta largitio. Per Christum.

Post communionem

509 Augeatur in nobis, quaesumus, Domine, tuae virtutis operatio,
ut, refecti caelestibus sacramentis,
ad eorum promissa capienda tuo munere praeparemur.
Per Christum.

DOMINICA XXXII « PER ANNUM »
Collecta

510 Omnipotens et misericors Deus,
universa nobis adversantia propitiatus exclude,
ut, mente et corpore pariter expediti,
quae tua sunt liberis mentibus exsequamur. Per Dominum.

Super oblata

511 Sacrificiis praesentibus, Domine, quaesumus, intende placatus,
ut, quod passionis Filii tui mysterio gerimus,
pio consequamur affectu. Per Christum.

Post communionem

512 Gratias tibi, Domine, referimus sacro munere vegetati,
tuam clementiam implorantes,
ut, per infusionem Spiritus tui,
in quibus caelestis virtus introivit,
sinceritatis gratia perseveret. Per Christum.

Dominica XXXIII « per annum »

Collecta

513 Da nobis, quaesumus, Domine Deus noster,
in tua semper devotione gaudere,
quia perpetua est et plena felicitas,
si bonorum omnium iugiter serviamus auctori. Per Dominum.

Super oblata

514 Concede, quaesumus, Domine,
ut oculis tuae maiestatis munus oblatum
et gratiam nobis devotionis obtineat,
et effectum beatae perennitatis acquirat. Per Christum.

Post communionem

515 Sumpsimus, Domine, sacri dona mysterii,
humiliter deprecantes,
ut, quae in sui commemorationem
nos Filius tuus facere praecepit,
in nostrae proficiant caritatis augmentum. Per Christum.

Hebdomada XXXIV « per annum »

Locum dominicae ultimae « per annum » tenet sollemnitas D.N. Iesu Christi universorum Regis.
Collecta

516 Excita, quaesumus, Domine, tuorum fidelium voluntates,
ut, divini operis fructum propensius exsequentes,
pietatis tuae remedia maiora percipiant. Per Dominum.

Super oblata

517 Suscipe, Domine, sacra munera,
quae tuo nomini iussisti dicanda,
et, ut per ea tuae pietati reddamur accepti,
fac nos tuis semper oboedire mandatis. Per Christum.

Post communionem

518 Quaesumus, omnipotens Deus,
ut, quos divina tribuis participatione gaudere,
a te numquam separari permittas. Per Christum.

IN SOLLEMNITATIBUS
DOMINI « PER ANNUM » OCCURRENTIBUS

DOMINICA I POST PENTECOSTEN - SANCTISSIMAE TRINITATIS
SOLLEMNITAS

Collecta

519 Deus Pater, qui, Verbum veritatis
et Spiritum sanctificationis mittens in mundum,
admirabile mysterium tuum hominibus declarasti,
da nobis, in confessione verae fidei,
aeternae gloriam Trinitatis agnoscere,
et Unitatem adorare in potentia maiestatis. Per Dominum.

Super oblata

520 Sanctifica, quaesumus, Domine Deus noster,
per tui nominis invocationem,
haec munera nostrae servitutis,
et per ea nosmetipsos tibi perfice munus aeternum. Per Christum.

Post communionem

521 Proficiat nobis ad salutem corporis et animae,
Domine Deus noster, huius sacramenti susceptio,
et sempiternae sanctae Trinitatis
eiusdemque individuae Unitatis confessio. Per Christum.

FERIA V POST SS.MAM TRINITATEM - SS.MI CORPORIS ET SANGUINIS CHRISTI
SOLLEMNITAS

Collecta

522 Deus, qui nobis sub sacramento mirabili
passionis tuae memoriam reliquisti,
tribue, quaesumus,
ita nos Corporis et Sanguinis tui sacra mysteria venerari,
ut redemptionis tuae fructum in nobis iugiter sentiamus. Qui vivis.

Super oblata

523 Ecclesiae tuae, quaesumus, Domine,
unitatis et pacis propitius dona concede,
quae sub oblatis muneribus mystice designantur. Per Christum.

Post communionem

524 Fac nos, quaesumus, Domine,
divinitatis tuae sempiterna fruitione repleri,
quam pretiosi Corporis et Sanguinis tui
temporalis perceptio praefigurat. Qui vivis.

FERIA VI POST DOMINICAM II POST PNTECOSTEN - SACRATISSIMI CORDIS IESU
SOLLEMNITAS

Collecta

525 Concede, quaesumus, omnipotens Deus,
ut qui, dilecti Filii tui Corde gloriantes,
eius praecipua in nos beneficia recolimus caritatis,
de illo donorum fonte caelesti
supereffluentem gratiam mereamur accipere. Per Dominum.

Vel:

526 Deus, qui nobis in Corde Filii tui,
nostris vulnerato peccatis,
infinitos dilectionis thesauros
misericorditer largiri dignaris,
concede, quaesumus,
ut, illi devotum pietatis nostrae praestantes obsequium,
dignae quoque satisfactionis exhibeamus officium. Per Dominum.

Super oblata

527 Respice, quaesumus, Domine,
ad ineffabilem Cordis dilecti Filii tui caritatem,
ut quod offerimus sit tibi munus acceptum
et nostrorum expiatio delictorum. Per Christum.

Post communionem

528 Sacramentum caritatis, Domine,
sancta nos faciat dilectione fervere,
qua, ad Filium tuum semper attracti,
ipsum in fratribus agnoscere discamus. Per Christum.

DOMINICA ULTIMA « PER ANNUM »
DOMINI NOSTRI IESU CHRISTI UNIVERSORUM REGIS
SOLLEMNITAS

Collecta

529 Omnipotens sempiterne Deus,
qui in dilecto Filio tuo, universorum Rege,
omnia instaurare voluisti,
concede propitius,
ut tota creatura, a servitute liberata,
tuae maiestati deserviat ac te sine fine collaudet. Per Dominum.

Super oblata

530 Hostiam tibi, Domine, humanae reconciliationis offerentes,
suppliciter deprecamur, ut ipse Filius tuus
cunctis gentibus unitatis et pacis dona concedat. Qui vivit.

Post communionem

531 Immortalitatis alimoniam consecuti, quaesumus, Domine,
ut, qui Christi Regis universorum
gloriamur oboedire mandatis,
cum ipso in caelesti regno sine fine vivere valeamus. Per Christum.

PROPRIUM DE SANCTIS

IANUARIUS

Die 2 ianuarii: Ss. Basilii Magni et Gregorii Nazianzeni, episcoporum et Ecclesiae doctorum. Memoria
Collecta

532 Deus, qui Ecclesiam tuam
beatorum Basilii et Gregorii exemplis et doctrinis
dignatus es illustrare,
concede, quaesumus,
ut tuam discamus in humilitate veritatem
et eam in caritate fideliter operemur. Per Dominum.

Die 7 ianuarii: S. Raimundi de Penyafort, presbyteri
Collecta

533 Deus, qui beatum Raimundum presbyterum
insignis in peccatores
misericordiae virtute decorasti,
eius nobis intercessione concede,
ut, a peccati servitute soluti,
quae tibi sunt placita liberis mentibus exsequamur. Per Dominum.

Die 13 ianuarii: S. Hilarii, episcopi et ecclesiae doctoris
Collecta

534 Praesta, quaesumus, omnipotens Deus,
ut divinitatem Filii tui,
quam beatus Hilarius episcopus constanter asseruit,
et convenienter intellegere valeamus, et veraciter profiteri.
Per Dominum.

Die 17 ianuarii: S. Antonii, abbatis. Memoria
Collecta

535 Deus, qui beato Antonio abbati tribuisti
mira tibi in deserto conversatione servire,
eius nobis interventione concede,
ut, abnegantes nosmetipsos, te iugiter super omnia diligamus.
Per Dominum.

Super oblata

536 Accepta tibi sint, Domine, quaesumus,
munera nostrae servitutis,

pro beati Antonii commemoratione altari tuo proposita,
et concede, ut, a terrenis impedimentis absoluti,
te solo divites efficiamur. Per Christum.

Post communionem

537 Sacramentis tuis, Domine, salubriter enutritos,
cunctas fac nos semper insidias inimici superare,
qui beato Antonio dedisti
contra potestates tenebrarum claras referre victorias. Per Christum.

Die 20 ianuarii: S. Fabiani, papae et martyris
Collecta

538 Deus, tuorum gloria sacerdotum, praesta, quaesumus,
ut, beati Fabiani martyris tui interveniente suffragio,
eiusdem proficiamus fidei consortio dignoque servitio.
Per Dominum.

Die 20 ianuarii: S. Sebastiani, martyris
Collecta

539 Praesta nobis, quaesumus, Domine, spiritum fortitudinis,
ut, glorioso exemplo beati Sebastiani martyris tui edocti,
tibi magis quam hominibus oboedire discamus. Per Dominum.

Die 21 ianuarii: S. Agnetis, virginis et martyris
Collecta

540 Omnipotens sempiterne Deus,
qui infirma mundi eligis ut fortia quaeque confundas,
concede propitius,
ut, qui beatae Agnetis martyris tuae natalicia celebramus,
eius in fide constantiam subsequamur. Per Dominum.

Die 22 ianuarii: S. Vincentii, diaconi et martyris
Collecta

541 Omnipotens, sempiterne Deus,
tuum in nobis Spiritum clementer infunde,
ut corda nostra ea dilectione valida potiantur,
per quam sanctus martyr Vincentius
omnia corporis tormenta devicit.
Per Dominum.

Die 24 ianuarii: S. Francisci de Sales, episcopi et Ecclesiae doctoris.
Memoria
Collecta

542 Deus, qui ad animarum salutem
beatum Franciscum episcopum
omnibus omnia factum esse voluisti,
concede propitius, ut, eius exemplo,

tuae mansuetudinem caritatis
in fratrum servitio semper ostendamus. Per Dominum.

Super oblata

543 Per hanc salutarem hostiam quam offerimus tibi, Domine,
cor nostrum divino illo Sancti Spiritus igne succende,
quo mitissimum beati Francisci animum
mirabiliter inflammasti. Per Christum.

Post communionem

544 Concede, quaesumus, omnipotens Deus,
ut, per sacramenta quae sumpsimus,
beati Francisci caritatem et mansuetudinem imitantes in terris,
gloriam quoque consequamur in caelis. Per Christum.

Die 25 ianuarii: In conversione S. Pauli, Apostoli. Festum

Collecta

545 Deus, qui universum mundum
beati Pauli apostoli praedicatione docuisti,
da nobis, quaesumus,
ut, cuius conversionem hodie celebramus,
per eius ad te exempla gradientes,
tuae simus mundo testes veritatis. Per Dominum.

Super oblata

546 Illo nos, quaesumus, Domine, divina tractantes,
fidei lumine Spiritus perfundat,
quo beatum Paulum apostolum
ad gloriae tuae propagationem iugiter collustravit. Per Christum.

Post communionem

547 Sacramenta quae sumpsimus, Domine Deus noster,
in nobis foveant caritatis ardorem,
quo beatus apostolus Paulus vehementer accensus,
omnium pertulit sollicitudinem Ecclesiarum. Per Christum.

Die 26 ianuarii: Ss. Timothei et Titi, episcoporum. Memoria

Collecta

548 Deus, qui beatos Timotheum et Titum
apostolicis virtutibus decorasti,
utriusque intercessione concede,
ut, iuste et pie viventes in hoc saeculo,
ad caelestem mereamur patriam pervenire. Per Dominum.

Die 27 ianuarii: S. Angelae Merici, virginis

Collecta

549 Pietati tuae, quaesumus, Domine,
nos beata virgo Angela commendare non desinat,
ut, eius caritatis et prudentiae documenta sectantes,

tuam valeamus doctrinam custodire
et moribus profiteri. Per Dominum.

Die 28 ianuarii: S. Thomae de Aquino, presbyteri et Ecclesiae doctoris. Memoria

Collecta

550 Deus, qui beatum Thomam
sanctitatis zelo ac sacrae doctrinae studio conspicuum effecisti,
da nobis, quaesumus, et quae docuit intellectu conspicere,
et quae gessit imitatione complere. Per Dominum.

Die 31 ianuarii: S. Ioannis Bosco, presbyteri. Memoria

Collecta

551 Deus, qui beatum Ioannem presbyterum
adulescentium patrem et magistrum excitasti,
concede, quaesumus, ut, eodem caritatis igne succensi,
animas quaerere tibique soli servire valeamus. Per Dominum.

FEBRUARIUS

DIE 2 FEBRUARII IN PRAESENTATIONE DOMINI. Festum

De benedictione et processione candelarum

552 Deus, omnis luminis fons et origo,
qui iusto Simeoni Lumen ad revelationem gentium ,
hodie demonstrasti,
te supplices deprecamur,
ut hos cereos sanctificare tua + benedictione digneris,
tuae plebis vota suscipiens,
quae ad tui nominis laudem eos gestatura concurrit,
quatenus per virtutum semitam
ad lucem indeficientem pervenire mereatur.
Per Christum Dominum nostrum.

Vel:

553 Deus, lumen verum, aeternae lucis propagator et auctor,
cordibus infunde fidelium perpetui luminis claritatem,
ut, quicumque in templo sancto tuo
splendore praesentium luminum adornantur,
ad lumen gloriae tuae feliciter valeant pervenire.
Per Christum Dominum nostrum.

Ad Missam

Collecta

554 Omnipotens sempiterne Deus,
maiestatem tuam supplices exoramus,
ut, sicut unigenitus Filius tuus
hodierna die cum nostrae carnis substantia
in templo est praesentatus,
ita nos facias purificatis tibi mentibus praesentari. Per Dominum.

Super oblata

555 Gratum tibi sit, Domine, quaesumus,
exsultantis Ecclesiae munus oblatum,
qui unigenitum Filium tuum voluisti
Agnum immaculatum tibi offerri pro saeculi vita. Per Christum.

Post communionem

556 Per haec sancta quae sumpsimus, Domine,
perfice in nobis gratiam tuam,
qui exspectationem Simeonis implesti,
ut, sicut ille mortem non vidit
nisi prius Christum suscipere mereretur,
ita et nos, in occursum Domini procedentes,
vitam obtineamus aeternam. Per Christum.

Die 3 februarii: S. Blasii, episcopi et martyris

Collecta

557 Exaudi, Domine, populum tuum,
cum beati Blasii martyris patrocinio supplicantem,

ut et temporalis vitae nos tribuas pace gaudere,
et aeternae reperire subsidium. Per Dominum.

Die 3 februarii: S. Ansgarii, episcopi
Collecta

558 Deus, qui ad multas illuminandas gentes
beatum Ansgarium episcopum mittere voluisti,
eius nobis intercessione concede,
ut in tuae veritatis luce iugiter ambulemus. Per Dominum.

Die 5 februarii: S. Agathae, virginis et martyris. Memoria
Collecta

559 Indulgentiam nobis, quaesumus, Domine,
beata Agatha virgo et martyr imploret,
quae tibi grata semper exstitit
et virtute martyrii et merito castitatis. Per Dominum.

Die 6 februarii: Ss. Pauli Miki et sociorum, martyrum. Memoria
Collecta

560 Deus, omnium fortitudo sanctorum,
qui beatos martyres Paulum eiusque socios
per crucem ad vitam vocare dignatus es,
praesta, quaesumus, ut, eorum intercessione,
fidem quam profitemur usque ad mortem fortiter teneamus.
Per Dominum.

Die 8 februarii: S. Hieronymi Emiliani
Collecta

561 Deus, Pater misericordiarum,
qui beatum Hieronymum
adiutorem et patrem orphanis providisti,
eius nobis intercessione concede,
ut spiritum adoptionis, quo filii tui nominamur et sumus,
fideliter custodiamus. Per Dominum.

Die 10 februarii: S. Scholasticae, virginis. Memoria
Collecta

562 Beatae Scholasticae virginis memoriam recolentes,
quaesumus, Domine,
ut, eius exemplo, tibi intemerata caritate serviamus
et felices obtineamus tuae dilectionis effectus. Per Dominum.

Die 11 februarii: Beatae Mariae Virginis de Lourdes
Collecta

563 Concede, misericors Deus, fragilitati nostrae praesidium,
ut, qui immaculatae Dei Genetricis memoriam agimus,
intercessionis eius auxilio,
a nostris iniquitatibus resurgamus. Per Dominum.

Die 14 februarii: Ss. Cyrilli, monachi, et Methodii, episcopi. Memoria

Collecta

564 Deus, qui per beatos fratres Cyrillum et Methodium
Slavoniae gentes illuminasti,
da cordibus nostris tuae doctrinae verba percipere,
nosque perfice populum
in vera fide et recta confessione concordem. Per Dominum.

Die 17 februarii: Ss. septem Fundatorum Ordinis Servorum B.M.V.

Collecta

565 Beatorum fratrum, Domine, pietatem nobis benignus infunde,
qua et Dei Genetricem sunt devotissime venerati,
et tuum ad te populum provexerunt. Per Dominum.

Die 21 februarii: S. Petri Damiani, episcopi et Ecclesiae doctoris

Collecta

566 Concede nos, quaesumus, omnipotens Deus,
beati Petri episcopi monita et exempla sectari
ut, Christo nihil praeponentes
et Ecclesiae tuae servitio semper intenti,
ad aeternae lucis gaudia perducamur. Per Dominum.

Die 22 februarii: CATHEDRAE S. PETRI, APOSTOLI. Festum

Collecta

567 Praesta, quaesumus, omnipotens Deus,
ut nullis nos permittas perturbationibus concuti,
quos in apostolicae confessionis petra solidasti. Per Dominum.

Super oblata

568 Ecclesiae tuae, quaesumus, Domine,
preces et hostias benignus admitte,
ut, beato Petro pastore,
ad aeternam perveniat hereditatem
quo docente fidei tenet integritatem. Per Christum.

Post communionem

569 Deus, qui nos, beati Petri apostoli festivitatem celebrantes,
Christi Corporis et Sanguinis communione vegetasti,
praesta, quaesumus, ut hoc redemptionis commercium
sit sacramentum nobis unitatis et pacis. Per Christum.

Die 23 februarii: S. Polycarpi, episcopi et martyris. Memoria

Collecta

570 Deus universae creaturae,
qui beatum Polycarpum episcopum
in numero martyrum dignatus es aggregare,
eius nobis intercessione concede,
ut, cum illo partem calicis Christi capientes,
in vitam resurgamus aeternam. Per Dominum.

MARTIUS

Die 4 martii: S. Casimiri
Collecta

571 Deus omnipotens, cui servire regnare est,
concede nobis, beati Casimiri intercedente suffragio,
tibi in sanctitate et iustitia perpetuo famulari. Per Dominum.

Die 7 martii: Ss. Perpetuae et Felicitatis, martyrum. Memoria
Collecta

572 Deus, cuius urgente caritate
beatae martyres Perpetua et Felicitas
tormentum mortis, contempto perscutore, vicerunt,
da nobis, quaesumus, earum precibus,
ut in tua semper dilectione crescamus. Per Dominum.

Die 8 martii: S. Ioannis a Deo, religiosi
Collecta

573 Deus, qui beatum Ioannem misericordiae spiritu perfudisiti,
da, quaesumus, ut, caritatis opera exercentes,
inter electos in regno tuo inveniri mereamur. Per Dominum.

Die 9 martii: S. Franciscae Romanae, religiosae
Collecta

574 Deus, qui nobis in beata Francisca singulare dedisti
coniugalis et monasticae conversationis exemplar,
fac nos tibi perseveranter deservire,
ut in omnibus vitae adiunctis te conspicere et sequi valeamus.
Per Dominum.

Die 17 martii: S. Patricii, episcopi
Collecta

575 Deus, qui ad praedicandam Hiberniae populis gloriam tuam
beatum Patricium episcopum providisti,
eius meritis et intercessione concede,
ut, qui christiano nomine gloriantur,
tua mirabilia hominibus iugiter annuntient. Per Dominum.

Die 18 martii: S. Cyrilli Hierosolymitani, episcopi et Ecclesiae doctoris
Collecta

576 Deus, qui Ecclesiam tuam per beatum Cyrillum episcopum
ad mysteria salutis profundius attingenda
mirabiliter adduxisti,
da nobis, eius intercessione,
Filium tuum ita agnoscere,
ut vitam abundantius habeamus. Per Dominum.

Die 19 martii: S. Ioseph Sponsi Beatae Mariae Virginis. Sollemnitas

Collecta

577 Praesta, quaesumus, omnipotens Deus,
ut humanae salutis mysteria,
cuius primordia beati Ioseph fideli custodiae commisisti,
Ecclesia tua, ipso intercedente, iugiter servet implenda.
Per Dominum.

Super oblata

578 Quaesumus, Domine, ut, sicut beatus Ioseph
Unigenito tuo, nato de Maria Virgine,
pia devotione deserviit,
ita et nos mundo corde tuis altaribus mereamur ministrare.
Per Christum.

Post communionem

579 Familiam tuam, quaesumus, Domine,
quam de beati Ioseph sollemnitate laetantem
ex huius altaris alimonia satiasti,
perpetua protectione defende,
et tua in ea propitiatus dona custodi. Per Christum.

Die 23 martii: S. Turibii de Mogrovejo, episcopi

Collecta

580 Deus, qui Ecclesiam tuam
beati Turibii episcopi apostolicis curis
zeloque veritatis auxisti,
concede, ut populus tibi sacratus
fidei et sanctitatis nova semper incrementa suscipiat. Per Dominum.

Die 25 martii: In Annuntiatione Domini. Sollemnitas

Collecta

581 Deus, qui Verbum tuum in utero Virginis Mariae
veritatem carnis humanae suscipere voluisti,
concede, quaesumus,
ut, qui Redemptorem nostrum Deum et hominem confitemur,
ipsius etiam divinae naturae mereamur esse consortes.
Per Dominum.

Super oblata

582 Ecclesiae tuae munus, omnipotens Deus, dignare suscipere,
ut, quae in Unigeniti tui incarnatione
primordia sua constare cognoscit,
ipsius gaudeat hac sollemnitate celebrare mysteria. Per Christum.

Post communionem

583 In mentibus nostris, quaesumus, Domine,
verae fidei sacramenta confirma,
ut, qui conceptum de Virgine
Deum verum et hominem confitemur,
per eius salutiferae resurrectionis potentiam,
ad aeternam mereamur pervenire laetitiam. Per Christum.

APRILIS

Die 2 aprilis: S. Francisci de Paola, eremitae
Collecta

584 Deus, humilium celsitudo,
qui beatum Franciscum sanctorum tuorum gloria sublimasti,
tribue, quaesumus, ut, eius meritis et exemplo,
promissa humilibus praemia feliciter consequamur. Per Dominum.

Die 4 aprilis: S. Isidori, episcopi et Ecclesiae doctoris
Collecta

585 Exaudi, quaesumus, Domine, preces nostras,
quas in beati Isidori commemoratione deferimus,
ut Ecclesia tua eius intercessionibus adiuvetur,
cuius caelestibus instruitur disciplinis. Per Dominum.

Die 5 aprilis: S. Vincentii Ferrer, presbyteri
Collecta

586 Deus, qui beatum Vincentium presbyterum
ministrum praedicationis evangelicae suscitasti,
praesta, quaesumus,
ut, quem venturum iudicem nuntiavit in terris,
beati videamus regnantem in caelis. Per Dominum.

Die 7 aprilis: S. Ioannis Baptistae de la Salle, presbyteri. Memoria
Collecta

587 Deus, qui ad christianam iuventutem educandam
beatum Ioannem Baptistam elegisiti,
excita in Ecclesia tua institutores,
qui humanae et christianae iuvenum disciplinae
toto corde sese devoveant. Per Dominum.

Die 11 aprilis: S. Stanislai, episcopi et martyris
Collecta

588 Deus, pro cuius honore beatus episcopus Stanislaus
gladiis persecutorum occubuit,
praesta, quaesumus,
ut fortes in fide usque ad mortem perseverare valeamus.
Per Dominum.

Die 13 aprilis: S. Martini I, papae et martyris
Collecta

589 Da nobis, quaesumus, omnipotens Deus,
adversa mundi invicta mentis constantia tolerare,
qui beatum Martinum papam et martyrem
nec minis terreri nec poenis passus es superari. Per Dominum.

Die 21 aprilis: S. Anselmi, episcopi et Ecclesiae doctoris
Collecta

590 Deus, qui beato Anselmo episcopo dedisti
alta sapientiae tuae quaerere et docere,
fac ita fidem tuam intellectui nostro subvenire,
ut cordi dulce sapiant quae nobis credenda mandasti. Per Dominum.

Die 23 aprilis: S. Georgii, martyris
Collecta

591 Magnificantes, Domine, potentiam tuam, supplices exoramus,
ut, sicut sanctus Georgius dominicae fuit passionis imitator,
ita sit fragilitatis nostrae promptus adiutor. Per Dominum.

Die 24 aprilis: S. Fidelis de Sigmaringen, presbyteri et martyris
Collecta

592 Deus, qui beatum Fidelem, amore tuo succensum,
in fidei propagatione martyrii palma decorare dignatus es,
ipso interveniente, concede, ut, in caritate fundati,
cum illo resurrectionis Christi virtutem cognoscere mereamur.
Per Dominum.

Die 25 aprilis: S. MARCI, EVANGELISTAE. Festum
Collecta

593 Deus, qui beatum Marcum evangelistam tuum
evangelicae praedicationis gratia sublimasti,
tribue, quaesumus, eius nos eruditione ita proficere,
ut vestigia Christi fideliter sequamur. Per Dominum.

Super oblata

594 Gloriam beati Marci venerantes, tibi, Domine,
hostias laudis offerimus, teque suppliciter deprecamur,
ut evangelica praedicatio in Ecclesia tua iugiter perseveret.
Per Christum.

Post communionem

595 Praesta, quaesumus, omnipotens Deus,
ut, quod de sancto altari tuo accepimus, nos sanctificet,
et in fide Evangelii, quod beatus Marcus praedicavit,
fortes efficiat. Per Christum.

Die 28 aprilis: S. Petri Chanel, presbyteri et martyris
Collecta

596 Deus, qui ad dilatandam Ecclesiam tuam
beatum Petrum martyrio coronasti,
da nobis, in his paschalibus gaudiis,
ita Christi mortui et resurgentis mysteria frequentare,
ut novitatis vitae testes esse mereamur. Per Dominum.

Die 29 aprilis: S. Catharinae Senensis, virginis et Ecclesiae doctoris.
Memoria

Collecta

597 Deus, qui beatam Catharinam
in contemplatione dominicae passionis
et in Ecclesiae tuae servitio divino amore flagrare fecisti,
ipsius intercessione concede,
ut populus tuus, Christi mysterio sociatus,
in eius gloriae revelatione semper exsultet. Per Dominum.

Super oblata

598 Suscipe, Domine, quam in beatae Catharinae commemoratione
offerimus hostiam salutarem,
ut, illius monitis eruditi,
tibi vero Deo ferventius gratias agere valeamus. Per Christum.

Post communionem

599 Aeternitatem nobis, Domine, conferat,
qua pasti sumus, mensa caelestis,
quae beatae Catharinae vitam etiam aluit temporalem.
Per Christum.

Die 30 aprilis: S. Pii V, papae

Collecta

600 Deus, qui in Ecclesia tua beatum Pium papam
ad fidem tuendam ac te dignius colendum providus excitasti,
da nobis, ipso intercedente,
vivida fide ac fructuosa caritate
mysteriorum tuorum esse participes. Per Dominum.

MAIUS

Die 1 maii: S. Ioseph opificis
Collecta

601 Rerum conditor, Deus,
qui legem laboris humano generi statuisti,
concede propitius, ut, sancti Ioseph exemplo et patrocinio,
opera perficiamus quae praecipis,
et praemia consequamur quae promittis. Per Dominum.

Super oblata

602 Fons totius misericordiae, Deus, respice ad munera nostra,
quae in commemoratione beati Ioseph
maiestati tuae deferimus,
et concede propitius,
ut oblata dona fiant praesidia supplicantium. Per Christum.

Post communionem

603 Caelestibus, Domine, pasti deliciis, supplices te rogamus,
ut, exemplo beati Ioseph,
caritatis tuae in cordibus nostris testimonia gerentes,
perpetuae pacis fructu iugiter perfruamur. Per Christum.

Die 2 maii: S. Athanasii, episcopi et Ecclesiae doctoris. Memoria
Collecta

604 Omnipotens sempiterne Deus,
qui beatum Athanasium episcopum
divinitatis Filii tui propugnatorem eximium suscitasti,
concede propitius, ut, eius doctrina et protectione gaudentes,
in tui cognitione et amore sine intermissione crescamus.
Per Dominum.

Super oblata

605 Respice, Domine, munera
quae tibi in commemoratione sancti Athanasii perhibemus,
eiusque fidem profitentibus illibatam
tuae testificatio veritatis prosit ad salutem. Per Christum.

Post communionem

606 Da nobis, quaesumus, omnipotens Deus,
ut Unigeniti tui vera divinitas,
quam cum beato Athansio firmiter confitemur,
per hoc sacramentum vivificet nos semper et muniat. Per Christum.

Die 3 maii: SS. PHILIPPI ET IACOBI, APOSTOLORUM. Festum
Collecta

607 Deus, qui nos annua apostolorum Philippi et Iacobi
festivitate laetificas,
da nobis, ipsorum precibus,
in Unigeniti tui passione et resurrectione consortium,
ut ad perpetuam tui visionem pervenire mereamur. Per Dominum.

Super oblata

608 Suscipe, Domine, munera
quae pro apostolorum Philippi et Iacobi festivitate deferimus,
et immaculatam nobis religionem mundamque largire.
Per Christum.

Post communionem

609 Purifica, quaesumus, Domine, mentes nostras
per haec sancta quae sumpsimus,
ut, cum apostolis Philippo et Iacobo te in Filio contemplantes,
vitam habere mereamur aeternam. Per Christum.

Die 12 maii: Ss. Nerei et Achillei, martyrum
Collecta

610 Praesta, quaesumus, omnipotens Deus,
ut, qui gloriosos martyres Nereum et Achilleum
fortes in sua confessione cognovimus,
pios apud te in nostra intercessione sentiamus. Per Dominum.

Die 12 maii: S. Pancratii, martyris
Collecta

611 Laetetur Ecclesia tua, Deus,
beati Pancratii martyris confisa suffragiis,
atque, eius precibus gloriosis,
et devota permaneat, et secura consistat. Per Dominum.

Die 14 maii: S. Matthiae, Apostoli. Festum
Collecta

612 Deus, qui beatum Matthiam Apostolorum collegio sociasti,
eius nobis interventione concede,
ut, dilectionis tuae sorte gaudentes,
cum electis numerari mereamur. Per Dominum.

Super oblata

613 Ecclesiae tuae, Domine, munera
pro festo beati Matthiae reverenter oblata suscipias,
et per ea nos gratiae tuae virtute confirma. Per Christum.

Post communionem

614 Familiam tuam, Domine, divinis ne cesses replere muneribus,
ut, beato Matthia pro nobis intercedente,
in partem sortis sanctorum in lumine nos digneris accipere.
Per Christum.

Die 18 maii: S. Ioannis I, papae et martyris
Collecta

615 Deus, fidelium remunerator animarum,
qui hunc diem beati Ioannis papae martyrio consecrasti,
exaudi preces populi tui, et praesta,
ut, qui eius merita veneramur,
fidei constantiam imitemur. Per Dominum.

Die 20 maii: S. Bernardini Senensis, presbyteri
Collecta

616 Deus, qui beato Bernardino presbytero
sancti nominis Iesu amorem eximium tribuisti,
eius meritis precibusque concede,
ut spiritus nos semper tuae dilectionis accendat. Per Dominum.

Die 25 maii: S. Bedae Venerabilis, presbyteri et Ecclesiae doctoris
Collecta

617 Deus, qui Ecclesiam tuam
beati Bedae presbyteri eruditione clarificas,
famulis tuis concede propitius,
et eius semper illustrari sapientia, et meritis adiuvari. Per Dominum.

Die 25 maii: S. Gregorii VII, papae
Collecta

618 Da Ecclesiae tuae, quaesumus, Domine,
spiritum fortitudinis zelumque iustitiae,
quibus beatum Gregorium papam clarescere voluisti,
ut, iniquitatem reprobans,
quaecumque recta sunt libera exerceat caritate. Per Dominum.

Die 25 maii: S. Mariae Magdalenae de' Pazzi, virginis
Collecta

619 Deus, virginitatis amator,
qui beatam Mariam Magdalenam virginem,
tuo amore succensam,
donis caelestibus decorasti,
da ut, quam hodie veneramur,
eius puritatis caritatisque imitemur exempla. Per Dominum.

Die 26 maii: S. Philippi Neri, presbyteri. Memoria
Collecta

620 Deus, qui fideles tibi servos
sanctitatis gloria sublimare non desistis,
concede propitius, ut illo nos igne Spiritus Sanctus inflammet,
quo beati Philippi cor mirabiliter penetravit. Per Dominum.

Super oblata

621 Hostiam tibi laudis offerentes, quaesumus, Domine,
ut, beati Philippi exemplo,
ad tui nominis gloriam proximique servitium
hilares nos semper praestemus. Per Christum.

Post communionem

622 Caelestibus, Domine, pasti deliciis,
quaesumus, ut, beati Philippi imitatione,

semper eadem, per quae veraciter vivimus, appetamus.
Per Christum.

Die 27 maii: S. Augustini Cantuariensis, episcopi
Collecta

623 Deus, qui beati Augustini episcopi praedicatione
Anglorum gentes ad Evangelium perduxisti,
tribue, quaesumus, ut eius laborum fructus
in Ecclesia tua perenni fecunditate persistant. Per Dominum.

Die 31 maii: IN VISITATIONE BEATAE MARIAE VIRGINIS. Festum
Collecta

624 Omnipotens sempiterne Deus,
qui beatam Virginem Mariam, Filium tuum gestantem,
ad visitandam Elisabeth inspirasti,
praesta, quaesumus, ut, afflanti Spiritui obsequentes,
cum ipsa te semper magnificare possimus. Per Dominum.

Super oblata

625 Maiestati tuae, Domine,
hoc nostrum gratum sit sacrificium salutare,
sicut beatissimae Unigeniti tui Matris
habuisti acceptabilem caritatem. Per Christum.

Post communionem

626 Magnificet te, Deus, Ecclesia tua
qui tuis fecisti magna fidelibus,
et, quem latentem beatus Ioannes cum exsultatione praesensit,
eundem semper viventem
cum laetitia in hoc percipiat sacramento. Per Christum.

Sabbato post dominicam II post Pentecosten:
IMMACULATI CORDIS BEATAE MARIAE VIRGINIS
Collecta

627 Deus, qui in Corde beatae Mariae Virginis
dignum Sancti Spiritus habitaculum praeparasti,
concede propitius, ut, eiusdem Virginis intercessione,
tuae gloriae templum inveniri mereamur. Per Dominum.

Super oblata

628 Preces, Domine, tuorum respice oblationesque fidelium
in beatae Mariae Dei Genetricis commemoratione delatas,
ut tibi gratae sint,
et nobis conferant tuae propitiationis auxilium. Per Christum.

Post communionem

629 Redemptionis aeternae participes effecti,
quaesumus, Domine,
ut, qui Genetricis Filii tui memoriam agimus,
et de gratiae tuae plenitudine gloriemur,
et salvationis continuum sentiamus augmentum. Per Christum.

IUNIUS

Die 1 iunii: S. Iustini, martyris. Memoria
Collecta

630 Deus, qui per stultitiam crucis
eminentem Iesu Christi scientiam
beatum Iustinum martyrem mirabiliter docuisti,
eius nobis intercessione concede,
ut, errorum circumventione depulsa,
fidei firmitatem consequamur. Per Dominum.

Super oblata

631 Concede nobis, quaesumus, Domine,
haec digne frequentare mysteria,
quae beatus Iustinus strenua virtute defendit. Per Christum.

Post communionem

632 Caelesti alimonia refecti, supplices te, Domine, deprecamur,
ut, beati Iustini martyris monitis obsequentes,
de acceptis donis semper in gratiarum actione maneamus.
Per Christum.

Die 2 iunii: Ss. Marcellini et Petri, martyrum
Collecta

633 Deus, qui nos sanctorum martyrum Marcellini et Petri
confessione gloriosa circumdas et protegis,
praesta nobis ex eorum imitatione proficere,
et oratione fulciri. Per Dominum.

Die 3 iunii: Ss. Caroli Lwanga et sociorum, martyrum. Memoria
Collecta

634 Deus, qui sanguinem martyrum
semen christianorum esse fecisti,
concede propitius, ut tuae ager Ecclesiae,
qui est beatorum Caroli eiusque sociorum cruore rigatus,
in amplam tibi messem iugiter fecundetur. Per Dominum.

Super oblata

635 Hostias tibi, Domine, offerimus, suppliciter exorantes,
ut, sicut beatis martyribus magis mori quam peccare tribuisti,
ita nos facias, tibi soli deditos, altari tuo ministrare. Per Christum.

Post communionem

636 Sumpsimus, Domine, divina sacramenta,
sanctorum martyrum tuorum victoriam recolentes:
quaesumus, ut, quae ipsis ad perferenda supplicia contulerunt,
ea nobis inter adversa
praebeant fidei caritatisque constantiam. Per Christum.

Die 5 iunii: S. Bonifatii, episcopi et martyris. Memoria
Collecta

637 Sanctus martyr, Domine, Bonifatius
pro nobis interventor exsistat,
ut fidem, quam ore docuit et sanguine consignavit,
firmiter teneamus, et operibus profiteamur confidenter.
Per Dominum.

Die 6 iunii: S. Norberti, episcopi
Collecta

638 Deus, qui beatum Norbertum episcopum
Ecclesiae tuae
oratione ac pastorali zelo ministrum eximium effecisti,
praesta, quaesumus, ut, eius interveniente suffragio,
fidelium grex pastores iuxta cor tuum
et salutaria pascua semper inveniat. Per Dominum.

Die 9 iunii: S. Ephraem, diaconi et Ecclesiae doctoris
Collecta

639 Cordibus nostris, quaesumus, Domine,
Spiritum Sanctum benignus infunde,
cuius afflatu beatus Ephraem diaconus
in tuis mysteriis decantandis exsultavit,
eiusque virtute tibi soli deserviit. Per Dominum.

Die 11 iunii: S. Barnabae, apostoli. Memoria
Collecta

640 Deus, qui beatum Barnabam, plenum fide et Spiritu Sancto,
ad gentium conversionem segregare praecepisti,
concede, ut Evangelium Christi, quod strenue praedicavit,
ore et opere fideliter nuntietur. Per Dominum.

Super oblata

641 Oblata munera, quaesumus, Domine,
tua benedictione sanctifica,
quae, te donante, nos flamma tuae dilectionis accendant,
per quam beatus Barnabas
lumen Evangelii gentibus apportavit. Per Christum.

Post communionem

642 Aeternae pignus vitae capientes,
te, Domine, humiliter imploramus,
ut, quod pro beati Barnabae apostoli memoria
in imagine gerimus sacramenti,
manifesta perceptione sumamus. Per Christum.

Die 13 iunii: S. Antonii de Padova, presbyteri et Ecclesiae doctoris.
Memoria
Collecta

643 Omnipotens sempiterne Deus,
qui populo tuo beatum Antonium

praedicatorem insignem dedisti,
eumque in neccessitatibus intercessorem,
concede, ut, eius auxilio, christianae vitae documenta sectantes,
in omnibus adversitatibus te subvenientem sentiamus.
Per Dominum.

Die 19 iunii: S. Romualdi, abbatis
Collecta

644 Deus, qui per beatum Romualdum
in Ecclesia tua eremiticam vitam renovasti,
concede, ut, nosmetipos abnegantes et Christum sequentes,
feliciter ad caelestia regna mereamur ascendere.
Per Dominum.

Die 21 iunii: S. Aloisii Gonzaga, religiosi. Memoria
Collecta

645 Deus, caelestium auctor donorum,
qui in beato Aloisio miram vitae innocentiam
cum paenitentia sociasti,
eius meritis et intercessione concede,
ut, innocentem non secuti, paenitentem imitemur. Per Dominum.

Super oblata

646 Caelsti convivio fac nos, Domine,
exemplo sancti Aloisii,
nuptiali veste semper indutos accumbere,
ut ex huius participatione mysterii
gratia tua divites efficiamur. Per Christum.

Post communionem

647 Angelorum esca nutritos,
fac nos, Domine, pura tibi conversatione servire,
et, eius quem hodie colimus exemplo,
in gratiarum semper actione manere. Per Christum.

Die 22 iunii: S. Paulini Nolani, episcopi
Collecta

648 Deus, qui beatum Paulinum episcopum
paupertatis amore
et pastorali sollicitudine clarescere voluisiti,
concede propitius, ut, cuius merita celebramus,
caritatis imitemur exempla. Per Dominum.

Die 22 iunii: Ss. Ioannis Fisher, episcopi, et Thomas More, martyrum
Collecta

649 Deus, qui verae fidei formam in martyrio consummasti,
concede propitius,
ut, sanctorum Ioannis et Thomae intercessione roborati,

fidem, quam ore profitemur, testimonio vitae confirmemus.
Per Dominum.

Die 24 iunii: IN NATIVITATE S. IOANNIS BAPTISTAE. Sollemnitas
Ad Missam in Vigilia
Collecta

650 Praesta, quaesumus, omnipotens Deus,
    ut familia tua per viam salutis incedat,
    et, beati Ioannis Praecursoris hortamenta sectando,
    ad eum quem praedixit, secura perveniat,
    Dominum nostrum Iesum Christum. Qui tecum vivit.

Super oblata

651 Munera populi tui, Domine, propitius intende,
    in beati Ioannis Baptistae sollemnitate delata, et praesta,
    ut, quae mysterio gerimus, debitae servitutis actione sectemur.
    Per Christum.

Post communionem

652 Sacris dapibus satiatos,
    beati Ioannis Baptistae nos, Domine,
    praeclara comitetur oratio,
    et, quem Agnum nostra ablaturum crimina nuntiavit,
    ipsum Filium tuum poscat nobis fore placatum. Qui vivit.

Ad Missam in die
Collecta

653 Deus, qui beatum Ioannem Baptistam suscitasti,
    ut perfectam plebem Christo Domino praepararet,
    da populis tuis spiritalium gratiam gaudiorum,
    et omnium fidelium mentes dirige in viam salutis et pacis.
    Per Dominum.

Super oblata

654 Tua, Domine, muneribus altaria cumulamus,
    illius nativitatem honore debito celebrantes,
    qui Salvatorem mundi et cecinit affuturum,
    et adesse monstravit. Qui vivit.

Post communionem

655 Caelestis Agni convivio refecti, quaesumus, Domine,
    ut Ecclesia tua,
    sumens de beati Ioannis Baptistae generatione laetitiam,
    quem ille praenuntiavit venturum,
    suae regenerationis cognoscat auctorem. Qui vivit.

Die 27 iunii: S. Cyrilli Alexandrini, episcopi et Ecclesiae doctoris
Collecta

656 Deus, qui beatum Cyrillum episcopum
    divinae maternitatis beatissimae Virginis Mariae

assertorem invictum effecisti,
concede, ut, qui vere eam Genetricem Dei credimus,
per incarnationem Christi Filii tui salvemur.
Qui tecum vivit et regnat.

Die 28 iunii: S. Irenaei, episcopi et martyris. Memoria
Collecta

657 Deus, qui beato Irenaeo episcopo tribuisti,
ut veritatem doctrinae
pacemque Ecclesiae feliciter confirmaret,
concede, quaesumus, eius intercessione,
ut nos, fide et caritate renovati,
ad unitatem concordiamque fovendam semper simus intenti.
Per Dominum.

Super oblata

658 Gloriam tibi, Domine, conferat sacrificium,
quod in natali beati Irenaei tibi laetanter offerimus,
et praebeat nobis diligere veritatem,
ut et inviolatam Ecclesiae fidem teneamus,
et stabilem unitatem. Per Christum.

Post communionem

659 Per haec sacra mysteria, quaesumus, Domine,
da nobis fidei miseratus augmentum,
ut, quae sanctum Irenaeum episcopum
usque ad mortem retenta glorificat,
nos etiam iustificet veraciter hanc sequentes. Per Christum.

Die 29 iunii: SS. PETRI ET PAULI, APOSTOLORUM. Sollemnitas
Ad Missam in Vigilia
Collecta

660 Da nobis, quaesumus, Domine Deus noster,
beatorum apostolorum Petri et Pauli
intercessionibus sublevari,
ut per quos Ecclesiae tuae superni muneris rudimenta donasti,
per eos subsidia perpetuae salutis impendas. Per Dominum.

Super oblata

661 Munera, Domine, tuis altaribus adhibemus,
de beatorum apostolorum Petri et Pauli
sollemnitatibus gloriantes,
ut quantum sumus de nostro merito formidantes,
tantum de tua benignitate gloriemur salvandi. Per Christum.

Post communionem

662 Caelestibus sacramentis, quaesumus, Domine,
fideles tuos corrobora,
quos Apostolorum doctrina illuminasti. Per Christum.

Ad Missam in die

Collecta

663 Deus, qui huius diei venerandam sanctamque laetitiam
in apostolorum Petri et Pauli sollemnitate tribuisti,
da Ecclesiae tuae eorum in omnibus sequi praeceptum,
per quos religionis sumpsit exordium. Per Dominum.

Super oblata

664 Hostiam, Domine, quam nomini tuo exhibemus sacrandam,
apostolica prosequatur oratio,
nosque tibi reddat in sacrificio celebrando devotos. Per Christum.

Post communionem

665 Da nobis, Domine, hoc sacramento refectis,
ita in Ecclesia conversari,
ut, perseverantes in fractione panis Apostolorumque doctrina,
cor unum simus et anima una, tua caritate firmati. Per Christum.

Die 30 iunii: Ss. Protomartyrum sanctae Romanae Ecclesiae

Collecta

666 Deus, qui Romanae Ecclesiae copiosa primordia
martyrum sanguine consecrasti,
concede, quaesumus,
ut firma virtute de tanti agone certaminis solidemur,
et pia semper victoria gaudeamus. Per Dominum.

IULIUS

Die 3 iulii: S. THOMAE, APOSTOLI. Festum
Collecta

667 Da nobis, omnipotens Deus,
beati Thomae apostoli festivitate gloriari,
ut eius semper et patrociniis sublevemur,
et vitam credentes habeamus in nomine eius,
quem ipse Dominum agnovit, Iesum Christum Filium tuum.
Qui tecum vivit.

Super oblata

668 Debitum tibi, Domine, reddimus servitutis,
suppliciter exorantes,
ut in nobis tua munera tuearis,
qui in confessione beati Thomae apostoli
laudis tibi hostias immolamus. Per Christum.

Post communionem

669 Deus, cuius Unigeniti Corpus
in hoc veraciter suscipimus sacramento,
praesta, quaesumus, ut, quem Dominum Deumque nostrum
cum apostolo Thoma fide cognoscimus,
ipsum opere quoque profiteamur et vita. Per Christum.

Die 4 iulii: S. Elisabeth Lusitaniae
Collecta

670 Deus, auctor pacis et amator caritatis,
qui beatam Elisabeth
mira dissidentes componendi gratia decorasti,
da nobis, eius intercessione, pacis opera exercere,
ut filii Dei nominari possimus. Per Dominum.

Die 5 iulii: S. Antonii Mariae Zaccaria, presbyteri
Collecta

671 Da nobis, Domine, ut supereminentem Iesu Christi scientiam
spiritu Pauli apostoli prosequamur,
qua beatus Antonius Maria eruditus
verbum salutis in Ecclesia tua iugiter praedicavit. Per Dominum.

Die 6 iulii: S. Mariae Goretti, virginis et martyris
Collecta

672 Deus, innocentiae auctor et castitatis amator,
qui famulae tuae Mariae
iuvenili aetate martyrii gratiam contulisti,
da nobis, quaesumus, eius intercessione,
in tuis mandatis constantiam,
qui dedisti certanti virgini coronam. Per Dominum.

Die 11 iulii: S. Benedicti, abbatis. Memoria
Collecta

673 Deus, qui beatum Benedictum abbatem
in schola divini servitii praeclarum constituisti magistrum,
tribue, quaesumus,
ut, amori tuo nihil praeponentes,
viam mandatorum tuorum dilatato corde curramus. Per Dominum.

Super oblata

674 Haec sancta, Domine,
quae in beati Benediciti celebritate deferimus,
respice benignus, et praesta,
ut nos, eius exemplis te quaerentes,
unitatis in tuo servitio pacisque dona consequi mereamur.
Per Christum.

Post communionem

675 Accepto pignore vitae aeternae,
te, Domine, suppliciter deprecamur,
ut, beati Benedicti monitis obsequentes,
operi tuo fideliter serviamus,
et fratres ferventi diligamus caritate. Per Christum.

Die 13 iulii: S. Henrici
Collecta

676 Deus, qui beatum Henricum, gratiae tuae ubertate praeventum,
e terreni cura regiminis ad superna mirabiliter erexisti,
eius nobis intercessione largire,
ut inter mundanas varietates
puris ad te mentibus festinemus. Per Dominum.

Die 14 iulii: S. Camilli de Lellis, presbyteri
Collecta

677 Deus, qui sanctum Camillum presbyterum
caritatis in infirmos singulari gratia decorasti,
eius meritis, spiritum nobis tuae dilectionis infunde,
ut, tibi in fratribus servientes,
ad te, hora exitus nostri, securi transire possimus. Per Dominum.

Die 15 iulii: S. Bonaventurae, episcopi et Ecclesiae doctoris. Memoria
Collecta

678 Da, quaesumus, omnipotens Deus,
ut, beati Bonaventurae episcopi natalicia celebrantes,
et ipsius proficiamus eruditione praeclara,
et caritatis ardorem iugiter aemulemur. Per Dominum.

Die 16 iulii: Beatae Mariae Virginis de Monte Carmelo
Collecta

679 Adiuvet nos, quaesumus, Domine,
gloriosae Virginis Mariae intercessio veneranda,

ut, eius muniti praesidiis,
ad montem, qui Christus est, pervenire valeamus. Qui tecum vivit.

Die 21 iulii: S. Laurentii de Brindisi, presbyteri et Ecclesiae doctoris
Collecta

680 Deus, qui pro nominis tui gloria et animarum salute
beato Laurentio presbytero
spiritum consilii et fortitudinis contulisti,
da nobis, in eodem spiritu, et agenda cognoscere,
et cognita, eius intercessione, perficere. Per Dominum.

Die 22 iulii: S. Mariae Magdalenae. Memoria
Collecta

681 Deus, cuius Unigenitus Mariae Magdalenae ante omnes
gaudium nuntiandum paschale commisit,
praesta, quaesumus, ut, eius intercessione et exemplo,
Christum viventem praedicemus,
et in gloria tua regnantem videamus. Qui tecum vivit.

Super oblata

682 Suscipe, Domine, munera
in beatae Mariae Magdalenae commemoratione exhibita,
cuius caritatis obsequium
unigenitus Filius tuus clementer suscepit impensum. Qui vivit.

Post communionem

683 Mysteriorum tuorum, Domine, sancta perceptio
perseverantem illum nobis amorem infundat,
quo beata Maria Magdalena
Christo magistro suo indesinenter adhaesit.
Qui vivit.

Die 23 iulii: S. Birgittae, religiosae
Collecta

684 Domine Deus noster,
qui beatae Birgittae, Filii tui passionem meditanti,
secreta caelestia revelasti,
da nobis famulis tuis,
in revelatione gloriae tuae gaudere laetantes. Per Dominum.

Die 25 iulii: S. IACOBI, APOSTOLI. Festum
Collecta

685 Omnipotens sempiterne Deus,
qui Apostolorum tuorum primitias
beati Iacobi sanguine dedicasti,
da, quaesumus, Ecclesiae tuae
ipsius confessione firmari,
et iugiter patrociniis confoveri. Per Dominum.

Super oblata

686 Munda nos, Domine, passionis Filii tui baptismate salutari,
ut in festo sancti Iacobi,
quem primum inter Apostolos
calicis eius participationem esse voluisti,
beneplacitum tibi sacrificium offeramus. Per Christum.

Post communionem

687 Beati apostoli Iacobi, quaesumus, Domine,
intercessione nos adiuva,
pro cuius festivitate percepimus tua sancta laetantes. Per Christum.

Die 26 iulii: Ss. Ioachim et Annae, parentum beatae Mariae Virginis.
Memoria
Collecta

688 Domine, Deus patrum nostrorum,
qui beatis Ioachim et Annae hanc gratiam contulisti
ut ex eis incarnati Filii tui Mater nasceretur,
utriusque precibus concede,
ut salutem tuo promissam populo consequamur. Per Dominum.

Super oblata

689 Suscipe, quaesumus, Domine,
munera nostrae devotionis, et praesta,
ut eiusdem benedictionis,
quam Abrahae et eius semini promisisti,
mereamur esse participes. Per Christum.

Post communionem

690 Deus, qui Unigenitum tuum ex hominibus nasci voluisti,
ut homines ex te mirabili mysterio renascerentur,
quaesumus, ut, quos filiorum pane satiasti,
adoptionis spiritu benignitate tua sanctifices. Per Christum.

Die 29 iulii: S. Marthae. Memoria
Collecta

691 Omnipotens sempiterne Deus,
cuius Filius in domo beatae Marthae dignatus est hospitari,
da, quaesumus, ut eiusdem intercessione,
Christo in fratribus nostris fideliter ministrantes,
in aede caelesti a te recipi mereamur. Per Dominum.

Super oblata

692 In beata Martha te, Domine, mirabilem praedicantes,
maiestatem tuam suppliciter exoramus,
ut, sicut eius tibi gratum exstitit caritatis obsequium,
sic nostrae servitutis accepta reddantur officia. Per Christum.

Post communionem

693 Corporis et Sanguinis Unigeniti tui sacra perceptio, Domine,
ab omnibus nos caducis rebus avertat,

ut, exemplo beatae Marthae,
valeamus tibi et sincera in terris caritate proficere,
et tui perpetua in caelis visione gaudere. Per Christum.

Die 30 iulii: S. Petri Chrysologi, episcopi et Ecclesiae doctoris

Collecta

694 Deus, qui beatum Petrum Chrysologum episcopum
Verbi tui incarnati praeconem egregium effecisti,
eius nobis intercessione concede,
ut tuae salutis mysteria et iugiter scrutemur in corde,
et fideliter significemus in opere. Per Dominum.

Die 31 iulii: S. Ignatii de Loyola, presbyteri. Memoria

Collecta

695 Deus, qui ad maiorem tui nominis gloriam propagandam,
beatum Ignatium in Ecclesia tua suscitasti,
concede, ut eius auxilio et imitatione certantes in terris,
coronari cum ipso mereamur in caelis. Per Dominum.

Super oblata

696 Placeant, Domine Seus,
oblationes in celebratione sancti Ignatii tibi delatae,
et praesta, ut sacrosancta mysteria,
in quibus omnis sanctitatis fontem constituisti,
nos quoque in veritate sanctificent. Per Christum.

Post communionem

697 Laudis hostia, Domine,
quam pro sancto Ignatio gratias agentes obtulimus,
ad perpetuam nos maiestatis tuae laudationem perducant.
Per Christum.

AUGUSTUS

Die 1 augusti: S. Alfonsi Mariae de Liguori, episcopi et Ecclesiae doctoris. Memoria

Collecta

698 Deus, qui in Ecclesia tua
nova semper instauras exempla virtutum,
da nobis in zelo animarum
beati Alfonsi Mariae episcopi ita vestigiis adhaerere,
ut eius in caelis assequamur et praemia. Per Dominum.

Super oblata

699 Caelesti Domine, Spiritus igne corda nostra clementer exure,
qui beato Alfonso Mariae tribuisti et haec mysteria celebrare,
et per eadem hostiam tibi sanctam seipsum exhibere. Per Christum.

Post communionem

700 Deus, qui beatum Alfonsum Mariam
fidelem dispensatorem et praeconem tanti mysterii providisti,
concede, ut fideles tui illud frequenter percipiant,
a percipiendo, te sine fine collaudent. Per Christum.

Die 2 augusti: S. Eusebii Vercellensis, episcopi

Collecta

701 Fac nos, Domine Deus, in asserenda Filii tui divinitate,
sancti Eusebii episcopi constantiam imitari,
ut, fidem servantes quam ipse docuit,
eiusdem Filii tui vitae participes esse mereamur. Per Dominum.

Die 4 augusti: S. Ioannis Mariae Vianney, presbyteri. Memoria

Collecta

702 Omnipotens et misericors Deus,
qui sanctum Ioannem Mariam presbyterum
pastorali studio mirabilem effecisti,
da, quaesumus, ut, eius exemplo et intercessione,
fratres in caritate Christi tibi lucremur,
et cum eis aeternam gloriam consequi valeamus. Per Dominum.

Die 5 augusti: In Dedicatione basilicae S. Mariae

Collecta

703 Famulorum tuorum, quaesumus, Domine, delictis ignosce,
ut, qui tibi placere de nostris actibus non valemus,
Genetricis Filii tui intercessione salvemur. Per Dominum.

Die 6 augusti: In Transfiguratione Domini. Festum

Collecta

704 Deus, qui fidei sacramenta
in Unigeniti tui gloriosa Transfiguratione

patrum testimonio roborasti,
et adoptionem filiorum perfectam mirabiliter praesignasti,
concede nobis famulis tuis,
ut, ipsius dilecti Filii tui vocem audientes,
eiusdem coheredes effici mereamur. Per Dominum.

Super oblata

705 Oblata munera, quaesumus, Domine,
gloriosa Unigeniti tui Transfiguratione sanctifica,
nosque a peccatorum maculis,
splendoribus ipsius illustrationis, emunda. Per Christum.

Post communionem

706 Caelestia, quaesumus, Domine, alimenta quae sumpsimus
in eius nos transforment imaginem,
cuius claritatem gloriosa Transfiguratione
manifestare voluisti. Per Christum.

Die 7 augusti: Ss. Xysti II, papae, et sociorum, martyrum
Collecta

707 Quaesumus, omnipotens Deus, ut nos, virtute Spiritus Sancti,
et ad credendum dociles et ad confitendum fortes efficias,
qui beato Xysto eiusque sociis,
propter verbum tuum et testimonium Iesu,
animas suas ponere tribuisti. Per Dominum.

Die 7 augusti: S. Caietani, presbyteri
Collecta

708 Deus, qui beato Caietano presbytero
apostolicam vivendi formam imitari tribuisti,
eius nobis exemplo et intercessione concede
in te semper confidere,
et regnum tuum indesinenter quaerere. Per Dominum.

Die 8 augusti: S. Dominici, presbyteri. Memoria
Collecta

709 Adiuvet Ecclesiam tuam, Domine,
beatus Dominicus meritis et doctrinis,
atque pro nobis efficiatur piissimus interventor,
qui tuae veritatis exstitit praedicator eximius. Per Dominum.

Super oblata

710 Preces, quas tibi Domine, offerimus,
intercedente beato Dominico, clementer intende,
et, huius sacrificii virtute potenti,
propugnatores fidei gratiae tuae protectione confirma. Per Christum.

Post communionem

711 Caelestis, Domine, virtutem sacramenti,
quo in beati commemoratione Dominici pasti sumus,

percipiat Ecclesia tua plenae devotionis affectu,
et cuius praedicatione floruit, eius intercessione iuvetur.
Per Christum.

Die 10 augusti: S. Laurentii, Diaconi et Martyris. Festum
Collecta

712 Deus, cuius caritatis ardore
beatus Laurentius servitio claruit fidelis et martyrio gloriosus,
fac nos amare quod amavit,
et opere exercere quod docuit. Per Dominum.

Super oblata

713 Suscipe propitius, Domine, munera
in beati Laurentii celebritate laetanter oblata,
et ad nostrae salutis auxilium provenire concede. Per Christum.

Post communionem

714 Sacro munere satiati, supplices te, Domine, deprecamur,
ut, quod in festivitate sancti Laurentii
debitae servitutis praestamus obsequium,
salvationis tuae sentiamus augmentum. Per Christum.

Die 11 augusti: S. Clarae, virginis. Memoria
Collecta

715 Deus, qui beatam Claram
ad paupertatis amorem misericorditer adduxisti,
eius nobis intercessione concede,
ut, in paupertate spiritus Christum sequentes,
ad tui contemplationem in caelesti regno pervenire mereamur.
Per Dominum.

Die 13 augusti: Ss. Pontiani, papae, et Hippolyti, presbyteri, martyrum
Collecta

716 Patientia pretiosa iustorum
tuae nobis, Domine, quaesumus, affectum dilectionis accumulet,
et in cordibus nostris sacrae fidei semper exerceat firmitatem.
Per Dominum.

Die 15 augusti: In Assumptione Beatae Mariae Virginis. Sollemnitas
Ad Missam in Vigilia
Collecta

717 Deus, qui beatam Virginem Mariam,
eius humilitatem respiciens, ad hanc gratiam evexisti,
ut Unigenitus tuus ex ipsa secundum carnem nasceretur,
et hodierna die superexcellenti gloria coronasti,
eius nobis precibus concede,
ut, redemptionis tuae mysterio salvati,
a te exaltari mereamur. Per Dominum.

Super oblata

718 Suscipe, quaesumus, Domine, sacrificium placationis et laudis,
quod in sanctae Dei Genetricis Assumptione celebramus,
ut ad veniam nos obtinendam perducat,
et in perpetua gratiarum constituat actione. Per Christum.

Post communionem

719 Mensae caelestis participes effecti,
imploramus clementiam tuam, Domine Deus noster,
ut, qui Assumptionem Dei Genetricis colimus,
a cunctis malis imminentibus liberemur. Per Christum.

Ad Missam in die
Collecta

720 Omnipotens sempiterne Deus,
qui immaculatam Virginem Mariam, Filii tui Genetricem,
corpore et anima ad caelestem gloriam assumpsisti,
concede, quaesumus, ut, ad superna semper intenti,
ipsius gloriae mereamur esse consortes. Per Dominum.

Super oblata

721 Ascendat ad te, Domine, nostrae devotionis oblatio,
et, beatissima Virgine Maria in caelum assumpta intercedente,
corda nostra, caritatis igne succensa, ad te iugiter aspirent.
Per Christum.

Post communionem

722 Sumptis, Domine, salutaribus sacramentis,
da, quaesumus,
ut, intercessione beatae Mariae Virginis, in caelum assumptae,
ad resurrectionis gloriam perducamur. Per Christum.

Die 16 augusti: S. Stephani Hungariae
Collecta

723 Concede, quaesumus, Ecclesiae tuae, omnipotens Deus,
ut beatum Stephanum,
quem regnantem in terris propagatorem habuit,
propugnatorem habere mereatur gloriosum in caelis. Per Dominum.

Die 19 augusti: S. Ioannis Eudes, presbyteri
Collecta

724 Deus, qui beatum Ioannem presbyterum
ad annuntiandum investigabiles Christi divitias
mirabiliter elegisti,
da nobis, eius exemplis et monitis,
ut, in tua scientia crescentes,
secundum Evangelii lumen fideliter conversemur. Per Dominum.

Die 20 augusti: S. Bernardi, abbatis et Ecclesiae doctoris. Memoria
Collecta

725 Deus, qui beatum Bernardum abbatem,
zelo domus tuae succensum,
in Ecclesia tua lucere simul et ardere fecisti,
eius nobis intercessione concede,
ut, eodem spiritu ferventes,
tamquam filii lucis iugiter ambulemus. Per Dominum.

Super oblata

726 Maiestati tuae, Domine,
unitatis et pacis offerimus sacramentum,
sancti Bernardi abbatis memoriam recolentes,
qui, verbo et opere praeclarus,
Ecclesiae tuae ordinis concordiam strenue procuravit. Per Christum.

Post communionem

727 Cibus, quem sumpsimus, Domine,
in celebratione beati Bernardi,
suum in nobis iperetur effectum,
ut, eius exemplis roborati et monitis eruditi,
Verbi tui incarnati rapiamur amore. Qui vivit.

Die 21 augusti: S. Pii X, papae. Memoria
Collecta

728 Deus, qui, ad tuendam catholicam fidem
et universa in Christo instauranda,
sanctum Pium papam
caelesti sapientia et apostolica fortitudine replevisti,
concede propitius, ut, eius instituta et exempla sectantes,
praemia consequamur aeterna. Per Dominum.

Super oblata

729 Oblationibus nostris, Domine, benigne susceptis,
da, quaesumus, ut haec divina mysteria,
sancti Pii papae monita secuti,
sinceris tractemus obsequiis, et fideli mente sumamus.
Per Christum.

Post communionem

730 Memoriam sancti Pii papae celebrantes,
quaesumus, Domine Deus noster,
ut, virtute mensae caelestis, constantes efficiamur in fide,
et in tua simus caritate concordes. Per Christum.

Die 22 augusti: Beatae Mariae Virginis Reginae. Memoria
Collecta

731 Deus, qui Filii tui Genetricem
nostram constituisti Matrem atque Reginam,
concede propitius, ut, ipsius intercessione suffulti,

tuorum in regno caelesti consequamur gloriam filiorum.
Per Dominum.

Super oblata

732 Memoriam recolentes beatae Virginis Mariae,
tibi, Domine, munera nostra offerimus, deprecantes,
ut eius nobis succurrat humanitas,
qui tibi oblationem seipsum in cruce obtulit immaculatam. Qui vivit.

Post communionem

733 Sumptis, Domine, sacramentis caelestibus,
te supplices deprecamur,
ut, qui beatae Virginis Mariae memoriam venerando recolimus,
aeterni convivii mereamur esse participes. Per Christum.

Die 23 augusti: S. Rosae de Lima, virginis
Collecta

734 Deus, qui beatam Rosam, tuo amore succensam,
mundum relinquere
et tibi soli in austeritate paenitentiae vacare fecisti,
da nobis, eius intercessione,
ut, vias vitae sectantes in terris,
torrente deliciarum tuarum perfruamur in caelis.
Per Dominum.

Die 24 augusti: S. Bartholomaei, Apostoli. Festum
Collecta

735 Robora in nobis, Domine, fidem,
qua Filio tuo beatus Bartholomaeus apostolus
sincero animo adhaesit,
et praesta, ut, ipso deprecante,
Ecclesia tua
cunctis gentibus salutis fiat sacramentum. Per Dominum.

Super oblata

736 Beati apostoli Bartholomaei festivitatem, Domine, recensentes,
quaesumus, ut eius intercessione tua capiamus auxilia,
in cuius honorem tibi laudis hostias immolamus. Per Christum.

Post communionem

737 Sumpsimus, Domine, pignus salutis aeternae,
festivitatem beati Bartholomaei apostoli celebrantes,
quod sit nobis, quaesumus,
vitae praesentis auxilium pariter et futurae. Per Christum.

Die 25 augusti: S. Ludovici
Collecta

738 Deus, qui beatum Ludovicum
e terreni regiminis cura ad caelestis regni gloriam transtulisti,

eius, quaesumus, intercessione concede,
ut, per munera temporalia quae gerimus,
regnum tuum quaeramus aeternum. Per Dominum.

Die 25 augusti: S. Ioseph de Calasanz, presbyteri
Collecta

739 Deus, qui beatum Ioseph presbyterum
tanta caritate et patientia decorasti,
ut in pueris erudiendis omnique virtute exornandis
constanter incumberet,
concede, quaesumus,
ut, quem sapientiae praeceptorem colimus,
veritatis cooperatorem iugiter imitemur. Per Dominum.

Die 27 augusti: S. Monicae. Memoria
Collecta

740 Deus, maerentium consolator,
qui beatae Monicae pias lacrimas
in conversione filii sui Augustini misericorditer suscepisti,
da nobis, utriusque interventu, peccata nostra deplorare,
et gratiae tuae indulgentiam invenire. Per Dominum.

Die 28 augusti: S. Augustini, episcopi et Ecclesiae doctoris. Memoria
Collecta

741 Innova, quaesumus, Domine, in Ecclesia tua
spiritum quo beatum Augustinum episcopum imbuisti,
ut, eodem nos repleti,
te solum verae fontem sapientiae sitiamus,
et superni amoris quaeramus auctorem. Per Dominum.

Super oblata

742 Salutis nostrae memoriale celebrantes,
clementiam tuam, Domine, suppliciter exoramus,
ut hoc sacramentum pietatis
fiat nobis signum unitatis et vinculum caritatis. Per Christum.

Post communionem

743 Sanctificet nos, quaesumus, Domine,
mensae Christi participatio,
ut, eius membra effecti,
simus quod accepimus. Per Christum.

Die 29 augusti: In Passione S. Ioannis Baptistae. Memoria
Collecta

744 Deus, qui beatum Ioannem Baptistam
et nascentis et morientis Filii tui Praecursorem esse voluisti,
concede, ut, sicut ille veritatis et iustitiae martyr occubuit,
ita et nos pro tuae confessione doctrinae strenue certemus.
Per Dominum.

Super oblata

745 Da nobis, Domine, per haec munera quae tibi offerimus,
illam tuarum rectitudinem semitarum,
quam beatus Ioannes, vox in deserto clamantis, edocuit,
et, fuso sanguine, magna virtute signavit. Per Christum.

Post communionem

746 Concede nobis, Domine,
sancti Ioannis Baptistae natale recensentibus,
ut et salutaria sacramenta quae sumpsimus
significata veneremur,
et in nobis potius edita gaudeamus. Per Christum.

SEPTEMBER

Die 3 septembris: S. Gregorii Magni, papae et Ecclesiae doctoris. Memoria

Collecta

747 Deus, qui populis tuis indulgentia consulis
et amore dominaris,
da spiritum sapientiae, intercedente beato Gregorio papa,
quibus dedisti regimen disciplinae,
ut de profectu sanctarum ovium
fiant gaudia aeterna pastorum. Per Dominum.

Super oblata

748 Annue nobis, quaesumus, Domine,
ut, in celebratione beati Gregorii, haec nobis prosit oblatio,
quam immolando totius mundi tribuisti relaxari delicta.
Per Christum.

Post communionem

749 Quos Christo reficis pane vivo,
eosdem edoce, Domine, Christo magistro,
ut in commemoratione beati Gregorii tuam discant veritatem,
et eam in caritate operentur. Per Christum.

Die 8 septembris: IN NATIVITATE BEATAE MARIAE VIRGINIS. Festum

Collecta

750 Famulis tuis, quaesumus, Domine,
caelestis gratiae munus impertire,
ut, quibus beatae Virginis partus exstitit salutis exordium,
Nativitatis eius festivitas pacis tribuat incrementum. Per Dominum.

Super oblata

751 Unigeniti tui, Domine, nobis succurrat humanitas,
ut, qui natus de Virgine
Matris integritatem non minuit, sed sacravit,
a nostris nos piaculis exuens,
oblationem nostram tibi reddat acceptam. Qui vivit.

Post communionem

752 Exsultet Ecclesia tua, Domine,
quam sacris mysteriis refecisti,
de beatae Mariae Virginis Nativitate congaudens,
quae universo mundo spes fuit et aurora salutis. Per Christum.

Die 13 septembris: S. Ioannis Chrysostomi, episcopi et Ecclesiae doctoris. Memoria

Collecta

753 Deus, in te sperantium fortitudo,
qui beatum Ioannem Chrysostomum episcopum

mira eloquentia et tribulationis experimento
clarescere voluisti,
da nobis, quaesumus, ut, eius doctrinis eruditi,
invictae patientiae roboremur exemplo. Per Dominum.

Super oblata

754 Sacrificium tibi placeat, Deus,
in commemoratione beati Ioannis Chrysostomi
libenter exhibitum,
quo monente, nos etiam totos tibi reddimus collaudantes.
Per Christum.

Post communionem

755 Concede, misericors Deus, ut mysteria,
quae pro beati Ioannis Chrysostomi commemoratione
sumpsimus,
nos in tua caritate confirment,
et tuae fideles confessores veritatis efficiant. Per Christum.

Die 14 septembris: In Exaltatione Sanctae Crucis. Festum
Collecta

756 Deus, qui Unigenitum tuum crucem subire voluisti,
ut salvum faceret genus humanum,
praesta, quaesumus, ut, cuius mysterium in terra cognovimus,
eius redemptionis praemia in caelo consequi mereamur.
Per Dominum.

Super oblata

757 Haec oblatio, Domine, quaesumus,
ab omnibus nos purget offensis,
quae in ara crucis totius mundi tulit offensam. Per Christum.

Post communionem

758 Refectione tua sancta enutriti,
Domine Iesu Christe, supplices deprecamur,
ut, quos per lignum crucis vivificae redemisti,
ad resurrectionis gloriam perducas.
Qui vivis.

Die 15 septembris: Beatae Mariae Virginis Perdolentis. Memoria
Collecta

759 Deus, qui Filio tuo in cruce exaltato
compatientem Matrem astare voluisti,
da Ecclesiae tuae,
ut, Christi passionis cum ipsa consors effecta,
eiusdem resurrectionis particeps esse mereatur. Per Dominum.

Super oblata

760 Suscipe, misericors Deus, ad tui nominis laudem
preces hostiasque

in veneratione beatae Mariae Virginis exhibitas,
quam, stantem iuxta crucem Iesu,
clementer nobis Matrem piissimam providisti. Per Christum.

Post communionem

761 Sumptis, Domine, sacramentis redemptionis aeternae,
supplices deprecamur,
ut, compassionem beatae Mariae Virginis recolentes,
ea in nobis pro Ecclesia adimpleamus,
quae desunt Christi passionum. Per Christum.

Die 16 septembris: Ss. Cornelii, papae, et Cypriani, episcopi, martyrum. Memoria
Collecta

762 Deus, qui populo tuo beatos Cornelium et Cyprianum
sedulos pastores et invictos martyres praestitisti,
concede ut, eorum intercessione,
fide et constantia roboremur,
et pro Ecclesiae unitate operam tribuamus impense. Per Dominum.

Super oblata

763 Suscipe, quaesumus, Domine, munera populi tui
pro martyrum tuorum passionibus dicata sanctorum,
et quae beatis Cornelio et Cypriano
in persecutione fortitudinem ministrarunt,
nobis quoque praebeant inter adversa constantiam. Per Christum.

Post communionem

764 Per haec mysteria quae sumpsimus, Domine,
supplices exoramus,
ut, sanctorum martyrum Cornelii et Cypriani exemplo,
spiritus tui fortitudine confirmati,
evangelicae veritati possimus testimonium perhibere. Per Christum.

Die 17 septembris: S. Roberti Bellarmino, episcopi et Ecclesiae
doctoris
Collecta

765 Deus, qui, ad tuae fidem Ecclesiae vindicandam,
beatum Robertum episcopum
mira eruditione et virtute decorasti,
eius intercessione concede,
ut populus tuus eiusdem fidei semper integritate laetetur.
Per Dominum.

Die 19 septembris: S. Ianuarii, episcopi et martyris
Collecta

766 Deus, qui nos concedis
beati Ianuarii martyris memoriam venerari,
da nobis in aeterna beatitudine de eius societate gaudere.
Per Dominum.

Die 21 septembris: S. MATTHAEI, APOSTOLI ET EVANGELISTAE. Festum
Collecta

767 Deus, qui ineffabili misericordia
beatum Matthaeum
ex publicano Apostolum es dignatus eligere,
da nobis, eius exemplo et intercessione suffultis,
ut, te sequentes, tibi firmiter adhaerere mereamur. Per Dominum.

Super oblata

768 Memoriam beati Matthaei recensentes,
preces et hostias tibi, Domine, deferimus,
suppliciter exorantes,
ut Ecclesiam tuam benignus aspicias,
cuius fidem Apostolorum praedicationibus nutrivisti. Per Christum.

Post communionem

769 Salutaris gaudii participes, Domine,
quo laetus Salvatorem in domo sua convivam
sanctus Matthaeus excepit,
da, ut cibo semper reficiamur illius,
qui non iustos sed peccatores vocare venit ad salutem. Qui vivit.

Die 26 septembris: Ss. Cosmae et Damiani, martyrum
Collecta

770 Magnificet te, Domine,
sanctorum tuorum Cosmae et Damiani veneranda memoria,
quia et illis gloriam sempiternam,
et opem nobis ineffabili providentia contulisti. Per Dominum.

Super oblata

771 In tuorum, Domine, pretiosa morte iustorum,
sacrificium illud offerimus,
de quo martyrium sumpsit omne principium. Per Christum.

Post communionem

772 Conserva in nobis, Domine, munus tuum,
et quod, te donante, pro commemoratione
beatorum martyrum Cosmae et Damiani percepimus,
salutem nobis praestet et pacem. Per Christum.

Die 27 septembris: S. Vincentii de Paul, presbyteri. Memoria
Collecta

773 Deus, qui ad salutem pauperum et cleri institutionem
beatum Vincentium presbyterum
virtutibus apostolicis imbuisti,
praesta, quaesumus, ut, eodem spiritu ferventes,
et amemus quod amavit, et quod docuit operemur. Per Dominum.

Super oblata

774 Deus, qui beato Vincentio divina celebranti mysteria
tribuisti quod tractabat imitari,

concede, ut, huius sacrificii virtute,
ipsi quoque in oblationem tibi acceptabilem transeamus.
Per Christum.

Post communionem

775 Caelestibus, Domine, refecti sacramentis,
supplices deprecamur,
ut ad imitandum Filium tuum pauperibus evangelizantem,
sicut exemplis beati Vincentii provocamur,
ita et patrociniis adiuvemur. Per Christum.

Die 28 septembris: S. Venceslai, martyris
Collecta

776 Deus, qui beatum martyrem Venceslaum
caelesti regno terrenum postponere docuisti,
eius precibus concede, ut, nosmetipsos abnegantes,
tibi toto corde adhaerere valeamus. Per Dominum.

Die 29 septembris: SS. Michaelis, Gabrielis et Raphaelis, Archangelorum. Festum
Collecta

777 Deus, qui miro ordine
Angelorum ministeria hominumque dispensas,
concede propitius,
ut, a quibus tibi ministrantibus in caelo semper assistitur,
ab his in terra vita nostra muniatur. Per Dominum.

Super oblata

778 Hostias tibi, Domine, laudis offerimus,
suppliciter deprecantes, ut easdem,
angelico ministerio in conspectum tuae maiestatis delatas,
et placatus accipias,
et ad salutem nostram provenire concedas. Per Christum.

Post communionem

779 Pane caelesti refecti, supplices te, Domine, deprecamur,
ut, eius fortitudine roborati,
sub Angelorum tuorum fideli custodia,
fortes, salutis progrediamur in via. Per Christum.

Die 30 septembris: S. Hieronymi, presbyteri et Ecclesiae doctoris.
Memoria
Collecta

780 Deus, qui beato Hieronymo presbytero
suavem et vivum Scripturae Sacrae affectum tribuisti,
da, ut populus tuus verbo tuo uberius alatur,
et in eo fontem vitae inveniat. Per Dominum.

Super oblata

781 Tribue, nobis, Domine,
ut, exemplo beati Hieronymi, verbum tuum meditati,
ad salutarem hostiam maiestati tuae offerendam
promptius accedamus. Per Christum.

Post communionem

782 Sancta tua quae sumpsimus, Domine,
de beati Hieronymi celebritate laetantes,
tuorum excitent corda fidelium,
ut, sacris intenta doctrinis, intellegant quod sequantur,
et sequendo vitam obtineant sempiternam. Per Christum.

OCTOBER

Die 1 octobris: S. Teresiae a Iesu Infante, virginis. Memoria
Collecta

783 Deus, qui regnum tuum humilibus parvulisque disponis,
fac nos beatae Teresiae tramitem prosequi confidenter,
ut, eius intercessione, gloria tua nobis reveletur aeterna.
Per Dominum.

Super oblata

784 In beata Teresia te, Domine, mirabilem praedicantes,
maiestatem tuam suppliciter exoramus,
ut, sicut eius tibi grata sunt merita,
sic nostrae servitutis accepta reddantur officia. Per Christum.

Post communionem

785 Sacramenta quae sumpsimus, Domine,
illius in nobis vim amoris accendant,
quo beata Teresia se tibi addixit,
tuamque cupiit miserationem pro omnibus impetrare. Per Christum.

Die 2 octobris: Ss. Angelorum Custodum. Memoria
Collecta

786 Deus, qui ineffabili providentia
sanctos Angelos tuos ad nostram custodiam mittere dignaris,
largire supplicibus tuis, et eorum semper protectione defendi,
et aeterna societate gaudere. Per Dominum.

Super oblata

787 Suscipe, Domine, munera,
quae pro sanctorum Angelorum tuorum
veneratione deferimus,
et concede propitius,
ut, perpetuis eorum praesidiis,
a praesentibus periculis liberemur,
et ad vitam feliciter perveniamus aeternam. Per Christum.

Post communionem

788 Quos tantis, Domine, in vitam aeternam
dignaris pascere sacramentis,
angelico ministerio dirige in viam salutis et pacis. Per Christum.

Die 4 octobris: S. Francisci Assisiensis. Memoria
Collecta

789 Deus, qui beato Francisco
paupertate et humilitate Christo configurari tribuisti,
concede, ut, per illius semitas gradientes,
Filium tuum sequi et tibi coniungi
laeta valeamus caritate. Per Dominum.

Super oblata

790 Munera tibi, Domine, offerentes, quaesumus,
ut ad mysterium crucis celebrandum convenienter aptemur,
cui beatus Franciscus tam ardenter adhaesit. Per Christum.

Post communionem

791 Da nobis, quaesumus, Domine,
per haec sancta quae sumpsimus,
ut, beati Francisci caritatem zelumque apostolicum imitantes,
tuae dilectionis effectus percipiamus
et in salutem omnium effundamus. Per Christum.

Die 6 octobris: S. Brunonis, presbyteri
Collecta

792 Deus, qui sanctum Brunonem
ad serviendum tibi in solitudine vocasti,
eius nobis intercessione concede,
ut, per huius mundi varietates, tibi iugiter vacemus. Per Dominum.

Die 7 octobris: Beatae Mariae Virginis a Rosario. Memoria
Collecta

793 Gratiam tuam, quaesumus, Domine, mentibus nostris infunde,
ut qui, Angelo nuntiante,
Christi Filii tui incarnationem cognovimus,
beata Maria Virgine intercedente,
per passionem eius et crucem
ad resurrectionis gloriam perducamur. Per Dominum.

Super oblata

794 Fac nos, quaesumus, Domine,
his muneribus oblatis convenienter aptari,
et Unigeniti tui mysteria ita recolere,
ut eius digni promissionibus effici mereamur. Per Christum.

Post communionem

795 Quaesumus, Domine Deus noster,
ut, qui in hoc sacramento
Filii tui mortem et resurrectionem annuntiamus,
eius socii passionum effecti,
consolationis etiam ac gloriae mereamur esse participes.
Per Christum.

Die 9 octobris: Ss. Dionysii, episcopi, et sociorum, martyrum
Collecta

796 Deus, qui beatum Dionysium eiusque socios
ad praedicandam gentibus gloriam tuam misisti,
eosque virtute constantiae in passione roborasti,
tribue nobis, quaesumus,
ex eorum imitatione prospera mundi despicere,
et nulla eius adversa formidare. Per Dominum.

Die 9 octobris: S. Ioannis Leonardi, presbyteri
Collecta

797 Bonorum omnium largitor, Deus,
qui per beatum Ioannem presbyterum
populis Evangelium nuntiari fecisti,
eius intercessione concede,
ut fides vera semper et ubique proficiat. Per Dominum.

Die 14 octobris: S. Callisti I, papae et martyris
Collecta

798 Preces populi tui, quaesumus, Domine, clementer exaudi,
ut beati Callisti papae meritis adiuvemur,
cuius passione laetamur. Per Dominum.

Die 15 octobris: S. Teresiae de Avila, virginis et Ecclesiae doctoris.
Memoria
Collecta

799 Deus, qui per Spiritum tuum beatam Teresiam suscitasti,
ut requirendae perfectionis semitam Ecclesiae manifestaret,
da nobis et caelestis eius doctrinae pabulo semper nutriri,
et verae sanctitatis desiderio accendi. Per Dominum.

Super oblata

800 Munera nostra, Domine, tuae sint accepta maiestati,
cui beatae Teresiae tantopere placuit devotionis obsequium.
Per Christum.

Post communionem

801 Subdita tibi familia, Domine Deus noster,
quam caelesti pane satiasti,
fac ut, exemplo beatae Teresiae,
misericordias tuas in aeternum cantare laetetur. Per Christum.

Die 16 octobris: S. Hedvigis, religiosae
Collecta

802 Concede, quaesumus, omnipotens Deus,
ut veneranda nobis beatae Hedvigis intercessio
tribuat caeleste subsidium,
cuius vita mirabilis omnibus humilitatis praestat exemplum.
Per Dominum.

Die 16 octobris: S. Margaritae Mariae Alacoque, virginis
Collecta

803 Effunde super nos, quaesumus, Domine,
spiritum quo beatam Margaritam Mariam singulariter ditasti,
ut scire valeamus supereminentem scientiae caritatem Christi,
et impleamur in omnem plenitudinem Dei. Per Dominum.

Die 17 octobris: S. Ignatii Antiocheni, episcopi et martyris. Memoria

Collecta

804 Omnipotens sempiterne Deus,
qui sanctorum martyrum confessionibus
Ecclesiae tuae sacrum corpus exornas,
concede, quaesumus, ut hodierna gloria passionis,
sicut beato Ignatio magnificentiam tribuit sempiternam,
ita nobis perpetuum munimen operetur. Per Dominum.

Super oblata

805 Grata tibi sit, Domine, nostrae devotionis oblatio,
qui beatum Ignatium, frumentum Christi,
per martyrii passionem panem mundum suscepisti. Per Christum.

Post communionem

806 Reficiat nos, Domine, panis caelestis,
quem in beati Ignatii natali suscepimus,
ac tribuat nos nomine et opere esse christianos. Per Christum.

Die 18 octobris: S. LUCAE, EVANGELISTAE. Festum

Collecta

807 Domine Deus, qui beatum Lucam elegisti,
ut predicatione et scriptis
mysterium tuae in pauperes dilectionis revelaret,
concede, ut, qui tuo iam nomine gloriantur,
cor unum et anima una esse perseverent,
et omnes gentes tuam mereantur videre salutem. Per Dominum.

Super oblata

808 Donis caelestibus, da nobis, quaesumus, Domine,
libera tibi mente servire,
ut munera, quae in festivitate beati Lucae deferimus,
et medelam nobis operentur et gloriam. Per Christum.

Post communionem

809 Praesta, quaesumus, omnipotens Deus,
ut, quod de sancto altari tuo accepimus, nos sanctificet,
et in fide Evangelii, quod sanctus Lucas praedicavit,
fortes efficiat. Per Christum.

Die 19 octobris: Ss. Ioannis de Brebeuf et Isaac Jogues, presbyterorum, et sociorum, martyrum

Collecta

810 Deus, qui primitias fidei in borealibus Americae regionibus
sanctorum Ioannis et Isaac eorumque sociorum
praedicatione et sanguine consecrasti,
concede propitius, ut, eorum intercessione,
florida christianorum seges ubique in dies augeatur. Per Dominum.

Die 19 octobris: S. Pauli a Cruce, presbyteri
Collecta

811 Impetret nobis, Domine, gratiam tuam
sanctus presbyter Paulus, qui unico crucem amore dilexit,
ut, eius exemplo vividius incitati,
crucem nostram fortiter amplectamur.

Super oblata

812 Respice quas offerimus hostias, omnipotens Deus,
in commemoratione beati Pauli, et praesta,
ut, qui dominicae passionis mysteria celebramus,
imitemur quod agimus. Per Christum.

Post communionem

813 Deus, qui crucis mysterium
in beato Paulo mirabiliter illustrasti,
concede propitius, ut, ex hoc sacrificio roborati,
Christo fideles haereamus,
et in Ecclesia ad salutem omnium operemur. Per Christum.

Die 23 octobris: S. Ioannis de Capestrano, presbyteri
Collecta

814 Deus, qui, ad populum fidelem in angustiis confortandum,
beatum Ioannem suscitasti,
praesta, quaesumus,
ut nos in tuae protectionis securitate constituas,
et Ecclesiam tuam perpetua pace custodias. Per Dominum.

Die 24 octobris: S. Antonii Mariae Claret, episcopi
Collecta

815 Deus, qui in evangelizandis populis
beatum Antonium Mariam episcopum
mira caritate et patientia roborasti,
eius nobis intercessione concede,
ut, quae tua sunt quaerentes,
enixe in Christo lucrandis fratribus incumbamus. Per Dominum.

Die 28 octobris: SS. SIMONIS ET IUDAE, APOSTOLORUM. Festum
Collecta

816 Deus, qui nos per beatos Apostolos
ad agnitionem tui nominis venire tribuisti,
intercedentibus sanctis Simone et Iuda, concede propitius,
ut semper augeatur Ecclesia
incrementis in te credentium populorum. Per Dominum.

Super oblata

817 Gloriam, Domine, sanctorum apostolorum Simonis et Iudae
perpetuam venerantes,

quaesumus, ut vota nostra suscipias
et ad sacra mysteria celebranda nos digne perducas. Per Christum.

Post communionem

818 Perceptis, Domine, sacramentis,
supplices in Spiritu Sancto deprecamur,
ut, quae pro apostolorum Simonis et Iudae
veneranda gerimus passione,
nos in tua dilectione conservent. Per Christum.

NOVEMBER

Die 1 novembris: Omnium sanctorum. Sollemnitas

Collecta

819 Omnipotens sempiterne Deus,
qui nos omnium Sanctorum tuorum merita
sub una tribuisti celebritate venerari, quaesumus,
ut desideratam nobis tuae propitiationis abundantiam,
multiplicatis intercessoribus, largiaris. Per Dominum.

Super oblata

820 Grata tibi sint, Domine, munera,
quae pro cunctorum offerimus honore Sanctorum,
et concede,
ut, quos iam credimus de sua immortalitate securos,
sentiamus de nostra salute sollicitos. Per Christum.

Post communionem

821 Mirabilem te, Deus,
et unum Sanctum in omnibus Sanctis tuis adorantes,
tuam gratiam imploramus,
qua, sanctificationem in tui amoris plenitudine consummantes,
ex hac mensa peregrinantium
ad caelestis patriae convivium transeamus. Per Christum.

Die 2 novembris: In commemoratione omnium Fidelium Defunctorum

1

Collecta

822 Preces nostras, quaesumus, Domine, benignus exaudi,
ut, dum attollitur nostra fides in Filio tuo a mortuis suscitato,
in famulorum tuorum praestolanda resurrectione
spes quoque nostra firmetur. Per Dominum.

Super oblata

823 Nostris, Domine, propitiare muneribus,
ut famuli tui defuncti assumantur in gloriam cum Filio tuo,
cuius magno pietatis iungimur sacramento. Per Christum.

Post communionem

824 Praesta, quaesumus, Domine,
ut famuli tui defuncti
in mansionem lucis transeant et pacis,
pro quibus paschale celebravimus sacramentum. Per Christum.

2

Collecta

825 Deus, gloria fidelium et vita iustorum,
cuius Filii morte et resurrectione redempti sumus,
propitiare famulis tuis defunctis,

ut, qui resurrectionis nostrae mysterium agnoverunt,
aeternae beatitudinis gaudia percipere mereantur. Per Dominum.

Super oblata

826 Omnipotens et misericors Deus,
his sacrificiis ablue, quaesumus, famulos tuos defunctos
a peccatis eorum in sanguine Christi,
ut, quos mundasti aqua baptismatis,
indesinenter purifices indulgentia pietatis. Per Christum.

Post communionem

827 Sumpto sacramento Unigeniti tui,
qui pro nobis immolatus resurrexit in gloria,
te, Domine, suppliciter exoramus pro famulis tuis defunctis,
ut, paschalibus mysteriis mundati,
futurae resurrectionis munere glorientur. Per Christum.

3

Collecta

828 Deus, qui Unigenitum tuum, devicta morte,
ad caelestia transire fecisti,
concede, famulis tuis defunctis,
ut, huius vitae mortalitate devicta,
te conditorem et redemptorem possint perpetuo contemplari.
Per Dominum.

Super oblata

829 Pro omnibus famulis tuis in Christo dormientibus
hostiam, Domine, suscipe benignus oblatam,
ut, per hoc sacrificium singulare vinculis mortis exuti,
vitam mereantur aeternam. Per Christum.

Post communionem

830 Multiplica, Domine, his sacrificiis susceptis,
super famulos tuos defunctos misericordiam tuam,
et, quibus donasti baptismi gratiam,
da eis aeternorum plenitudinem gaudiorum. Per Christum.

Die 3 novembris: S. Martini de Porres, religiosi
Collecta

831 Deus, qui beatum Martinum per humilitatis iter
ad caelestem gloriam perduxisti,
tribue nobis eius ita nunc persequi exempla praeclara,
ut exaltari cum ipso mereamur in caelis. Per Dominum.

Die 4 novembris: S. Caroli Borromeo, episcopi. Memoria
Collecta

832 Custodi, quaesumus, Domine, in populo tuo spiritum,
quo beatum Carolum episcopum implevisti,

ut Ecclesia indesinenter renovetur,
et, Christi se imagini conformans,
ipsius vultum mundo valeat ostendere. Per Dominum.

Super oblata

833 Intende munera, Domine,
altaribus tuis pro beati Caroli commemoratione proposita,
et huius sacrificii virtute concede,
ut sicut illum pastoralis officii vigilantia
et praeclaris virtutum meritis sublimasti,
ita nos facias sinceris operum fructibus abundare. Per Christum.

Post communionem

834 Praestent nobis, quaesumus, Domine,
sacra mysteria quae sumpsimus
eam animi fortitudinem,
quae beatum Carolum reddidit in ministerio fidelem
et in caritate ferventem. Per Christum.

Die 9 novembris: IN DEDICATIONE BASILICAE LATERANENSIS. Festum

Die 10 novembris: S. Leonis Magni, papae et Ecclesiae doctoris.
Memoria
Collecta

835 Deus, qui adversus Ecclesiam tuam,
in apostolicae petrae soliditate fundatam,
portas inferi numquam praevalere permittis,
da ei, quaesumus, ut, intercedente beato Leone papa,
in tua veritate consistens, pace continua muniatur. Per Dominum.

Super oblata

836 Oblatis muneribus, quaesumus, Domine,
Ecclesiam tuam benignus illumina,
ut et gregis tui proficiat ubique successus,
et grati fiant nomini tuo, te gubernante, pastores. Per Christum.

Post communionem

837 Refectione sancta enutritam
guberna, quaesumus, Domine, tuam placatus Ecclesiam,
ut, potenti moderatione directa,
et incrementa libertatis accipiat,
et in religionis integritate persistat. Per Christum.

Die 11 novembris: S. Martini, episcopi. Memoria
Collecta

838 Deus, qui in beato Martino episcopo
sive per vitam sive per mortem magnificatus es,
innova gratiae tuae mirabilia in cordibus nostris,
ut neque mors neque vita separare nos possit a caritate tua.
Per Dominum.

Super oblata

839 Sanctifica, quaesumus, Domine Deus, haec munera,
   quae in honorem sancti Martini laetanter offerimus,
   ut per ea vita nostra
   inter adversa et prospera semper dirigatur. Per Christum.

Post communionem

840 Da nobis, Domine, unitatis sacramento refectis,
   perfectam in omnibus cum tua voluntate concordiam,
   ut, sicut beatus Martinus totum se tibi subiecit,
   ita et nos esse tui veraciter gloriemur. Per Christum.

Die 12 novembris: S. Iosaphat, episcopi et martyris. Memoria
Collecta

841 Excita, quaesumus, Domine, in Ecclesia tua Spiritum,
   quo repletus beatus Iosaphat animam suam pro ovibus posuit,
   ut, eo intercedente, nos quoque eodem Spiritu roborati,
   animam nostram pro fratribus ponere non vereamur. Per Dominum.

Super oblata

842 Clementissime Deus, munera haec tua benedictione perfunde,
   et nos in tua fide confirma,
   quam sanctus Iosaphat effuso sanguine asseruit. Per Christum.

Post communionem

843 Spiritum, Domine, fortitudinis et pacis
   haec nobis tribuat mensa caelestis,
   ut, sancti Iosaphat exemplo,
   vitam nostram
   ad honorem et unitatem Ecclesiae libenter impendamus.
   Per Christum.

Die 15 novembris: S. Alberti Magni, episcopi et Ecclesiae doctoris
Collecta

844 Deus, qui beatum Albertum episcopum
   in humana sapientia cum divina fide componenda
   magnum effecisti,
   da nobis, quaesumus, ita eius magisterii inhaerere doctrinis,
   ut per scientiarum progressus
   ad profundiorem tui cognitionem et amorem perveniamus.
   Per Dominum.

Die 16 novembris: S. Margaritae Scotiae
Collecta

845 Deus, qui beatam Margaritam
   eximia in pauperes caritate mirabilem effecisti,
   da ut, eius intercessione et exemplo,
   imaginem bonitatis tuae inter homines referamus. Per Dominum.

Die 16 novembris: S. Gertrudis, virginis
Collecta

846 Deus, qui iucundam tibi mansionem
in corde beatae Gertrudis virginis praeparasti,
ipsius intercessione, cordis nostri tenebras clementer illustra,
ut te in nobis praesentem et operantem laetanter experiamur.
Per Dominum.

Die 17 novembris: S. Elisabeth Hungariae. Memoria
Collecta

847 Deus, qui beatae Elisabeth tribuisti
in pauperibus Christum cognoscere ac venerari,
da nobis, eius intercessione,
egenis et tribulatis iugi caritate servire. Per Dominum.

Die 18 novembris: In Dedicatione basilicarum Ss. Petri et Pauli,
apostolorum
Collecta

848 Ecclesiam tuam, Domine,
apostolicis defende praesidiis,
ut, per quos initium divinae cognitionis accepit,
per eos usque in finem saeculi
capiat gratiae caelestis augmentum. Per Dominum.

Super oblata

849 Servitutis nostrae tibi, Domine, munus offerentes,
tuam deprecamur clementiam,
ut tradita nobis apostolorum Petri et Pauli ministerio veritas
in cordibus nostris illibata perseveret. Per Christum.

Post communionem

850 Populus tuus, quaesumus, Domine, caelesti pane refectus,
apostolorum Petri et Pauli commemoratione laetetur,
quem eorum donasti patrocinio gubernari. Per Christum.

Die 21 novembris: In Praesentatione beatae Mariae Virginis. Memoria
Collecta

851 Sanctissimae venerantibus Virginis Mariae
memoriam gloriosam,
ipsius nobis, quaesumus, Domine, intercessione concede,
ut de plenitudine gratiae tuae nos quoque mereamur accipere.
Per Dominum.

Die 22 novembris: S. Caeciliae, virginis et martyris. Memoria
Collecta

852 Supplicationibus nostris, Domine, adesto propitius,
et, beatae Caeciliae intercessione,
preces nostras dignanter exaudi. Per Dominum.

Die 23 novembris: S. Clementis I, papae et martyris

Collecta

853 Omnipotens sempiterne Deus,
qui in omnium sanctorum tuorum es virtute mirabilis,
da nobis in beati Clementis annua commemoratione laetari,
qui, Filii tui sacerdos et martyr,
quod mysterio gessit, testimonio comprobavit,
et quod praedicavit ore, confirmavit exemplo. Per Dominum.

Die 23 novembris: S. Columbani, abbatis

Collecta

854 Deus, qui in beato Columbano
evangelizandi munus et monasticae vitae studium
mirabiliter coniunxisti,
praesta, quaesumus, ut, eius intercessione et exemplo,
te super omnia quaerere
et credentium populum augere studeamus. Per Dominum.

Die 30 novembris: S. ANDREAE, APOSTOLI. Festum

Collecta

855 Maiestatem tuam, Domine, suppliciter exoramus,
ut, sicut Ecclesiae tuae beatus Andreas apostolus
exstitit praedicator et rector,
ita apud te sit pro nobis perpetuus intercessor. Per Dominum.

Super oblata

856 Concede nobis, omnipotens Deus,
ut his muneribus, quae in beati Andreae festivitate deferimus,
et tibi placeamus exhibitis, et vivificemur acceptis. Per Christum.

Post communionem

857 Roboret nos, Domine, sacramenti tui communio,
ut, exemplo beati Andreae apostoli,
Christi mortificationem ferentes,
cum ipso vivere mereamur in gloria. Per Christum.

DECEMBER

Die 3 decembris: S. Francisci Xavier, presbyteri. Memoria
Collecta

858 Deus, qui beati Francisci praedicatione
multos tibi populos acquisisti,
da ut fidelium animi eodem fidei zelo ferveant,
et uberrima ubique prole Ecclesia sancta laetetur. Per Dominum.

Super oblata

859 Suscipe, Domine, munera,
quae tibi in beati Francisci commemoratione deferimus,
et praesta ut, sicut ille desiderio salutis hominum
ad terras longinquas est progressus,
ita et nos, testimonium Evangelio efficaciter perhibentes,
ad te cum fratribus properare festinemus. Per Christum.

Post communionem

860 Mysteria tua, Deus, eum in nobis accendant caritatis ardorem,
quo beatus Franciscus pro animarum salute flagravit,
ut, vocatione nostra dignius ambulantes,
promissum bonis operariis praemium cum eo consequamur.
Per Christum.

Die 4 decembris: S. Ioannis Damasceni, presbyteri et Ecclesiae
doctoris
Collecta

861 Praesta nobis, quaesumus, Domine,
sancti Ioannis presbyteri precibus adiuvari,
ut vera fides, quam ille excellenter docuit,
sit semper lux et fortitudo nostra. Per Dominum.

Die 6 decembris: S. Nicolai, episcopi
Collecta

862 Misericordiam tuam, Domine, supplices imploramus,
et, beati Nicolai episcopi interveniente suffragio,
nos in omnibus custodi periculis,
ut via salutis nobis pateat expedita. Per Dominum.

Die 7 decembris: S. Ambrosii, episcopi et Ecclesiae doctoris. Memoria
Collecta

863 Deus, qui beatum Ambrosium episcopum
catholicae fidei doctorem
et apostolicae fortitudinis exemplum effecisti,
excita in Ecclesia tua viros secundum cor tuum,
qui eam fortiter et sapienter gubernent. Per Dominum.

Super oblata

864 Illa nos, quaesumus, Domine, divina tractantes,
   Spiritus Sanctus fidei luce perfundat,
   qua beatum Ambrosium
   ad gloriae tuae propagationem iugiter collustravit. Per Christum.

Post communionem

865 Huius sacramenti, Domine, virtute roboratos,
   fac nos beati Ambrosii documentis ita proficere,
   ut, viriliter per tuas semitas festinantes,
   ad aeterni suavitatem convivii praeparemur. Per Christum.

Die 8 decembris: In Conceptione Immaculata Beatae Mariae Virginis.
Sollemnitas

Collecta

866 Deus, qui per immaculatam Virginis Conceptionem
   dignum Filio tuo habitaculum praeparasti,
   quaesumus, ut, qui ex morte eiusdem Filii tui praevisa,
   eam ab omni labe praeservasti,
   nos quoque mundos, eius intercessione,
   ad te pervenire concedas. Per Dominum.

Super oblata

867 Salutarem hostiam,
   quam in sollemnitate
   immaculatae Conceptionis beatae Virginis Mariae
   tibi, Domine, offerimus
   suscipe dignanter, et praesta,
   ut, sicut illam tua gratia praeveniente
   ab omni labe profitemur immunem,
   ita, eius intercessione, a culpis omnibus liberemur. Per Christum.

Post communionem

868 Sacramenta quae sumpsimus, Domine Deus noster,
   illius in nobis culpae vulnera reparent,
   a qua immaculatam beatae Mariae Conceptionem
   singulariter praeservasti. Per Christum.

Die 11 decembris: S. Damasi I, papae

Collecta

869 Praesta, quaesumus, Domine,
   ut martyrum tuorum iugiter merita celebremus,
   quorum exstitit beatus Damasus papa cultor et amator.
   Per Dominum.

Die 12 decembris: S. Ioannae Franciscae de Chantal, religiosae

Collecta

870 Deus, qui beatam Ioannam Franciscam
   per varias vitae semitas praeclaris meritis illustrasti,

ipsius nobis intercessione concede,
ut, in vocatione nostra fideliter ambulantes,
lucis exempla iugiter ostendamus. Per Dominum.

Die 13 decembris: S. Luciae, virginis et martyris. Memoria
Collecta

871 Intercessio nos, quaesumus, Domine,
sanctae Luciae virginis et martyris gloriosa confoveat,
ut eius natalicia et temporaliter frequentemus,
et conspiciamus aeterna. Per Dominum.

Die 14 decembris: S. Ioannis a Cruce, presbyteri et Ecclesiae doctoris. Memoria
Collecta

872 Deus, qui sanctum Ioannem presbyterum
perfectae sui abnegationis
et crucis amatorem eximium effecisti,
concede ut, eius imitationi iugiter inhaerentes,
ad contemplationem gloriae tuae perveniamus aeternam.
Per Dominum.

Super oblata

873 Respice quas offerimus hostias, omnipotens Deus,
in commemoratione beati Ioannis, et praesta,
ut, qui dominicae passionis mysteria celebramus,
imitemur quod agimus. Per Christum.

Post communionem

874 Deus, qui crucis mysterium
in beato Ioanne mirabiliter illustrasti,
concede propitius,
ut, ex hoc sacrificio roborati,
Christo fideles haereamus,
et in Ecclesia ad salutem omnium operemur. Per Christum.

Die 21 decembris: S. Petri Canisii, presbyteri et Ecclesiae doctoris
Collecta

875 Deus, qui ad tuendam catholicam fidem
virtute et doctrina beatum Petrum presbyterum roborasti,
eius intercessione concede,
ut, qui veritatem quaerunt, te Deum gaudenter inveniant,
et in tua confessione populus credentium perseveret. Per Dominum.

Die 23 decembris: S. Ioannis de Kety, presbyteri
Collecta

876 Da, quaesumus, omnipotens Deus,
ut, exemplo sancti Ioannis presbyteri,
in sanctorum scientia procedamus,

atque, misericordiam omnibus exhibentes,
apud te indulgentiam consequamur. Per Dominum.

Die 26 decembris: S. STEPHANI, PROTOMARTYRIS. Festum
Collecta

877 Da nobis, quaesumus, Domine, imitari quod colimus,
ut discamus et inimicos diligere,
quia eius natalicia celebramus,
qui novit etiam pro persecutoribus exorare. Per Dominum.

Super oblata

878 Munera, quaesumus, Domine,
tibi sint hodiernae devotionis accepta,
quae beati Stephani martyris
commemoratio gloriosa depromit. Per Christum.

Post communionem

879 Gratias agimus, Domine,
multiplicatis circa nos miserationibus tuis,
qui et Filii tui nativitate nos salvas,
et beati martyris Stephani celebratione laetificas. Per Christum.

Die 27 decembris: S. IOANNIS, APOSTOLI ET EVANGELISTAE. Festum
Collecta

880 Deus, qui per beatum apostolum Ioannem
Verbi tui nobis arcana reserasti,
praesta, quaesumus,
ut, quod ille nostris auribus excellenter infudit,
intellegentiae competentis eruditione capiamus. Per Dominum.

Super oblata

881 Munera, quaesumus, Domine, oblata sanctifica, et praesta,
ut ex huius cenae convivio aeterni Verbi secreta hauriamus,
quae ex eodem fonte apostolo tuo Ioanni revelasti. Per Christum.

Post communionem

882 Praesta, quaesumus, omnipotens Deus,
ut Verbum caro factum,
quod beatus Ioannes apostolus praedicavit,
per hoc mysterium quod celebravimus
habitet semper in nobis. Per Christum.

Die 28 decembris: SS. INNOCENTIUM, MARTYRUM. Festum
Collecta

883 Deus, cuius hodierna die praeconium
Innocentes martyres non loquendo
sed moriendo confessi sunt,
da, quaesumus,
ut fidem tuam, quam lingua nostra loquitur,
etiam moribus vita fateatur. Per Dominum.

Super oblata

884   Suscipe, Domine, quaesumus, devotorum munera famulorum,
et eos tuis purifica servientes pietate mysteriis,
quibus etiam iustificas ignorantes. Per Christum.

Post communionem

885   Salvationis abundantiam tribue, Domine, fidelibus
in eorum festivitate tua sancta sumentibus,
qui, Filium tuum humana necdum voce profitentes,
caelesti sunt gratia pro eius nativitate coronati. Per Christum.

Die 29 decembris: S. Thomae Becket, episcopi et martyris

Collecta

886   Deus, qui beato Thomae martyri
pro iustitia magno animo vitam profundere tribuisti,
da nobis, eius intercessione,
nostram pro Christo vitam in hoc saeculo abnegare,
ut eam in caelo invenire possimus. Per Dominum.

Die 31 decembris: S. Silvestri I, papae

Collecta

887   Auxiliare, Domine, populo tuo,
beati Silvestri papae intercessione suffulto,
ut, praesentem vitam sub tua gubernatione transcurrens,
mereatur feliciter invenire perpetuam. Per Dominum.

COMMUNIA

COMMUNE DEDICATIONIS ECCLESIAE

1. In die Dedicationis

2. In Anniversario Dedicationis

A. *In ipsa ecclesia dedicata*
Collecta

888 Deus, qui nobis per singulos annos
huius sancti templi tui consecrationis reparas diem,
exaudi preces populi tui, et praesta,
ut fiat hic tibi semper purum servitium
et nobis plena redemptio. Per Dominum.

Super oblata

889 Memores diei quo domum tuam, Domine,
gloria dignatus es ac sanctitate replere,
nosmetipsos, quaesumus, fac hostias tibi semper acceptas.
Per Christum.

Post communionem

890 Benedictionis tuae, quaesumus, Domine,
plebs tibi sacra fructus reportet et gaudium,
ut, quod in huius festivitatis die corporali servitio exhibuit,
spiritaliter se retulisse cognoscat. Per Christum.

B *Extra ipsam ecclesiam dedicatam*
Collecta

891 Deus, qui de vivis et electis lapidibus
aeternum habitaculum tuae praeparas maiestati,
multiplica in Ecclesia tua spiritum gratiae quem dedisti,
ut fidelis tibi populus
in caelestis aedificationem Ierusalem semper accrescat.
Per Dominum.

Vel:

892 Deus, qui populum tuum Ecclesiam vocare dignatus es,
da, ut plebs in nomine tuo congregata
te timeat, te diligat, te sequatur,
et ad caelestia promissa, te ducente, perveniat. Per Dominum.

Super oblata

893 Suscipe, quaesumus, Domine, munus oblatum,
et poscentibus concede,
ut hic sacramentorum virtus et votorum obtineatur effectus.
Per Christum.

Post communionem

894 Deus, qui nobis supernam Ierusalem
per temporale Ecclesiae tuae signum adumbrare voluisti,
da, quaesumus, ut, huius participatione sacramenti,
nos tuae gratiae templum efficias,
et habitationem gloriae tuae ingredi concedas. Per Christum.

COMMUNE BEATAE MARIAE VIRGINIS

1

Collecta

895 Concede nos famulos tuos, quaesumus, Domine Deus,
perpetua mentis et corporis sanitate gaudere,
et, gloriosa beatae Mariae semper Virginis intercessione,
a praesenti liberari tristitia, et aeterna perfrui laetitia.
Per Dominum.

Vel:

896 Famulorum tuorum, quaesumus, Domine, delictis ignosce,
ut, qui tibi placere de actibus nostris non valemus,
Genetricis Filii tui Domini nostri intercessione salvemur.
Per Dominum.

Super oblata

897 Unigeniti tui, Domine, nobis succurrat humanitas,
ut, qui natus de Virgine
Matris integritatem non minuit sed sacravit,
a nostris nos piaculis exuens,
oblationem nostram tibi reddat acceptam. Per Christum.

Post communionem

898 Sumentes, Domine, caelestia sacramenta,
quaesumus clementiam tuam,
ut, qui de beatae Virginis Mariae festivitate laetamur,
eiusdem Virginis imitatione,
redemptionis nostrae mysterio digne valeamus famulari.
Per Christum.

2

Collecta

899 Concede, misericors Deus, fragilitati nostrae praesidium,
ut, qui sanctae Dei Genetricis memoriam agimus,
intercessionis eius auxilio a nostris iniquitatibus resurgamus.
Per Dominum.

Vel:

900 Adiuvet nos, quaesumus, Domine,
beatae Mariae semper Virginis intercessio veneranda,
et a cunctis periculis absolutos
in tua faciat pace gaudere. Per Dominum.

Super oblata

901 Genetricis Filii tui memoriam venerantes, quaesumus, Domine,
ut sacrificii huius oblatio
nosmetipsos, gratia tua largiente,
tibi perficiat munus aeternum. Per Christum.

Post communionem

902 Redemptionis aeternae participes effecti, quaesumus, Domine,
ut, qui Genetricis Filii tui memoriam agimus,
et de gratiae tuae plenitudine gloriemur,
et salvationis continuum sentiamus augmentum. Per Christum.

3

Collecta

903 Sanctissimae venerantibus Virginis Mariae
memoriam gloriosam,
ipsius nobis, quaesumus, Domine, intercessione concede,
ut de plenitudine gratiae tuae non quoque mereamur accipere.
Per Dominum.

Vel:

904 Domine Iesu, qui virginalem aulam beatae Mariae,
in qua habitares, eligere dignatus es,
da, quaesumus, ut, sua nos defensione munitos,
iucundos facias suae interesse festivitati. Qui vivis.

Super oblata

905 Laudis tibi, Domine, hostias offerimus,
de Genetricis Filii tui festivitate laetantes;
praesta, quaesumus, ut per haec sacrosancta commercia
ad redemptionis aeternae proficiamus augmentum. Per Christum.

Post communionem

906 Sumptis, Domine, sacramentis caelestibus,
te supplices deprecamur,
ut, qui beatae Mariae Virginis memoriam venerando recolimus,
aeterni convivii mereamur esse participes. Per Christum.

4

Tempore Adventus

Collecta

907 Deus, qui de beatae Mariae Virginis utero
Verbum tuum, Angelo nuntiante, carnem suscipere voluisti,
praesta supplicibus tuis,
ut, qui vere eam Dei Genetricem credimus,
eius apud te intercessionibus adiuvemur. Per Dominum.

Super oblata

908 Altari tuo, Domine, superposita munera
Spiritus ille sanctificet,
qui beatae Mariae viscera sua virtute replevit. Per Christum.

Post communionem

909 Mysteria quae sumpsimus, Domine Deus noster,
misericordiam tuam in nobis semper ostendant,
ut Filii tui incarnatione salvemur,

qui Genetricis eius memoriam fideli mente celebramus.
Per Christum.

5

Tempore Nativitatis

Collecta

910 Deus, qui salutis aeternae, beatae Mariae virginitate fecunda,
humano generi praemia praestitisti,
tribue, quaesumus, ut ipsam pro nobis intercedere sentiamus,
per quam meruimus Filium tuum auctorem vitae suscipere.
Qui tecum vivit.

Super oblata

911 Suscipe, Domine, munera quae tibi offerimus, et praesta,
ut corda nostra, Sancti Spiritus luce irradiata,
exemplo beatae Virginis Mariae,
tua semper valeant perquirere et conservare. Per Christum.

Post communionem

912 Incarnati Verbi tui Corpore et Sanguine refecti,
quaesumus, Domine, ut haec divina mysteria,
quae in festivitate beatae Virginis Mariae laetanter accepimus,
eiusdem Filii tui divinitatis participes nos semper efficiant.
Per Christum.

6

Tempore Paschali

Collecta

913 Deus, qui, per resurrectionem
Filii tui Domini nostri Iesu Christi,
mundum laetificare dignatus es,
praesta, quaesumus, ut, per eius Genetricem Virginem Mariam,
perpetuae capiamus gaudia vitae. Per Dominum.

Vel:

914 Deus, qui Apostolis tuis, cum Maria Matre Iesu orantibus,
Sanctum dedisti Spiritum,
da nobis, ut, ipsa intercedente,
maiestati tuae fideliter servire
et nominis tui gloriam verbo et exemplo diffundere valeamus.
Per Dominum.

Super oblata

915 Festivitatem recolentes beatae Virginis Mariae,
tibi, Domine, munera nostra offerimus, deprecantes,
ut eius nobis succurrat humanitas,
qui tibi oblationem seipsum in cruce obtulit immaculatam. Qui vivit.

Post communionem

916 In mentibus nostris, quaesumus, Domine,
verae fidei sacramenta confirma,
ut, qui conceptum de Virgine
Deum verum et hominem confitemur,
per eius salutiferae resurrectionis potentiam,
ad aeternam mereamur pervenire laetitiam. Per Christum.

Aliae orationes in Missis de B. Maria Virgine
Collecta

917 Concede, quaesumus, omnipotens Deus, ut fideles tui,
qui sub sanctissimae Virginis Mariae patrocinio laetantur,
eius pia intercessione a cunctis malis liberentur in terris,
et ad gaudia aeterna pervenire mereantur in caelis. Per Dominum.

Super oblata

918 Preces, Domine, tuorum respice oblationesque fidelium,
in beatae Mariae Dei Genetricis commemoratione delatas,
ut tibi gratae sint,
et nobis conferant tuae propitiationis auxilium. Per Christum.

Post communionem

919 Salutaribus refecti sacramentis,
supplices te, Domine, deprecamur,
ut, qui festivitatem beatae Virginis Dei Genetricis Mariae
venerando egimus,
redemptionis tuae fructum perpetuo experiri mereamur.
Per Christum.

COMMUNE MARTYRUM

1

Pro pluribus martyribus, extra tempus paschale
Collecta

920 Praesta, Domine, precibus nostris cum exsultatione proventum,
    ut sanctorum martyrum N. et N.,
    quorum diem passionis annua devotione recolimus,
    etiam fidei constantiam subsequamur. Per Dominum.

Super oblata

921 Suscipe, sancte Pater, munera
    quae in sanctorum martyrum commemoratione deferimus,
    et nobis famulis tuis concede,
    ut in confessione tui nominis inveniri stabiles mereamur.
    Per Christum.

Post communionem

922 Deus, qui crucis mysterium
    in sanctis martyribus tuis mirabiliter illustrasti,
    concede propitius, ut, ex hoc sacrificio roborati,
    Christo fideliter haereamus,
    et in Ecclesia ad salutem omnium operemur. Per Christum.

2

Pro pluribus martyribus, extra tempus paschale
Collecta

923 Omnipotens sempiterne Deus,
    qui sanctis N. et N. pro Christo pati donasti,
    nostrae quoque fragilitati divinum praetende subsidium,
    ut sicut illi pro te mori non dubitarunt,
    ita nos fortes in tua confessione vivere valeamus. Per Dominum.

Super oblata

924 Fiat tibi, quaesumus, Domine, hostia sacranda placabilis
    pretiosi celebritate martyrii,
    quae et peccata nostra purificet,
    et tuorum tibi vota conciliet famulorum. Per Christum.

Post communionem

925 Pane caelesti nutritos et in Christo unum corpus effectos,
    da nos, quaesumus, Domine,
    ab eius caritate numquam separari
    et, sanctorum martyrum tuorum N. et N. exemplo,
    propter eum qui dilexit nos omnia fortiter superare. Per Christum.

3

Pro pluribus martyribus, extra tempus paschale
Collecta

926 Fraterna nos, Domine, martyrum tuorum corona laetificet,
quae et fidei nostrae praebeat incrementa virtutum,
et multiplici nos suffragio consoletur. Per Dominum.

Vel:

927 Beatorum martyrum N. et N., quaesumus, Domine,
tibi nos oratio grata commendet,
et in tuae veritatis professione confirmet. Per Dominum.

Super oblata

928 Suscipe, quaesumus, Domine, munera populi tui
pro martyrum tuorum passionibus dicata sanctorum,
et, quae beatis N. et N.
in persecutione fortitudinem ministrarunt,
nobis quoque praebeant inter adversa constantiam. Per Christum.

Post communionem

929 Conserva in nobis, Domine, munus tuum,
et quod, te donante,
pro festivitate beatorum martyrum N. et N. percepimus,
et salutem nobis praestet et pacem. Per Christum.

4

Pro pluribus martyribus, extra tempus paschale
Collecta

930 Deus, qui nos annua sanctorum N. et N. festivitate laetificas,
concede propitius, ut, quorum natalicia colimus,
virtutem quoque passionis imitemur. Per Dominum.

Vel:

931 Deus, qui sanctis N. et N.
ad hanc gloriam veniendi copiosam munus gratiae contulisti,
da famulis tuis, martyrum intercedentibus meritis,
veniam peccatorum,
et concede, ut ab omnibus adversitatibus liberentur. Per Dominum.

Super oblata

932 Hostias tibi, Domine,
pro commemoratione beatorum N. et N. offerimus,
suppliciter deprecantes,
ut, sicut illis praebuisti sacrae fidei claritatem,
sic nobis indulgentiam largiaris et pacem. Per Christum.

Post communionem

933 Concede nobis, Domine, per haec sacramenta caelestia,
gratiam in beatorum martyrum N. et N.
celebritate multiplicem,

ut de tanti agone certaminis discamus
et firma solidari patientia,
et pia exsultare victoria. Per Christum.

5

Pro pluribus martyribus, extra tempus paschale
Collecta

934 Da nobis, quaesumus, Domine, fidei miseratus augmentum,
ut, quos sanctos martyres tuos N. et N.
usque ad sanguinem retenta glorificat,
nos etiam iustificet, veraciter hanc sequentes. Per Dominum.

Super oblata

935 Sacrificiis praesentibus, Domine, quaesumus, intende placatus,
ut, quod passionis Filii tui mysterio gerimus,
beatorum N. et N. exemplis, pio consequamur affectu. Per Christum.

Vel:

936 Haec hostia, Domine,
quam in beatorum N. et N. triumpho deferimus,
corda nostra tui amoris igne iugiter inflammet,
et ad promissa perseverantibus praemia disponat. Per Christum.

Post communionem

937 Pasti, Domine, pretioso Corpore et Sanguine unigeniti Filii tui,
da, quaesumus,
in commemoratione beatorum martyrum tuorum N. et N.,
perseveranti caritate in te manere,
de te vivere, et ad te moveri. Per Christum.

6

Pro uno martyre, extra tempus paschale
Collecta

938 Omnipotens et misericors Deus,
qui martyrem tuum N.
passionis suae tormenta superare fecisti,
concede, ut, qui eius triumphi diem celebramus,
insuperabiles tua protectione ab hostis insidiis maneamus.
Per Dominum.

Super oblata

939 Oblata munera, quaesumus, Domine,
tua benedictione sanctifica,
quae, te donante, nos illa flamma tuae dilectionis accendat,
per quam sanctus N. tormenta sui corporis universa devicit.
Per Christum.

Vel:

940 Accepta tibi sint, quaesumus, Domine, munera,
quae in commemoratione beati martyris tui N. deferimus,

ut eo maiestati tuae sint placita,
sicut illius effusio sanguinis apud te exstitit pretiosa. Per Christum.

Post communionem

941 Praestent nobis, quaesumus, Domine,
sacra mysteria quae sumpsimus
eam animi fortitudinem,
quae beatum N. martyrem tuum
reddidit in tuo servitio fidelem et in passione victorem.
Per Christum.

7

Pro uno martyre, extra tempus paschale
Collecta

942 Omnipotens sempiterne Deus,
qui beato N. usque ad mortem pro iustitia certare tribuisti,
fac nos, eius intercessione,
pro amore tuo omnia adversa tolerare
et ad te, qui solus es vita, tota virtute properare. Per Dominum.

Super oblata

943 Clementissime Deus,
munera haec tua benedictione perfunde
et nos in fide confirma,
quam beatus N. effuso sanguine asseruit. Per Christum.

Vel:

944 Hostias tibi, Domine,
pro commemoratione beati martyris tui N. offerimus,
quem a tui corporis unitate nulla tentatio separavit. Per Christum.

Post communionem

945 Sacris, Domine, recreati mysteriis, quaesumus,
ut, miram beati N. constantiam aemulantes,
patientiae praemium consequi mereamur aeternum. Per Christum.

8

Pro pluribus martyribus, tempore paschali
Collecta

946 Quaesumus, omnipotens Deus,
ut nos, virtute Spiritus Sancti, et ad credendum dociles
et ad confitendum fortes efficias,
qui beatis martyribus N. et N.
propter verbum tuum et testimonium Iesu
animas ponere tribuisti. Per Dominum.

Vel:

947 Deus, a quo constantiam fides, et virtutem sumit infirmitas,
tribue nobis, martyrum N. et N. exemplo et precibus,

in Unigeniti tui passione et resurrectione consortium,
ut cum eis apud te gaudium perfectum consequamur.
Per Dominum.

Super oblata

948 In tuorum, Domine, pretiosa morte iustorum,
sacrificium illud offerimus,
de quo martyrium sumpsit omne principium. Per Christum.

Post communionem

949 Beatorum martyrum N. et N. caelestem victoriam
divino convivio celebrantes,
te, Domine, deposcimus, ut panem vitae hic edentes,
des vincere, et vincentes des edere de ligno vitae in paradiso.
Per Christum.

9

Pro pluribus martyribus, tempore paschali
Collecta

950 Laetificet nos, quaesumus, Domine,
beatorum martyrum tuorum N. et N. gloriosa festivitas,
quos, Unigeniti tui passionem et resurrectionem
voce libera confitentes,
pretiosum sanguinem gloriosa morte fundere fecisti. Per Dominum.

Super oblata

951 Praesentia munera, quaesumus, Domine,
ita serena pietate intuere,
ut Sancti Spiritus perfundantur benedictione,
et in nostris cordibus eam dilectionem validam operentur,
per quam sancti martyres N. et N.
omnia corporis tormenta devicerunt. Per Christum.

Post communionem

952 Unius panis alimonia refecti,
in commemoratione beatorum martyrum N. et N.
suppliciter deprecamur,
ut nos in tua iugiter caritate confirmes,
et in novitate vitae concedas ambulare. Per Christum.

10

Pro uno martyre, tempore paschali
Collecta

953 Deus, qui ad illustrandam Ecclesiam tuam
beatum N. martyrii victoria decorare dignatus es,
concede propitius,
ut, sicut ipse dominicae passionis imitator fuit,
ita nos, per eius vestigia gradientes,
ad gaudia sempiterna pervenire mereamur. Per Dominum.

Super oblata

954 Suscipe, Domine, sacrificium placationis et laudis,
quod in commemoratione beati martyris N.
tuae offerimus maiestati,
ut nos perducat ad veniam,
et in perpetua gratiarum constituat actione. Per Christum.

Post communionem

955 Tua, Domine, sumpsimus dona caelestia
de hodierna festivitate laetantes;
praesta, quaesumus,
ut, qui in hoc divino convivio mortem Filii tui annuntiamus,
eiusdem resurrectionis et gloriae
cum sanctis martyribus participes esse mereamur. Per Christum.

ALIAE ORATIONES PRO MARTYRIBUS

Pro missionariis martyribus
Collecta

956 Maiestatis tuae clementiam suppliciter deprecamur,
omnipotens et misericors Deus,
ut, sicut Unigeniti tui agnitionem
per beatorum martyrum N. et N. predicationem
populorum cordibus infudisti,
ita, eorum intercessione, fidei stabilitate firmentur. Per Dominum.

Super oblata

957 Martyrum tuorum N. et N. passionem venerantes,
fac nos, Domine, hoc sacrificio
mortem Unigeniti tui digne annuntiare,
cui parum fuit hortari martyres verbo,
nisi firmaret exemplo. Per Christum.

Post communionem

958 Caelestibus, Domine, pasti deliciis, supplices te rogamus,
ut, exemplo beatorum N. et N.,
caritatis et passionis Filii tui
in mentibus nostris signa feramus,
et perpetuae pacis fructu iugiter perfruamur. Per Christum.

Pro virgine martyre
Collecta

959 Deus, qui nos hodie
beatae N. annua commemoratione laetificas,
concede propitius, ut eius adiuvemur meritis,
cuius castitatis et fortitudinis irradiamur exemplis. Per Dominum.

Super oblata

960 Munera, quaesumus, Domine,
quae in celebritate beatae N. deferimus,

ita gratiae tuae efficiantur accepta,
sicut eius tibi placitum exstitit passionis certamen. Per Christum.

Post communionem

961 Deus, qui beatam N.
pro gemina virginitatis et martyrii victoria
inter Sanctos coronasti,
da, quaesumus, per huius virtutem sacramenti,
ut, omne malum fortiter superantes,
caelestem gloriam consequamur. Per Christum.

Pro sancta muliere martyre

Collecta

962 Deus, cuius munere virtus in infirmitate perficitur,
da omnibus beatae N. gloriam recolentibus,
ut, quae abs te sumpsit robur ut vinceret,
abs te quoque vincendi nobis gratiam semper obtineat.
Per Dominum.

Super oblata

963 Hodiernum, Domine, sacrificium laetanter offerimus,
quo, beatae N. caelestem victoriam recensentes,
et tua magnalia praedicamus,
et nos acquisisse gaudemus suffragia gloriosa. Per Christum.

Post communionem

964 Sumentes, Domine, gaudia sempiterna
de participatione sacramenti, et de memoria beatae N.,
suppliciter deprecamur,
ut, quae sedula servitute, donante te, gerimus,
dignis sensibus tuo munere capiamus. Per Christum.

COMMUNE PASTORUM

1. *Pro papis, vel pro episcopis*
Collecta (pro papis):

965 Omnipotens sempiterne Deus,
qui beatum N. cuncto populo tuo praeesse,
ac verbo et exemplo prodesse voluisti,
eodem intercedente,
pastores Ecclesiae tuae cum gregibus sibi commissis custodi
et dirige in viam salutis aeternae. Per Dominum.

Vel (pro episcopis):

966 Deus, qui Ecclesiae tuae in beato N.
boni pastoris exemplum providere dignatus es,
concede propitius,
ut, eius intercessione,
in loco pascuae tuae perpetuo collocari mereamur. Per Dominum.

Super oblata

967 Laudis tibi, Domine, hostias offerimus
in tuorum commemoratione Sanctorum,
quibus nos et praesentibus exui malis confidimus et futuris.
Per Christum.

Post communionem

968 Sacramenta quae sumpsimus, Domine Deus noster,
in nobis foveant caritatis ardorem,
quo beatus N. vehementer accensus
pro Ecclesia tua se iugiter impendebat. Per Christum.

2. *Pro papis, vel pro episcopis*
Collecta (pro papis):

969 Deus, qui beatum N.,
quem totius Ecclesiae praestitisti esse pastorem,
miro virtutis et doctrinae splendore coruscare fecisti,
da nobis talis episcopi merita venerantibus,
ut per bona opera lucere coram hominibus
et per amorem ardere coram te valeamus. Per Dominum.

Vel (pro episcopis):

970 Da nobis, quaesumus, omnipotens Deus,
beati N. episcopi digne memoriam venerari,
et, sicut illum quibus praeerat,
verbo et exemplo prodesse voluisti,
ita ipsius apud te semper intercessionis suffragia sentiamus.
Per Dominum.

Super oblata

971 Annue nobis, quaesumus, Domine,
ut, in hac festivitate beati N., haec nobis prosit oblatio,

quam immolando totius mundi tribuisti relaxari delicta.
Per Christum.

Post communionem

972 Acceptorum munerum virtus, Domine Deus,
in hac festivitate beati N. nobis effectus impleat,
ut simul et mortalis vitae subsidium conferat,
et gaudium perpetuae felicitatis obtineat. Per Christum.

3. *Pro episcopis*

Collecta

973 Omnipotens sempiterne Deus,
qui beatum N. episcopum plebi tuae sanctae praeesse voluisti,
quaesumus, ut, eius suffragantibus meritis,
pietatis tuae gratiam largiaris. Per Dominum.

Super oblata

974 Hostias, quaesumus, Domine,
quas in festivitate beati N.
sacris altaribus exhibemus, propitius respice,
ut, nobis indulgentiam largiendo,
tuo nomini dent honorem. Per Christum.

Post communionem

975 Refecti sacris mysteriis, Domine, humiliter deprecamur,
ut, beati N. exemplo, studeamus confiteri quod credidit,
et opere exercere quod docuit. Per Christum.

4. *Pro episcopis*

Collecta

976 Deus, qui beatum N. divina caritate flagrantem,
fideque, quae vincit mundum, insignem,
sanctis Pastoribus mirabiliter aggregasti,
praesta, quaesumus, ut, ipso intercedente,
nos quoque, in fide et caritate perseverantes,
eius gloriae consortes fieri mereamur. Per Dominum.

Super oblata

977 Suscipe, Domine, haec munera populi tui,
quae tibi in beati N. festivitate offerimus,
ut per eadem, sicut confidimus,
tuae pietatis sentiamus auxilium. Per Christum.

Post communionem

978 Corporis sacri et pretiosi Sanguinis alimonia repleti,
quaesumus, Domine Deus noster,
ut, quod pia devotione gerimus, certa redemptione capiamus.
Per Christum.

5. *Pro pastoribus*
Collecta

979 Deus, fidelium lumen et pastor animarum,
qui beatum N. (episcopum) in Ecclesia posuisti,
ut oves tuas verbo pasceret et informaret exemplo,
da nobis, eius intercessione,
et fidem servare, quam verbo docuit,
et viam sequi, quam exemplo monstravit. Per Dominum.

Super oblata

980 Maiestatem tuam suppliciter imploramus, omnipotens Deus,
ut, sicut gloriam divinae potentiae
munera pro Sanctis oblata testantur,
sic nobis effectum tuae salvationis impendant. Per Christum.

Post communionem

981 Sumpta mysteria, quaesumus, Domine,
aeternis nos preparent gaudiis,
quae beatus N. fideli dispensatione promeruit. Per Christum.

Vel:

982 Refectione sacra enutritos, fac nos, omnipotens Deus,
exempla beati N. iugiter sequentes,
te perpeti devotione colere,
et indefessa omnibus caritate proficere. Per Christum.

6. *Pro pastoribus*
Collecta

983 Deus, qui beatos (episcopos) N. et N.
ad pascendum populum tuum
spiritu veritatis et dilectionis implevisti,
praesta, ut, quorum festivitatem venerando agimus,
eorum imitatione proficiamus,
et intercessione sublevemur. Per Dominum.

Super oblata

984 Suscipe, quaesumus, Domine, hoc sacrificium populi tui,
ut, quod tibi in honore beatorum N. et N. offertur ad gloriam,
nobis tribuas ad salutem perpetuam. Per Christum.

Post communionem

985 Sumpsimus, Domine, sanctorum tuorum N. et N.
memoriam celebrantes, sacramenta caelestia;
praesta, quaesumus, ut, quod temporaliter gerimus,
aeternis gaudiis consequamur. Per Christum.

7. *Pro pastoribus*
Collecta

986 Supplices te rogamus, omnipotens Deus,
ut, intercedentibus sanctis tuis N. et N.,

et tua in nobis dona multiplices,
et tempora nostra in pace disponas. Per Dominum.

Super oblata

987 Praetende munera, quaesumus, Domine,
altaribus tuis pro beatorum tuorum N. et N.
commemoratione proposita,
ut, sicut per haec beata mysteria illis gloriam contulisti,
ita nobis indulgentiam largiaris. Per Christum.

Post communionem

988 Mensa caelestis, omnipotens Deus,
in omnibus festivitatem beatorum N. et N. celebrantibus
supernas vires firmet et augeat,
ut et fidei donum integrum custodiamus,
et per ostensum salutis tramitem ambulemus. Per Christum.

8. *Pro fundatoribus Ecclesiarum*
Collecta

989 Omnipotens et misericors Deus,
qui beati N. praedicatione
patres nostros illuminare dignatus es,
concede nobis, quaesumus,
ut, qui christiano gloriamur nomine,
fidem quam profitemur iugiter operibus ostendamus. Per Dominum.

Vel:

990 Respice, Domine, familiam tuam,
quam beatus N. (episcopus) genuit verbo veritatis,
et vitae aluit sacramento,
ut, quos gratia tua fecit illius ministerio fideles,
faciat eiusdem precibus in caritate ferventes. Per Dominum.

Super oblata

991 Annue, quaesumus, omnipotens Deus,
ut haec sacrificia populi tui,
quae tibi in commemoratione beati N. offerimus,
donis caelestibus propitiatus immisceas. Per Christum.

Post communionem

992 Sumpsimus, Domine, pignus redemptionis aeternae,
beati N. festivitate laetantes,
quod sit nobis, quaesumus,
vitae praesentis auxilium pariter et futurae. Per Christum.

9. *Pro fundatoribus Ecclesiarum*
Collecta

993 Respice, quaesumus, Domine, ad tuam benignus Ecclesiam N.
et, cui per apostolicam sanctorum N. et N. sollicitudinem
religionis exordium donasti,

per eorum intercessionem,
tribue continuum christianae pietatis affectum. Per Dominum.

Vel:

994 Deus, qui beati N. (episcopi) praedicatione
patres nostros vocasti in admirabile Evangelii lumen,
fac, ut, eius intercessione,
crescamus in gratia
et cognitione Domini nostri Iesu Christi, Filii tui.
Qui tecum vivit.

Super oblata

995 Suscipe, quaesumus, Domine, munera populi tui,
pro sanctorum tuorum N. et N. festivitate delata,
et sincero nos corde perfice benignus acceptos. Per Christum.

Post communionem

996 Laetificet nos acceptum de altari salutare tuum, Domine,
in sanctorum N. et N. festivitate,
qua, de tuis beneficiis solliciti,
pretiosa fidei nostrae initia veneramur,
et te in Sanctis tuis mirabilem praedicamus. Per Christum.

10. *Pro missionariis*
Collecta

997 Deus, qui per beatum N. (episcopum)
infideles populos
de tenebris ad lucem veritatis venire tribuisti,
da nobis, eius intercessione, in fidei stabilitate consistere,
et in spe Evangelii, quod praedicavit, constantes permanere.
Per Dominum.

Vel:

998 Omnipotens sempiterne Deus,
qui huius diei laetitiam in beati N. glorificatione consecrasti,
concede propitius,
ut fidem illam, quam inexplebili studio semper asseruit,
iugiter retinere et opere complere studeamus. Per Dominum.

Super oblata

999 Respice quas offerimus hostias, omnipotens Deus,
in beati N. festivitate, et praesta,
ut, qui dominicae passionis mysteria celebramus,
imitemur quod agimus. Per Christum.

Post communionem

1000 Huius mysterii virtute,
confirma, Domine, famulos tuos in fide veritatis,
ut eam ubique ore et opere confiteantur,
pro qua beatus N. laborare non destitit
et vitam suam impendit. Per Christum.

11. *Pro missionariis*

Collecta

1001 Deus, qui Ecclesiam tuam
beati N. religionis zelo et apostolicis curis amplificasti,
eius intercessione concede,
ut fidei et sanctitatis nova semper incrementa suscipiat.
Per Dominum.

Super oblata

1002 Propitiare, Domine, supplicationibus nostris,
et ab omni culpa liberos esse concede,
ut, purificante nos gratia tua,
iisdem quibus famulamur mysteriis emundemur. Per Christum.

Post communionem

1003 Sacramenta quae sumpsimus, Domine Deus noster,
illam nobis fidem innutriant,
quam et apostolica docuit praedicatio,
et beati N. sollicitudo custodivit. Per Christum.

12. *Pro missionariis*

Collecta

1004 Deus, cuius ineffabili misericordia
beatus N. evangelizavit investigabiles divitias Christi,
da nos, eius intercessione, crescere in scientia tua,
et, in omni opere bono fructificantes,
secundum Evangelii veritatem coram te fideliter ambulare.
Per Dominum.

Vel, pro martyribus:

1005 Praesta, quaesumus, omnipotens Deus,
ut beatorum N. et N. fidem congrua devotione sectemur,
qui pro eiusdem dilatatione coronam martyrii meruerunt.
Per Dominum.

Super oblata

1006 Beati N. memoriam recensentes, quaesumus, Domine,
ut his muneribus tibi oblatis benedictionem effundas de caelis,
quo, ex eis sumentes, et omnibus careamus culpis
et caelestibus repleamur eduliis. Per Christum.

Post communionem

1007 Sancta tua nos, Domine, sumpta vivificent,
ut, qui beati N. commemoratione gaudemus,
eius quoque apostolicae virtutis proficiamus exemplo. Per Christum.

COMMUNE DOCTORUM ECCLESIAE

1

Collecta

1008 Omnipotens aeterne Deus,
qui beatum N. (episcopum) Ecclesiae tuae doctorem dedisti,
praesta, ut, quod ille divino affatus spiritu docuit,
nostris iugiter stabiliatur in cordibus,
et quem patronum, te donante, amplectimur,
eum apud tuam misericordiam defensorem habeamus.
Per Dominum.

Super oblata

1009 Sacrificium tibi placeat, Deus,
in festivitate beati N. libenter exhibitum,
quo monente, nos etiam totos tibi reddimus collaudantes.
Per Christum.

Post communionem

1010 Quos Christo reficis pane vivo,
eosdem edoce, Domine, Christo magistro,
ut in festivitate beati N. tuam discant veritatem,
et eam in caritate operentur. Per Christum.

2

Collecta

1011 Domine Deus, qui beatum N.
caelesti doctrina imbuere dignatus es,
da nobis, ipsius interventu,
eandem doctrinam fideliter custodire,
et moribus profiteri. Per Dominum.

Super oblata

1012 Illa nos, quaesumus, Domine, divina tractantes,
Spiritus Sanctus fidei luce perfundat,
qua beatum N. ad gloriae tuae propagationem
iugiter collustravit. Per Christum.

Post communionem

1013 Caelesti alimonia refecti, supplices te, Domine, deprecamur,
ut, beati N. monitis,
de acceptis donis semper in gratiarum actione maneamus.
Per Christum.

COMMUNE VIRGINUM

1

Collecta

1014 Exaudi nos, Deus, salutaris noster,
ut, sicut de beatae N. virginis commemoratione gaudemus,
ita piae devotionis erudiamur affectu. Per Dominum.

Super oblata

1015 In beata virgine N. te, Domine, mirabilem praedicantes,
maiestatem tuam suppliciter exoramus,
ut, sicut eius tibi grata sunt merita,
sic nostrae servitutis accepta reddantur officia. Per Christum.

Post communionem

1016 Divini muneris participatione refecti,
quaesumus, Domine Deus noster,
ut, exemplo beatae N.,
mortificationem Iesu in corpore nostro circumferentes,
tibi soli adhaerere studeamus. Per Christum.

2

Collecta

1017 Domine Deus, qui beatam N. virginem
caelestibus donis cumulasti,
tribue, quaesumus, ut, eius virtutes aemulantes in terris,
gaudiis cum ipsa perfruamur aeternis. Per Dominum.

Vel, pro virgine fundatrice:

1018 Fac, Domine Deus noster, ut beata virgo N.,
sponsa tibi fidelis,
divinae caritatis flammam excitet in cordibus nostris,
quam, ad perennem Ecclesiae tuae gloriam,
aliis virginibus inseruit. Per Dominum.

Super oblata

1019 Dicatae, quaesumus, Domine, capiamus oblationis effectum,
ut, beatae N. exemplo,
terrenae vetustatis conversatione mundati,
caelestis vitae profectibus innovemur. Per Christum.

Post communionem

1020 Corporis et Sanguinis Unigeniti tui sacra perceptio, Domine,
ab omnibus nos caducis rebus avertat,
ut exemplo beatae N. valeamus
tui et sincera in terris caritate proficere,
et perpetua in caelis visione gaudere. Per Christum.

3

Collecta

1021 Deus, qui te in puris manere cordibus asseris,
     da nobis, beatae N. virginis intercessione,
     per gratiam tuam tales exsistere,
     in quibus habitare digneris. Per Dominum.

Vel:

1022 Exaudi, quaesumus, Domine, preces nostras,
     ut, qui beatae N. virginis virtutem devote recolimus,
     in tui amore permanere
     et usque in finem semper crescere mereamur. Per Dominum.

Super oblata

1023 Suscipe, Domine, obsequium humilitatis nostrae,
     quod tibi in commemoratione beatae N. virginis exhibemus,
     et nos, per immaculatam hostiam,
     da iugiter in tuo conspectu pio sanctoque amore flagrare.
     Per Christum.

Post communionem

1024 Caelesti pane refecti,
     humiliter deprecamur clementiam tuam, Domine,
     ut, qui de beatae N. commemoratione gaudemus,
     veniam delictorum, sospitatem corporum,
     gratiamque et gloriam aeternam consequamur animarum.
     Per Christum.

4

Collecta

1025 Multiplica super nos,
     quaesumus, Domine, misericordiam tuam,
     ut, sicut in beatarum virginum N. et N. festivitate
     pia devotione laetamur,
     ita earum perpetua societate, te largiente, fruamur. Per Dominum.

Super oblata

1026 In sanctarum virginum N. et N. commemoratione
     te, Domine, mirabilem praedicantes,
     munera votiva deferimus;
     praesta, quaesumus, ut, sicut earum tibi grata sunt merita,
     sic nostrae servitutis accepta reddantur officia. Per Christum.

Post communionem

1027 Sumpta mysteria, quaesumus, Domine,
     in hac festivitate beatarum virginum N. et N.,
     incitent nos iugiter et illustrent,
     ut digne adventum Filii tui praestolemur,
     et ad supernas eius nuptias admittamur. Per Christum.

COMMUNE SANCTORUM ET SANCTARUM

1

Collecta

1028 Omnipotens aeterne Deus,
qui per glorificationem Sanctorum
novissima dilectionis tuae nobis argumenta largiris,
concede propitius,
ut, ad Unigenitum tuum fideliter imitandum,
et ipsorum intercessione commendemur,
et incitemur exemplo. Per Dominum.

Super oblata

1029 Preces nostras, Domine, quaesumus, propitiatus admitte,
et, ut digne tuis famulemur altaribus,
Sanctorum tuorum nos intercessione custodi. Per Christum.

Post communionem

1030 Omnipotens sempiterne Deus,
Pater totius consolationis et pacis,
praesta familiae tuae in celebritate Sanctorum
ad laudem tui nominis congregatae,
ut, per Unigeniti tui sumpta mysteria,
pignus accipiat redemptionis aeternae. Per Christum.

2

Collecta

1031 Deus, qui solus es sanctus, et sine quo nullus est bonus,
intercessione beati N. iube nos tales fieri,
qui non debeamus tua gloria privari. Per Dominum.

Super oblata

1032 Praesta nobis, quaesumus, omnipotens Deus,
ut nostrae humilitatis oblatio
et pro tuorum tibi grata sit honore Sanctorum,
et nos corpore pariter et mente purificet. Per Christum.

Post communionem

1033 In nataliciis Sanctorum quaesumus, Domine,
ut, sacramenti munere vegetati,
bonis, quibus per tuam gratiam nunc fovemur,
perfruamur aeternis. Per Christum.

3

Collecta

1034 Deus, qui infirmitati nostrae, ad terendam salutis viam,
in Sanctis tuis exemplum et praesidium collocasti,
concede propitius, ut, qui beati N. natalicia colimus,
per eius ad te exempla gradiamur. Per Dominum.

Super oblata

1035 Praesenti oblatione, Domine,
in beati N. commemoratione delata,
fidelibus tuis, quaesumus, pacis et unitatis dona largire.
Per Christum.

Post communionem

1036 Sacramenta quae sumpsimus, Domine,
in commemoratione beati N.
mentes et corda nostra sanctificent,
ut divinae consortes naturae effici mereamur. Per Christum.

4

Collecta

1037 Deus, qui nos conspicis ex nostra infirmitate deficere,
ad amorem tuum nos misericorditer
per Sanctorum tuorum exempla restaura. Per Dominum.

Super oblata

1038 Sacrificia, Domine,
quae in hac festivitate sancti N. tuae offerimus maiestati,
nobis sint ad salutem efficacia, et tuae placita pietati. Per Christum.

Post communionem

1039 Sacro munere satiati, supplices te, Domine, deprecamur,
ut, quod debitae servitutis celebramus officio,
salvationis tuae sentiamus augmentum. Per Christum.

5

Collecta

1040 Impetret, quaesumus, Domine, fidelibus tuis auxilium
oratio iusta Sanctorum,
et, in quorum sunt celebritate devoti,
fiant in eorum perpetua sorte participes. Per Dominum.

Super oblata

1041 Hostias ad altare tuum offerentibus, Domine,
da nobis illum pietatis affectum, quem beato N. infudisti,
ut pura mente ac fervido corde rei sacrae attendamus,
et sacrificium tibi placitum nobisque proficuum celebremus.
Per Christum.

Post communionem

1042 Sacramentorum tuorum, Domine,
communio sumpta nos salvet,
et in tuae veritatis luce confirmet. Per Christum.

6

Collecta

1043 Concede, quaesumus, omnipotens Deus,
ut ad meliorem vitam
Sanctorum tuorum exempla nos provocent,
quatenus beati N., cuius memoriam celebramus,
etiam actus incessanter imitemur. Per Dominum.

Super oblata

1044 Munera nostra, Domine, sacris altaribus offerentes,
in hac festivitate Sanctorum tuorum,
quaesumus clementiam tuam,
ut eadem et supremam tibi gloriam operentur,
et uberrimam nobis gratiam assequantur. Per Christum.

Post communionem

1045 Quaesumus, Domine Deus noster,
ut divina mysteria,
quae in tuorum commemoratione Sanctorum frequentamus,
salutem et pacem in nobis operentur aeternam. Per Christum.

7, *Pro religiosis*

Collecta

1046 Deus, cuius munere beatus N.
Christum pauperem et humilem perseveravit imitari,
concede nobis, ipso intercedente,
ut, in vocatione nostra fideliter ambulantes,
ad eam perfectionem, quam nobis in Filio tuo proposuisti,
pervenire valeamus. Per Dominum.

Vel, pro abbate:

1047 Da nobis, quaesumus, Domine,
inter mundi huius varietates
toto corde rebus caelestibus adhaerere,
qui per beatum N. abbatem
evangelicae nobis perfectionis documenta donasti. Per Dominum.

Super oblata

1048 Clementissime Deus, qui, vetere homine consumpto,
novum secundum te in beato N. creare dignatus es,
concede propitius, ut nos pariter renovati
hanc placationis hostiam tibi acceptabilem offeramus. Per Christum.

Post communionem

1049 Quaesumus, omnipotens Deus,
ut, qui huius sacramenti munimur virtute,
exemplo beati N. discamus te super omnia semper inquirere,
et novi hominis formam in hoc saeculo portare. Per Christum.

8, *Pro religiosis*

Collecta

1050 Deus, qui beatum N.
ad tuum regnum in hoc saeculo perquirendum
per caritatis perfectae prosecutionem vocasti,
concede, ut, eius intercessione roborati,
in dilectionis via spiritu gaudentes progrediamur. Per Dominum.

Super oblata

1051 Accepta tibi sint, quaesumus, Domine,
munera nostrae servitutis
pro beati N. commemoratione altari tuo proposita,
et concede, ut, a terrenis impedimentis absoluti,
te solo divites efficiamur. Per Christum.

Post communionem

1052 Per huius virtutem sacramenti, quaesumus, Domine,
beati N. exemplo, deduc nos iugiter in tua dilectione,
et opus bonum quod coepisti in nobis
perfice usque in diem Christi Iesu.
Qui vivit.

9, *Pro iis qui opera misericordiae exercuerunt*

Collecta

1053 Deus, qui Ecclesiam tuam
in dilectione tuae divinitatis et proximi
cuncta servare caelestia mandata docuisti,
da nobis, ut, beati N. exemplo caritatis opera exercentes,
inter benedictos regni tui connumerari mereamur. Per Dominum.

Super oblata

1054 Suscipe, Domine, munera populi tui, et praesta,
ut, qui Filii tui immensae caritatis opus recolimus,
in tui et proximi dilectione,
Sanctorum tuorum exemplo, confirmemur. Per Christum.

Post communionem

1055 Sacris mysteriis refectos,
da nos, quaesumus, Domine, beati N. exempla sectari,
qui te indefessa pietate coluit,
et populo tuo immensa profuit caritate. Per Christum.

Vel:

1056 Sacramenti salutaris, Domine, pasti deliciis,
tuam supplices deprecamur pietatem,
ut, sancti N. caritatis imitatores effecti,
consortes simus et gloriae. Per Christum.

10, *Pro educatoribus*
Collecta

1057 Deus, qui in Ecclesia tua beatum N. suscitasti,
ut proximis viam salutis monstraret,
da nobis, eius exemplo, Christum magistrum ita sequi,
ut ad te cum fratribus nostris pervenire valeamus. Per Dominum.

Super oblata

1058 Accepta tibi sit, quaesumus, Domine, sacratae plebis oblatio
pro tuorum commemoratione Sanctorum, et praesta,
ut, ex huius participatione mysterii,
exempla tuae caritatis referamus. Per Christum.

Post communionem

1059 Tribuat nobis, omnipotens Deus, refectio sancta subsidium,
ut, exemplo Sanctorum tuorum,
et fraternitatis caritatem et lumen veritatis
in corde exhibeamus et opere. Per Christum.

11, *Pro sanctis mulieribus*
Collecta

1060 Deus, qui nos annua beatae N. festivitate laetificas,
da, quaesumus, ut, quam veneramur officio,
etiam piae conversationis sequamur exemplo. Per Dominum.

Vel (pro pluribus):

1061 Concede, quaesumus, omnipotens Deus,
ut veneranda nobis beatarum N. et N. intercessio
tribuat caeleste subsidium,
quarum vita mirabilis omnibus salutare praestat exemplum.
Per Dominum.

Super oblata

1062 Hostias tibi, Domine,
pro sanctae N. commemoratione deferimus,
suppliciter deprecantes,
ut indulgentiam nobis pariter conferant et salutem. Per Christum.

Post communionem

1063 Divini operatio sacramenti, omnipotens Deus,
in hac festivitate beatae N. illuminet nos pariter et inflammet,
ut et sanctis iugiter desideriis ferveamus,
et bonis operibus abundemus. Per Christum.

12, *Pro sanctis mulieribus*
Collecta

1064 Deus, humilium celsitudo,
qui beatam N. caritatis et patientiae decore
excellere disposuisti,
eius meritis et intercessione concede,

ut, crucem nostram iugiter ferentes,
te semper diligere valeamus. Per Dominum.

Vel:

1065   Effunde super nos, Domine,
spiritum agnitionis et dilectionis tuae,
quo ancillam tuam N. implevisti,
ut, sedula eius imitatione tibi sincere obsequentes,
fide et opere placeamus. Per Dominum.

Super oblata

1066   Hostias, Domine, tuae plebis intende,
et, quas in honore Sanctorum tuorum devota mente celebrat,
proficere sibi sentiat ad salutem. Per Christum.

Post communionem

1067   Repleti sumus, Domine, muneribus tuis,
quae in celebritate beatae N. percepimus;
tribue, quaesumus, ut eorum et mundemur effectu,
et muniamur auxilio. Per Christum.

MISSAE RITUALES

I.

IN CONFERENDIS SACRAMENTIS INITIATIONIS CHRISTIANAE

1. Pro electione seu inscriptione nominis

Collecta

1068 Deus, qui, licet salutem hominum semper operaris,
nunc tamen populum tuum gratia abundantiore laetificas,
respice propitius ad electionem tuam,
ut piae protectionis auxilium
et regenerandos muniat et renatos. Per Dominum.

Super oblata

1069 Omnipotens sempiterne Deus, qui nos ad aeternam vitam
in confessione tui nominis baptismatis reparas sacramento,
suscipe tuorum munera et vota famulorum,
ut in te sperantium et desideria iubeas perfici et peccata deleri.
Per Christum.

Post communionem

1070 Purificent nos, quaesumus, Domine,
sacramenta quae sumpsimus,
et famulos tuos ab omni culpa liberos esse concede,
ut, qui conscientiae reatu constringuntur,
caelestis remedii plenitudine glorientur. Per Christum.

2. In scrutiniis peragendis

Collecta

In primo scrutinio:

1071 Da, quaesumus, Domine, electis nostris
digne atque sapienter ad confessionem tuae laudis accedere,
ut dignitate pristina,
quam originali transgressione perdiderunt,
per tuam gloriam reformentur. Per Dominum.

In secundo scrutinio:

1072 Omnipotens sempiterne Deus,
Ecclesiam tuam spiritali iucunditate multiplica,
ut, qui sunt generatione terreni,
fiant regeneratione caelestes. Per Dominum.

In tertio scrutinio:

1073 Concede, Domine, electis nostris,
     ut, sanctis edocti mysteriis,
     et renoventur fonte baptismatis
     et inter Ecclesiae tuae membra numerentur. Per Dominum.

Super oblata

In primo scrutinio:

1074 Miseratio tua, Deus,
     ad haec percipienda mysteria famulos tuos, quaesumus,
     et praeveniat competenter et devota conversatione perducat.
     Per Christum.

In secundo scrutinio:

1075 Remedii sempiterni munera, Domine,
     laetantes offerimus, suppliciter exorantes,
     ut eadem nos et digne venerari
     et pro salvandis congruenter exhibere perficias. Per Christum.

In tertio scrutinio:

1076 Exaudi nos, omnipotens Deus,
     et famulos tuos, quos fidei christianae primitiis imbuisti,
     huius sacrificii tribuas operatione mundari. Per Christum.

Post communionem

In primo scrutinio:

1077 Adesto, Domine, quaesumus, redemptionis effectibus,
     ut, quos sacramentis aeternitatis instituis,
     eosdem protegas dignanter aptandos. Per Christum.

In secundo scrutinio:

1078 Tu semper, quaesumus, Domine,
     tuam attolle benignus familiam,
     tu dispone correctam, tu propitius tuere subiectam,
     tu guberna perpetua bonitate salvandam. Per Christum.

In tertio scrutinio:

1079 Concurrat, Domine, quaesumus, populus tuus
     et toto tibi corde subiectus obtineat,
     ut, ab omni perturbatione securus,
     et salvationis suae gaudia promptus exerceat
     et pro regenerandis benignus exoret. Per Christum.

3. IN CONFERENDO BAPTISMATE

A

Collecta

1080 Deus, qui nos facis passionis et resurrectionis Filii tui
     participare mysterium,

praesta, quaesumus, ut, adoptionis filiorum Spiritu roborati,
in novitate vitae iugiter ambulemus. Per Dominum.

Super oblata

1081 Quos Filio tuo conformatos
(et chrismatis signaculo perfectos)
populo sacerdotali propitius aggregasti,
rogamus, Domine,
ut in acceptabiles hostias computare digneris,
et una cum oblationibus Ecclesiae tuae benignus accipias.
Per Christum.

Post communionem

1082 Praesta, quaesumus, Domine,
ut, carnis et sanguinis Filii tui praediti sacramento,
in communione Spiritus eius
fratrumque dilectione ita crescamus,
quatenus ad plenam corporis Christi mensuram
caritate vivida dilatemur. Per Christum.

B

Collecta

1083 Deus, qui nos regeneras verbo vitae,
da, ut, corde sincero illud accipientes,
veritatem alacres faciamus,
et fraternae afferamus fructus plurimos caritatis. Per Dominum.

Super oblata

1084 Ad paratum panem accedentibus vinumque commixtum
ianuam, Domine, resera cenae tuae,
ut, caeleste cum gaudiis convivium celebrantes,
inter sanctorum cives tuosque domesticos censeamur. Per Christum.

Post communionem

1085 Praeclarum, Domine,
mortis et resurrectionis Filii tui mysterium,
quod annuntiavimus, celebrando,
fac, ut, per huius sacramenti virtutem,
etiam vivendo fateamur. Per Christum.

4. IN CONFERENDA CONFIRMATIONE

A

Collecta

1086 Praesta, quaesumus, omnipotens et misericors Deus,
ut Spiritus Sanctus adveniens
templum nos gloriae suae
dignanter inhabitando perficiat. Per Dominum.

Vel:

1087 Promissionem tuam, quaesumus, Domine,
super nos propitiatus adimple,
ut Spiritus Sanctus adveniens
nos coram mundo testes efficiat
Evangelii Domini nostri Iesu Christi. Qui tecum vivit.

Super oblata

1088 Famulorum tuorum, quaesumus, Domine,
suscipe vota clementer, et praesta,
ut, Filio tuo perfectius configurati,
in testimonium eius indesinenter accrescant,
memoriale participantes redemptionis eius,
qua Spiritum tuum nobis ipse promeruit. Qui tecum.

Post communionem

1089 Spiritu Sancto, Domine, perunctos
tuique Filii sacramento nutritos
tua in posterum benedictione prosequere,
ut, omnibus adversitatibus superatis,
Ecclesiam tuam sanctitate laetificent,
eiusque in mundo incrementa
suis operibus et caritate promoveant. Per Christum.

Benedictio in fine Missae

1090 1. Benedicat vos Deus Pater omnipotens,
qui vos, ex aqua et Spiritu Sancto renatos,
filios suae adoptionis effecit,
et dignos sua paterna dilectione custodiat. R. Amen.

2. Benedicat vos Filius eius unigenitus,
qui Spiritum veritatis
in Ecclesia mansurum esse promisit,
et vos in confessione verae fidei sua virtute confirmet. R. Amen.

3. Benedicat vos Spiritus Sanctus,
qui ignem caritatis in cordibus discipulorum accendit,
et vos, in unum congregatos,
ad gaudium regni Dei sine offensione perducat. R. Amen.

Benedicat vos omnipotens Deus,
Pater, et Filius, ✠ et Spiritus Sanctus.
R. Amen.

Oratio super populum

1091 Confirma hoc, Deus, quod operatus es in nobis,
et Spiritus Sancti dona
in cordibus tuorum custodi fidelium,
ut et Christum crucifixum
coram mundo confiteri non erubescant,
et mandata eius devota caritate perficiant.
Per Christum Dominum nostrum. R. Amen.

B

Collecta

1092 Spiritum Sanctum tuum, quaesumus, Domine,
super nos dignanter effunde,
ut omnes, in unitate fidei ambulantes,
et caritatis eius fortitudine roborati,
ad mensuram aetatis plenitudinis Christi occurramus.
Per Dominum.

Super oblata

1093 Hos famulos tuos, Domine,
una cum Unigenito tuo benignus admitte,
ut, qui eius cruce spiritalique sunt unctione signati,
se tibi cum ipso iugiter offerentes,
largiorem in dies effusionem tui Spiritus mereantur. Per Christum.

Post communionem

1094 Quos tui Spiritus, Domine, cumulasti muneribus,
tuique auxisti Unigeniti nutrimento,
fac etiam in plenitudine legis instructos,
ut coram mundo tuae libertatem adoptionis
iugiter manifestent,
et propheticum tui populi munus
sua valeant sanctitate praebere. Per Christum.

C

Aliae orationes, pro opportunitate adhibendae

Collecta

1095 Mentes nostras, quaesumus, Domine,
Paralictus qui a te procedit illuminet,
et inducat in omnem, sicut tuus promisit Filius, veritatem.
Qui tecum.

Super oblata

1096 Suscipe, quaesumus, Domine, oblationem familiae tuae,
ut, qui donum Spiritus Sancti susceperunt,
et collata custodiant, et ad aeterna praemia perveniant.
Per Christum.

Post communionem

1097 Spiritum nobis, Domine, tuae caritatis infunde,
ut, quos uno pane caelesti satiasti,
una facias pietate concordes. Per Christum.

II.

IN CONFERENDIS SACRIS ORDINIS

III.

AD MINISTRANDUM VIATICUM

Collecta

1098 Deus, cuius Filius nobis est via, veritas et vita,
respice clementer famulum tuum N.
et praesta, ut, tuis promissionibus se committens,
et Corpore Filii tui recreatus,
ad regnum tuum progrediatur in pace. Per Dominum.

Super oblata

1099 Sacrificium nostrum, Pater sancte, intuere benignus,
ut Agnum tibi paschalem repraesentet,
cuius passio paradisi ianuas reseravit,
et famulum tuum N.
in aeternum munus per gratiam tuam introducat. Per Christum.

Post communionem

1100 Domine, qui es salus aeterna in te credentium,
praesta, quaesumus, ut famulus tuus N.,
caelesti pane potuque refectus,
in regnum luminis et vitae securus perveniat. Per Christum.

IV.

PRO SPONSIS

1. IN CELEBRATIONE MATRIMONII

A

Collecta

1101 Deus, qui tam excellenti mysterio
coniugale vinculum consecrasti,
ut Christi et Ecclesiae sacramentum
praesignares in foedere nuptiarum,
praesta, quaesumus, his famulis tuis,
ut, quod fide percipiunt, opere persequantur. Per Dominum.

Vel:

1102 Deus, qui, in humano genere creando,
unitatem inter virum et mulierem esse voluisti,

famulos tuos, qui coniugali copulandi sunt foedere,
unius vinculo dilectionis astringe,
ut, quos in caritate fructificare largiris,
ipsius caritatis testes esse concedas. Per Dominum.

Super oblata

1103 Suscipe, quaesumus, Domine,
pro sacra connubii lege munus oblatum,
et cuius largitor es operis,
esto dispositor. Per Christum.

Post communionem

1104 Huius, Domine, sacrificii virtute,
instituta providentiae tuae
pio favore comitare,
ut, quos sancta societate iunxisti
(et uno pane unoque calice satiasti)
una etiam facias caritate concordes. Per Christum.

Benedictio in fine Missae

1105 1. Deus Pater aeternus in mutuo vos servet amore concordes,
ut pax Christi habitet in vobis,
et in domo vestra iugiter maneat. R. Amen.

2. Benedictionem habeatis in filiis,
ab amicis solacium,
et veram cum omnibus pacem. R. Amen.

3. Caritatis Dei testes sitis in mundo,
ut, quos afflicti et egeni benignos invenerint,
in aeterna Dei tabernacula vos grati aliquando recipiant. R. Amen.

Et vos omnes, qui hic simul adestis,
benedicat omnipotens Deus,
Pater, et Filius, ✠ et Spiritus Sanctus.
R. Amen.

B

Collecta

1106 Adesto, Domine, supplicationibus nostris,
et super hos famulos tuos
gratiam tuam benignus effunde,
ut qui apud tua coniunguntur altaria
in mutua caritate firmentur. Per Dominum.

Super oblata

1107 Munera, quae tibi, Domine, laetantes offerimus,
benignus assume,
et, quos sacramenti foedere coniunxisti,
paterna pietate custodi. Per Christum.

Post communionem

1108 Mensae tuae participes effecti,
quaesumus, Domine,
ut, qui nuptiarum iunguntur sacramento,
tibi semper adhaereant,
et tuum hominibus nomen annuntient. Per Christum.

Benedictio in fine Missae

1109 1. Deus Pater omnipotens gaudium suum vobis concedat
et in filiis vos benedicat. R. Amen.

2. Unigenitus Dei Filius in prosperis et adversis
vobis miseratus assistat. R. Amen.

3. Spiritus Dei Sanctus caritatem suam
in corda vestra semper effundat. R. Amen.

Et vos omnes, qui hic simul adestis,
benedicat omnipotens Deus,
Pater, et Filius, ✠ et Spiritus Sanctus.
R. Amen.

C

Collecta

1110 Praesta, quaesumus, omnipotens Deus,
ut hi famuli tui, nuptiarum sacramento iungendi,
in fide quam profitentur accrescant,
et sobole fideli tuam ditent Ecclesiam. Per Dominum.

Super oblata

1111 Propitiare, Domine, supplicationibus nostris,
et has oblationes, quas tibi pro his famulis tuis
sancto foedere copulatis offerimus,
benigno suscipe vultu,
ut per haec mysteria
in mutua caritate tuoque amore firmentur. Per Christum.

Post communionem

1112 Concede, quaesumus, omnipotens Deus,
ut accepti virtus sacramenti
in his famulis tuis sumat augmentum,
et hostiae quam obtulimus
a nobis omnibus percipiatur effectus. Per Christum.

Benedictio in fine Missae

1113 1. Dominus Iesus, qui nuptiis in Cana adesse dignatus est,
vobis et propinquis vestris benedictionem suam largiatur. R. Amen.

2. Ipse, qui Ecclesiam dilexit in finem,
amorem suum in corda vestra indesinenter effundat. R. Amen.

3. Det vobis Dominus ut, eius resurrectionis fidem testantes,
beatam spem exspectetis in gaudio. R. Amen.

Et vos omnes, qui hic simul adestis,
benedicat omnipotens Deus,
Pater, et Filius, ✠ et Spiritus Sanctus.
R. Amen.

2. IN ANNIVERSARIIS MATRIMONII

A. *In anniversario*

Collecta

1114 Deus, creator omnium,
qui virum et feminam in principio condidisti,
ut vinculum constituerent coniugale,
unionem famulorum tuorum N. et N. benedic et confirma,
ut coniunctionis Christi cum Ecclesia
imaginem semper perfectiorem exhibeant. Per Dominum.

Super oblata

1115 Deus, qui ex latere Christi sanguinem et aquam manare fecisti
ad humanae regenerationis significanda mysteria,
munera nostra in gratiarum actionem
pro famulis tuis N. et N. dignare suscipere,
et eorum coniugium tuis donis omnibus munerari. Per Christum.

Post communionem

1116 Superno cibo potuque refectis, Domine,
his famulis tuis in gaudio et caritate corda dilata,
ut sit eorum domus sedes honestatis et pacis,
et omnibus ad consolationes pateat caritatis. Per Christum.

B. *In XXV anniversario*

Collecta

1117 Domine, qui hos famulos tuos N. et N.
indissolubili matrimonii nexu coniunxisti,
et animorum communione dignatus es
inter labores et gaudia sustentare,
eorum, quaesumus, auge et purifica caritatem,
ut mutua (cum prole sua) sanctificatione laetentur. Per Dominum.

Super oblata

1118 Haec munera, Deus, in gratiarum actionem
pro famulis tuis N. et N. dignanter assume,
ut exinde pacem et gaudium abundanter exhauriant. Per Christum.

Post communionem

1119 Deus, qui ad mensam familiae tuae hos coniuges N. et N.
(cum liberis et amicis) propitius admisisti,
da eis fortiter et alacriter
in mutuam communionem sic progredi,
ut usque ad caeleste convivium, tuo munere, coniungantur.
Per Christum.

C. *In L anniversario*
Collecta

1120 Deus Pater omnipotens,
hos coniuges N. et N. clementer aspicias,
(cum sobole sua, quam ad vitam fidemque genuerunt)
pro bonis longaevae conversationis operibus,
et eorum fructiferam benedic senectutem,
sicut eorum caritatis primitias
sacramento mirabili confirmasti. Per Dominum.

Super oblata

1121 Haec munera, Deus, in gratiarum actionem
pro famulis tuis N. et N. dignanter assume,
qui tot annos una simul fide sincera vixerunt,
et omnia bona unitatis et pacis a tua postulant largitate.
Per Christum.

Post communionem

1122 Mensae tuae pasti deliciis, te, Domine, deprecamur,
ut hos coniuges N. et N. in sancta senectute custodias,
donec ambos, plenos dierum,
ad tuum admittas caeleste convivium. Per Christum.

V.

IN BENEDICTIONE ABBATIS ET ABBATISSAE

Collecta

1123 Concede, quaesumus, Domine, famulo tuo N.,
quem huius communitatis N. abbatem elegisti,
ut factis et doctrina ad ea quae recta sunt
fratrum suorum animos instruat,
quatenus aeternae remunerationis mercedem
a te, Pastore piissimo,
una cum ipsis laetus percipiat. Per Dominum.

Super oblata

1124 Suscipe, quaesumus, Domine,
munera famulorum tuorum et praesta,
ut seipsos in spiritalem hostiam offerentes,
vera humilitate, oboedientia et pace
iugiter repleantur. Per Christum.

Post communionem

1125 Familiam tuam, Domine, respice propitius,
et nos, qui mysterium fidei celebravimus,
fac per semitas Evangelii indesinenter currere,
in omnibus te glorificantes. Per Christum.

VI.

IN CONSECRATIONE VIRGINUM

Collecta

1126 Da, quaesumus, Domine,
his famulabus tuis,
quibus virginale infudisti propositum,
inchoati operis consummatum effectum,
et, ut perfectam tibi offerant plenitudinem,
initia sua perducere mereantur ad finem. Per Dominum.

Super oblata

1127 Oblatis hostiis, quaesumus, Domine,
his famulabus tuis
perseverantiam suscepti propositi
benignus accommoda,
ut, apertis ianuis, summi Regis adventu,
regnum caeleste cum laetitia mereantur intrare. Per Christum.

Post communionem

1128 Repleti, Domine, muneribus sacris,
supplices deprecamur,
ut famularum tuarum N. et N. conversatio
et humanae societatis profectui constanter faveat,
et ad Ecclesiae incrementum indesinenter proficiat. Per Christum.

Benedictio in fine Missae

1129 1. Omnipotens Pater
beatae virginitatis propositum,
quod pectoribus vestris infudit,
sua protectione inviolatum custodiat. R. Amen.

2. Dominus Iesus,
qui sacrarum virginum corda
sponsali sibi foedere iungit,
mentes vestras divini seminis verbo fecundet. R. Amen.

3. Spiritus Sanctus,
qui supervenit in Virginem
quique corda vestra hodie suo sacravit illapsu,
ad Dei Ecclesiaeque servitium vos vehementer accendat. R. Amen.

Et vos omnes, qui his sacris adestis,
benedicat omnipotens Deus,
Pater, et Filius, ✠ et Spiritus Sanctus.
R. Amen.

VII.

IN PROFESSIONE RELIGIOSA

1. In die primae professionis religiosae

Collecta

1130 Concede, quaesumus, Domine,
his fratribus nostris,
quibus Christum pressius sectandi
propositum inspirasti,
incepti itineris felicem exitum,
ut perfectum devotionis munus
tibi mereantur offerre. Per Dominum.

Super oblata

1131 Suscipe, Domine, quaesumus, oblationes et preces,
quas tibi offerimus
celebrantes professionis religiosae primordia,
et praesta, ut famulorum tuorum primitiae,
tua fovente gratia,
in fructus uberrimos convertantur. Per Christum.

Post communionem

1132 Laetificent nos, Domine, sumpta mysteria
et praesta, ut, eorum virtute, hi famuli tui
inchoata religionis munera fideliter adimpleant
et liberam tibi exhibeant servitutem. Per Christum.

2. In die professionis perpetuae

A

Collecta

1133 Deus, qui in his famulis tuis baptismatis gratiam
tanta voluisti frondere virtute,
ut Filii tui vestigia pressius sequi contenderent,
concede, ut ipsi,
evangelicam perfectionem iugiter sectantes,
Ecclesiae sanctitatem adaugeant
eiusque apostolicum confirment vigorem. Per Dominum.

Super oblata

1134 Servorum tuorum, Domine,
munera et vota benignus assume,
et evangelica profitentes consilia
tua caritate confirma. Per Christum.

Post communionem

1135 Divinis mysteriis veneranter assumptis,
te, Domine, supplices deprecamur,

ut hos famulos tuos,
sacra tibi oblatione devinctos,
et Sancti Spiritus igne succendas
et Filio tuo perenni iungas consortio. Qui tecum.

Benedictio in fine Missae

1136 1. Deus, bonarum inspirator voluntatum,
vestra foveat consilia cordaque roboret,
ut, quae promisistis, perseveranti servetis fide. R. Amen.

2. Ipse concedat vobis,
ut arctam viam, quam elegistis,
in gaudio Christi percurratis,
onera fratrum cum exsultatione portantes. R. Amen.

3. Caritas Dei ex vobis familiam efficiat
in nomine Domini congregatam,
quae Christi amoris reddat imaginem. R. Amen.

Et vos omnes, qui his sacris adestis,
benedicat omnipotens Deus,
Pater, et Filius, ✠ et Spiritus Sanctus.
R. Amen.

B

Collecta

1137 Domine, sancte Pater,
servorum tuorum N. et N.
propositum confirma benignus,
et fac ut baptismatis gratia,
quam novis cupiunt nexibus roborari,
plenum in eis sumat effectum,
quo tuae maiestati debitum cultum retribuant,
et Christi regnum apostolico dilatent ardore. Per Dominum.

Super oblata

1138 Oblationes famulorum tuorum,
Domine, clementer assume,
easque in sacramentum redemptionis converte,
et, quos ad Filium tuum pressius imitandum
paterna voluisti dispensatione vocare,
Sancti Spiritus reple muneribus. Per Christum.

Post communionem

1139 Laetificet nos, Domine,
confirmati propositi hodierna sollemnitas
ac divini sacramenti veneranda perceptio,
et concede propitius,
ut geminatum devotionis munus
famulorum tuorum pectora
in Ecclesiae hominumque servitium
vehementi caritate compellat. Per Christum.

Benedictio in fine Missae

1140 1. Deus, sancti consilii inspirator et effector,
sua vos constanter tueatur gratia,
ut vestrae vocationis munera
fideli animo persolvatis.
R. Amen.

2. Ipse divinae vos faciat caritatis
apud omnes gentes testimonium et signum. R. Amen.

3. Et vincula, quibus Christo
vos nexuit in terris,
in caelis benignus perennet. R. Amen.

Et vos omnes, qui his sacris adestis,
benedicat omnipotens Deus,
Pater, et Filius, ✠ et Spiritus Sanctus.
R. Amen.

3. IN DIE RENOVATIONIS VOTORUM

Collecta

1141 Deus, rerum ordinator hominumque rector,
respice super hos filios tuos,
qui oblationem sui cupiunt confirmare,
et praesta, ut, in dies,
Ecclesiae mysterio arctius coniungantur,
et humanae familiae bono devoveantur impensius. Per Dominum.

Super oblata

1142 Populi tui, quaesumus, Domine,
munera propitius intuere,
quae hi fratres nostri
castitatis, paupertatis, oboedientiae
renovata augent oblatione,
et temporalia dona in sacramentum aeternitatis converte,
et offerentium mentes ad Filii tui conforma imaginem.
Per Christum.

Post communionem

1143 Sumptis, Domine, caelestibus sacramentis,
supplices te rogamus, ut hi famuli tui,
qui, superna gratia tantum confisi,
ardua renovarunt proposita,
Christi virtute roborentur
et Sancti Spiritus muniantur praesidio. Per Christum.

4. IN XXV VEL L ANNIVERSARIO PROFESSIONIS RELIGIOSAE

Collecta

1144 Domine, Deus fidelis,
da nobis, quaesumus, gratias tibi referre
pro tua erga fratrem nostrum N. benignitate,

qui acceptum a te donum
hodie renovare contendit.
Robora in eo spiritum perfectae caritatis
ut gloriae tuae et operi salutis
in dies valeat ferventius inservire. Per Dominum.

Super oblata

1145 Suscipe, Domine, una cum muneribus
oblationem sui quam hodie
frater noster N. confirmare desiderat,
et per virtutem Sancti Spiritus
imagini dilecti Filii tui
amplius eum conformare digneris. Qui vivit.

Post communionem

1146 Sumpsimus, Domine, Corpus et Sanguinem Filii tui,
quae in iucunda celebratione huius anniversarii contulisti;
concede, quaesumus, ut frater noster N.,
caelesti pane potuque refectus,
incepti itineris ad te ducentis
felicem progressum obtineat. Per Christum.

VIII.

IN DIE DEDICATIONIS

1. IN DEDICATIONE ECCLESIAE

Collecta

1147 Omnipotens sempiterne Deus,
effunde super hunc locum gratiam tuam,
et omnibus te invocantibus auxilii tui munus impende,
ut hic verbi tui et sacramentorum virtus
omnium fidelium corda confirmet. Per Dominum.

Super oblata

1148 Accepta tibi sint, Domine, munera laetantis Ecclesiae,
ut populus tuus, in hanc domum sanctam conveniens,
per haec mysteria salutem perpetuam consequatur. Per Christum.

Post communionem

1149 Multiplica, Domine, quaesumus,
per haec sancta quae sumpsimus,
veritatem tuam in mentibus nostris,
ut te in templo sancto iugiter adoremus,
et in conspectu tuo cum omnibus Sanctis gloriemur. Per Christum.

Benedictio in fine Missae

1150 1. Deus, Dominus caeli et terrae,
qui vos hodie ad huius domus dedicationem adunavit,
ipse vos caelesti benedictione faciat abundare. R. Amen.

2. Concedatque vos fieri templum suum
et habitaculum Spiritus Sancti,
qui omnes filios dispersos voluit in Filio suo congregari. R. Amen.

3. Quatenus feliciter emundati,
habitatorem Deum in vobismetipsis possitis habere,
et aeternae beatitudinis hereditatem
cum omnibus Sanctis possidere. R. Amen.

Benedicat vos omnipotens Deus,
Pater, et Filius, ✠ et Spiritus Sanctus.
R. Amen.

2. IN DEDICATIONE ALTARIS

Collecta

1151 Deus, qui ad Filium tuum in ara crucis exaltatum
omnia adtrahere voluisti,
caelesti gratia perfunde fideles tuos
hanc tibi dicantes altaris mensam,
ad quam eos, in unum congregatos, provide nutries
Spirituque effuso, in dies constitues
plebem tibi sacratam. Per Dominum.

Super oblata

1152 Descendat, quaesumus, Domine Deus noster,
Spiritus tuus Sanctus super hoc altare,
qui et dona populi tui sanctificet,
et sumentium corda dignanter emundet. Per Christum.

Post communionem

1153 Da nobis, Domine, tuis semper altaribus inhaerere,
ubi sacrificii sacramentum celebratur,
ut, fide et caritate coniuncti,
dum Christo reficimur
in Christum transformemur. Qui vivit et regnat.

Benedictio in fine Missae

1154 1. Deus, qui vos exornat regali sacerdotio,
tribuat ut, munus vestrum sancte perficientes,
Christi sacrificium valeatis digne participare. R. Amen.

2. Et qui ad unam mensam vos congregat
unoque reficit pane,
ex vobis faciat cor unum et animam unam. R. Amen.

3. Ut eos, quibus Christum annuntiatis,
ad Christum trahatis exemplo vestrae dilectionis. R. Amen.

Benedicat vos omnipotens Deus,
Pater, et Filius, ✠ et Spiritus Sanctus.
R. Amen.

MISSAE ET ORATIONES
PRO VARIIS NECESSITATIBUS

I.

PRO SANCTA ECCLESIA

1. Pro Ecclesia

A

Collecta

1155 Deus, qui regnum Christi ubique terrarum dilatari
providentia mirabili disposuisti,
et omnes homines salutaris effici redemptionis participes,
praesta, quaesumus,
ut Ecclesia tua universalis sit salutis sacramentum,
et tuae in homines caritatis manifestet et operetur mysterium.
Per Dominum.

Super oblata

1156 Plebis tibi sacratae respice munera, misericors Deus,
et per huius sacramenti virtutem concede,
ut credentium in te multitudo
genus electum, regale sacerdotium, gens sancta,
populus acquisitionis tibi iugiter efficiatur. Per Christum.

Post communionem

1157 Deus, qui tuis Ecclesiam iugiter pascis et roboras sacramentis,
concede nobis mensa caelesti refectis,
ut, caritatis tuae documentis obsequendo,
fermentum vivificans et salutis instrumentum
humano efficiamur consortio. Per Christum.

B

Collecta

1158 Deus, qui in Christi tui testamento
ex omnibus gentibus populum tibi congregare non desinis,
in Spiritu ad unitatem coalescentem,
concede, ut Ecclesia tua, missioni sibi creditae fidelis,
cum hominum familia iugiter incedat,
et tamquam fermentum et veluti anima societatis humanae
in Christo renovandae et in familiam Dei transformandae
semper exsistat. Per Dominum.

Super oblata

1159 Munera quae tibi offerimus, Domine,
suscipe benignus, et praesta,
ut Ecclesia tua, de latere Christi in cruce dormientis exorta,
ex huius participatione mysterii
suam iugiter hauriat sanctitatem,
qua semper vivat suoque digne respondeat auctori. Per Christum.

Post communionem

1160 Sacramento Filii tui recreati, te, Domine, deprecamur,
ut Ecclesiae tuae operationem fecundes,
qua salutaris mysterii plenitudinem
pauperibus continuo revelas,
quos ad tui regni praecipuam vocasti portionem. Per Christum.

C

Collecta

1161 Concede, quaesumus, omnipotens Deus,
ut Ecclesia tua semper ea plebs sancta permaneat
de unitate Patris et Filii et Spiritus Sancti adunata,
quae tuae sanctitatis et unitatis sacramentum
mundo manifestet,
et ipsum ad perfectionem tuae conducat caritatis. Per Dominum.

Super oblata

1162 Immensae Filii tui caritatis memoriale celebrantes,
te, Domine, suppliciter exoramus,
ut eiusdem salutaris operis fructus,
per Ecclesiae tuae ministerium,
ad totius mundi proficiat salutem. Per Christum.

Post communionem

1163 Deus, qui mirabili sacramento
Ecclesiae fortitudinem tribuis et solamen,
da populo tuo per haec sancta Christo adhaerere,
ut temporalibus muneribus quae gerit,
tuum in libertate regnum aedificet aeternum. Per Christum.

D

Collecta

1164 Omnipotens sempiterne Deus,
qui gloriam tuam omnibus in Christo gentibus revelasti,
custodi opera misericordiae tuae,
ut Ecclesia sancta, toto orbe diffusa,
stabili fide in confessione tui nominis perseveret. Per Dominum.

Super oblata

1165 Deus, qui eodem sacrificio Ecclesiam tuam iugiter sanctificas,
quo eam mundasti,
da, ut, capiti suo Christo unita, cum eo se tibi offerat,
et pura tibi voluntate concordet. Per Christum.

Post communionem

1166 Refectione sancta enutritam,
guberna, quaesumus, Domine, tuam placatus Ecclesiam,
ut, potenti moderatione directa,
et incrementa libertatis accipiat,
et in religionis integritate persistat. Per Christum.

E
Pro Ecclesia locali
Collecta

1167 Deus, qui in singulis Ecclesiis per orbem peregrinis
unam, sanctam, catholicam et apostolicam
manifestas Ecclesiam,
plebi tuae concede benignus ita pastori suo adunari
atque per Evangelium et Eucharistiam
congregari in Spiritu Sancto,
ut universitatem populi tui digne valeat repraesentare,
et signum fiat
atque praesentiae Christi in mundo instrumentum. Per Dominum.

Super oblata

1168 Immensae Filii tui caritatis memoriale celebrantes,
te, Domine, suppliciter exoramus,
ut eiusdem salutaris operis fructus,
per Ecclesiae tuae ministerium,
ad totius mundi proficiat salutem. Per Christum.

Post communionem

1169 Vigeat in hac Ecclesia tua, Domine,
et usque in finem perseveret
fidei integritas, morum sanctitas,
fraterna caritas et munda religio,
et, quam Filii tui corpore et verbo tuo pascere non desinis,
eam quoque tuis non cesses gubernare praesidiis. Per Christum.

2. PRO PAPA

A
Collecta

1170 Deus, qui providentiae tuae consilio
super beatum Petrum, ceteris Apostolis praepositum,
Ecclesiam tuam aedificari voluisti,
respice propitius ad Papam nostrum N., et concede,
ut, quem Petri constituisti successorem,
populo tuo visibile sit unitatis fidei et communionis
principium et fundamentum. Per Dominum.

Vel:

1172 Deus, omnium fidelium pastor et rector,
famulum tuum N., quem pastorem

Ecclesiae tuae praeesse voluisti, propitius respice;
da ei, quaesumus, verbo et exemplo, quibus praeest proficere,
ut ad vitam, una cum grege sibi credito,
perveniat sempiternam. Per Dominum.

Super oblata

1172   Oblatis, quaesumus, Domine, placare muneribus,
et Ecclesiam tuam sanctam,
una cum Papa nostro N., quem ipsi constituisti pastorem,
assidua protectione guberna. Per Christum.

Post communionem

1173   Mensae caelestis participes effecti,
supplices te, Domine, deprecamur,
ut, huius virtute mysterii,
Ecclesiam tuam in unitate et caritate confirmes,
et famulum tuum N.,
cui pastorale munus tradidisti,
una cum commisso sibi grege salves semper et munias.
Per Christum.

B
Alia oratio pro Papa
Collecta

1174   Deus, qui in apostoli Petri successione
famulum tuum N. elegisti totius gregis esse pastorem,
supplicantem populum intuere propitius, et praesta,
ut, qui Christi vices gerit in terris, fratres confirmet,
et omnis Ecclesia cum ipso communicet
in vinculo unitatis, amoris et pacis,
quatenus in te, animarum pastore,
omnes veritatem et vitam assequantur aeternam. Per Dominum.

3. PRO EPISCOPO
A

Collecta

1175   Deus, pastor aeterne fidelium,
qui Ecclesiae tuae multiplici dispensatione praees
et amore dominaris,
da, quaesumus, famulo tuo N., quem plebi tuae praefecisti,
ut gregi, cuius est pastor, Christi vice praesideat,
et fidelis sit doctrinae magister,
sacri cultus sacerdos et gubernationis minister. Per Dominum.

Vel:

1176   Deus, omnium fidelium pastor et rector,
famulum tuum N.,
quem pastorem Ecclesiae N. praeesse voluisti,
propitius respice;

da ei, quaesumus, verbo et exemplo, quibus praeest proficere,
ut ad vitam, una cum grege sibi credito,
perveniat sempiternam. Per Dominum.

Super oblata

1177 Haec oblatio, Domine, pro famulo tuo N. delata
sit tibi munus acceptum,
et, quem sacerdotem magnum in tuo populo suscitasti,
apostolicarum virtutum muneribus,
ad gregis profectum, exorna. Per Christum.

Post communionem

1178 Huius, Domine, virtute mysterii,
in famulo tuo N. episcopo nostro gratiae tuae dona multiplica,
ut et tibi digne persolvat pastorale ministerium,
et fidelis dispensationis aeterna praemia consequatur. Per Christum.

B
Alia oratio pro Episcopo
Collecta

1179 Da, quaesumus, Domine, famulo tuo N.,
quem pascendo gregi tuo
in Apostolorum successione praefecisti,
spiritum consilii et fortitudinis,
spiritum scientiae et pietatis,
ut, populum sibi creditum fideliter gubernans,
Ecclesiae aedificet in mundo sacramentum. Per Dominum.

4. PRO ELIGENDO PAPA VEL EPISCOPO

Collecta

1180 Deus, qui, pastor aeternus,
gregem tuum assidua custodia gubernas,
eum immensa tua pietate concedas Ecclesiae pastorem,
qui tibi sanctitate placeat,
et vigili nobis sollicitudine prosit. Per Dominum.

Super oblata

1181 Tuae nobis, Domine, abundantia pietatis indulgeat,
ut, per sacra munera quae tibi reverenter offerimus,
gratum maiestati tuae pastorem
Ecclesiae sanctae praeesse gaudeamus. Per Christum.

Post communionem

1182 Refectos, Domine, Corporis et Sanguinis Unigeniti tui
saluberrimo sacramento,
nos mirifica tuae maiestatis gratia
de illius pastoris concessione laetificet,
qui et plebem tuam virtutibus instruat,
et fidelium mentes evangelica veritate perfundat. Per Christum.

5. PRO CONCILIO VEL SYNODO

Collecta

1183 Ecclesiae tuae, Domine, rector et custos,
infunde, quaesumus, famulis tuis
spiritum intellegentiae, veritatis et pacis,
ut, quae tibi placita sunt, toto corde cognoscant
et, agnita, tota virtute sectentur. Per Dominum.

Vel:

1184 Deus, qui populis tuis indulgentia consulis
et amore dominaris,
da spiritum sapientiae quibus dedisti regimen disciplinae,
ut plebs tua ad veritatis agnitionem pleniorem
et sanctitatis tibi acceptum ducatur augmentum. Per Dominum.

Super oblata

1185 Respice, clementissime Deus, munera servorum tuorum,
et gratiam tui luminis illis impende,
ut quae recta sunt in oculis tuis veraciter intellegant,
et fiducialiter exsequantur. Per Christum.

Post communionem

1186 Da, quaesumus, misericors Deus, ut sancta quae sumpsimus
famulos tuos in veritate confirment,
et honorem tui nominis illos faciant exquirere. Per Christum.

6. PRO SACERDOTIBUS

Collecta

1187 Deus, qui Unigenitum tuum
summum aeternumque constituisti sacerdotem,
praesta, ut, quos ministros
tuorumque mysteriorum dispensatores elegit,
in accepto ministerio adimplendo fideles inveniantur. Per Dominum.

Vel:

1188 Domine Deus noster, qui in regendo populo tuo
ministerio uteris sacerdotum,
tribue illis perseverantem in tua voluntate famulatum,
ut ministerio atque vita
tuam valeant in Christo gloriam procurare. Per Dominum.

Super oblata

1189 Deus, qui sacerdotes tuos sacris altaribus
tuoque populo ministrare voluisti,
per huius sacrificii virtutem concede propitius,
ut eorum servitium tibi iugiter placeat,
et fructum qui semper maneat
in Ecclesia tua valeat afferre. Per Christum.

Post communionem

1190 Sacerdotes tuos, Domine, et omnes famulos tuos
     vivificet divina, quam obtulimus et sumpsimus, hostia,
     ut, perpetua tibi caritate coniuncti,
     digne famulari tuae mereantur maiestati. Per Christum.

7. PRO SEIPSO SACERDOTE

A

Collecta

1191 Deus, qui non propriis suffragantibus meritis,
     sed sola ineffabilis gratiae tuae largitate,
     me familiae tuae praeesse voluisti,
     tribue me tibi digne persolvere
     ministerium sacerdotalis officii,
     plebemque commissam, te in omnibus gubernante,
     dirigere concede. Per Dominum.

Super oblata

1192 Deus, dierum temporumque potens et benigne moderator,
     collatis in me per gratiam tuam propitiare muneribus,
     et, praesentis oblationis virtute,
     in hunc affectum dirige cor plebis et sacerdotis,
     ut nec pastori oboedientia gregis,
     nec gregi desit cura pastoris. Per Christum.

Post communionem

1193 Omnipotens sempiterne Deus,
     origo cunctarum perfectioque virtutum,
     da mihi, quaesumus, huius participatione mysterii,
     et exercere quae recta sunt et praedicare quae vera,
     ut instructionem gratiae tuae
     fidelibus et agendo praebeam et docendo. Per Christum.

B

Collecta

1194 Aures tuae pietatis, clementissime Deus, inclina precibus meis,
     et gratia Sancti Spiritus illumina cor meum,
     ut tuis mysteriis digne ministrare,
     Ecclesiae tuae fideliter servire,
     teque merear aeterna caritate diligere. Per Dominum.

Super oblata

1195 Suscipe, Deus omnipotens, haec munera,
     quae tibi offerimus veneranter,
     et respiciens Christum tuum, sacerdotem simul et hostiam,
     da, ut, eius sacerdotii particeps effectus,
     oblationem spiritalem me tibi semper exhibeam placentem.
     Per Christum.

Post communionem

1196 Pane caelesti confirmatum
et novi testamenti calice congaudentem,
fac me, Pater sancte, tibi servire fideliter,
et in salutem hominum vitam fortiter devoteque consumere.
Per Christum.

C

Collecta

1197 Pater sancte, qui me
ad communionem cum aeterno Christi tui sacerdotio
et ad Ecclesiae tuae ministerium nullis meis meritis elegisti,
praesta, ut Evangelii strenuus ac mitis praedicator exsistam,
et mysteriorum tuorum fidelis dispensator inveniar. Per Dominum.

Super oblata

1198 Pro nostrae servitutis augmento
sacrificium tibi, Domine, laudis offerimus,
ut, quod immeritis contulisti, propitius exsequaris. Per Christum.

Post communionem

1199 Ad gloriam, Domine, tui nominis
annua festa repetens sacerdotalis exordii,
mysterium fidei laetanter celebravi,
ut in veritate hoc sim, quod in sacrificio mystice tractavi.
Per Christum.

8. PRO MINISTRIS ECCLESIAE

Collecta

1200 Deus, qui ministros Ecclesiae tuae docuisti
non ministrari velle, sed fratribus ministrare,
illis, quaesumus, concede et in actione sollertiam,
et cum mansuetudine ministerii in oratione constantiam.
Per Dominum.

Super oblata

1201 Pater sancte, cuius Filius discipulorum voluit lavare pedes,
ut nobis praeberet exemplum,
suscipe, quaesumus, nostrae munera servitutis, et praesta,
ut, nosmetipsos in spiritalem hostiam offerentes,
spiritu humilitatis et diligentiae repleamur. Per Christum.

Post communionem

1202 Concede famulis tuis, Domine, caelesti cibo potuque repletis,
ut, ad gloriam tuam et salutem credentium procurandam,
fideles inveniantur
Evangelii, sacramentorum caritatisque ministri. Per Christum.

9. Pro vocationibus ad sacros Ordines

Collecta

1203 Deus, qui pastores populo tuo providere voluisti,
effunde in Ecclesia tua spiritum pietatis et fortitudinis,
qui dignos altaribus tuis excitet ministros,
et Evangelii tui strenuos ac mites assertores efficiat. Per Dominum.

Super oblata

1204 Plebis tuae, quaesumus, Domine,
preces et munera benignus intende,
ut dispensatores mysteriorum tuorum multiplicentur,
et in amore tuo iugiter perseverent. Per Christum.

Post communionem

1205 Pane mensae caelestis refecti, te, Domine, deprecamur,
ut, per hoc sacramentum caritatis, illa semina maturescant,
quae magna in agrum Ecclesiae tuae largitate dispergis,
quatenus multi sorte sibi eligant tibi in fratribus ministrare.
Per Christum.

10. Pro religiosis

Collecta

1206 Deus, omnis boni propositi inspirator atque perfector,
dirige famulos tuos in viam salutis aeternae,
et, quos, relictis omnibus, tibi se totos devoverunt,
fac, Christum sequentes et ea quae sunt saeculi abnegantes,
in spiritu paupertatis et cordis humilitate
tibi et fratribus suis fideliter deservire. Per Dominum.

Super oblata

1207 Sanctifica, quaesumus, Domine,
per haec sancta quae tibi offerimus,
famulos tuos, quos in nomine tuo congregasti,
ut, fideliter vota sua tibi reddentes,
maiestati tuae sincero corde deserviant. Per Christum.

Post communionem

1208 Servos tuos, Domine, in amore tuo congregatos
et de uno pane participantes,
de unanimes considerare invicem
in provocationem caritatis et bonorum operum,
ut eorum sancta conversatione
Christi testes veri ubique exhibeantur. Per Christum.

11. Pro vocationibus ad vitam religiosam

Collecta

1209 Pater sancte,
qui, licet fideles omnes ad perfectionem caritatis invitas,
multos tamen excitare non desinis,

qui Filii tui vestigia pressius sequentur,
concede, ut, quos tibi in sortem peculiarem elegeris,
conversatione sua valeant regni tui signum ostendere
Ecclesiae mundoque perspicuum. Per Dominum.

Vel (ab ipsis religiosis dicenda):

1210 Familiam tuam, quaesumus, Domine, propitius respice
et nova prole semper amplifica,
ut et filios suos
ad propositam caritatis perfectionem adducere,
et ad hominum salutem efficaciter valeat laborare. Per Dominum.

Super oblata

1211 Munera quae tibi offerimus, Pater sancte, suscipe miseratus,
et omnibus, qui Filium tuum per arctam viam imitari
laeta sibi mente proponunt,
communionem concede fraternam et spiritalem libertatem.
Per Christum.

Post communionem

1212 Famulos tuos, Domine, spiritali cibo potuque confirma
ut, evangelicae semper vocationi fideles,
vivam ubique Filii tui imaginem repraesentent. Per Christum.

Vel (ab ipsis religiosis dicenda):

1213 Huius, Domine, virtute sacramenti, da nobis, quaesumus,
perseverantem in tua voluntate famulatum,
ut tuam caritatem mundo testari
et bona quae sola non amittuntur valeamus fortiter inquirere.
Per Christum.

12. PRO LAICIS

Collecta

1214 Deus, qui Evangelii virtutem veluti fermentum
in mundum misisti, concede fidelibus tuis,
quos in medio mundi negotiorumque saecularium
vitam agere vocasti,
ut, spiritu christiano ferventes,
per temporalia quae gerunt munera,
regnum tuum iugiter instaurent. Per Dominum.

Super oblata

1215 Deus, qui Filii tui sacrificio cunctum voluisti mundum salvare,
per huius oblationis virtutem concede,
ut famuli tui, quos etiam in statu laicali
ad apostolatum vocare non desinis,
et mundum spiritu imbuant Christi,
et eius sint sanctificationis fermentum. Per Christum.

Post communionem

1216 De plenitudine gratiae tuae sumentes, quaesumus, Domine,
ut, eucharistici convivii fortitudine roborati,
fideles tui, quos rebus saecularibus deditos esse voluisti,
strenui sint evangelicae testes veritatis,
et Ecclesiam tuam in rebus temporalibus
praesentem iugiter reddant et actuosam. Per Christum.

13. Pro unitate Christianorum

A

Collecta

1217 Omnipotens sempiterne Deus,
qui dispersa congregas et congregata conservas,
ad gregem Filii tui placatus intende,
ut, quos unum sacravit baptisma,
eos et fidei iungat integritas,
et vinculum societ caritatis. Per Dominum.

Vel:

1218 Supplices te rogamus, amator hominum, Domine:
pleniorem Spiritus tui gratiam super nos effunde benignus,
et praesta,
ut, digne qua nos vocasti vocatione ambulantes,
testimonium veritatis exhibeamus hominibus,
et omnium credentium unitatem
in vinculo pacis fidentes inquiramus. Per Dominum.

Super oblata

1219 Qui una semel hostia, Domine,
adoptionis tibi populum acquisisti,
unitatis et pacis in Ecclesia tua
propitius nobis dona concedas. Per Christum.

Post communionem

1220 Haec tua, Domine, sumpta sacra communio,
sicut fidelium in te unionem praesignat,
sic in Ecclesia tua unitatis operetur effectum. Per Christum.

B

Collecta

1221 Deus, qui diversitatem gentium
in confessione tui nominis adunasti,
da nobis et velle et posse quae praecipis,
ut populo ad regnum tuum vocato
una sit fides mentium et pietas actionum. Per Dominum.

Vel:

1222 Preces populi tui, quaesumus, Domine, placatus intende,
et praesta, ut fidelium corda
in tua laude et communi paenitentia iungantur,

quatenus, christianorum divisione sublata,
in perfecta Ecclesiae communione
ad aeternum tuum regnum properemus laetantes. Per Dominum.

Super oblata

1223 Salutis nostrae memoriale celebrantes,
clementiam tuam, Domine, suppliciter exoramus,
ut hoc sacramentum pietatis
fiat nobis signum unitatis et vinculum caritatis. Per Christum.

Post communionem

1224 Spiritum nobis, Domine, tuae caritatis infunde,
ut, huius sacrificii virtute,
una facias in te credentes pietate concordes. Per Christum.

C
Collecta

1225 Populum tuum, quaesumus, Domine, propitius respice,
et Spiritus tui super ipsum dona clementer effunde,
ut in veritatis iugiter amore succrescat,
et perfectam christianorum unitatem
studio perquirat et opere. Per Dominum.

Vel:

1226 Ubertatem misericordiarum tuarum, Domine, revela super nos
et, in virtute Spiritus tui,
christianorum divisiones remove,
ut Ecclesia tua signum inter nationes elevatum
clarius appareat,
et mundus, tuo Spiritus illustratus,
in Christum credat quem misisti. Per Dominum.

Super oblata

1227 Quam tibi, Domine, offerimus hostia
et purificationem conferat,
et omnes uno baptismate coniunctos
eorundem mysteriorum tandem participes efficiat. Per Christum.

Post communionem

1228 Sacramenta Christi tui sumentes, quaesumus, Domine,
ut in Ecclesia tua
sanctificationis gratiam renoves quam dedisti,
et omnes qui christiano gloriantur nomine
in unitate fidei tibi servire mereantur. Per Christum.

14. PRO EVANGELIZATIONE POPULORUM

A
Collecta

1229 Deus, qui omnes homines vis salvos fieri
et ad agnitionem veritatis venire,

respice messem tuam multam
et operarios in eam mitte dignanter,
ut omni creaturae Evangelium praedicetur,
et plebs tua, verbo vitae congregata
et sacramentorum virtute suffulta,
in via salutis et caritatis procedat. Per Dominum.

Vel:

1230 Deus, qui Filium tuum lumen verum in mundum misisti,
effunde Spiritum promissionis,
qui veritatis semine in cordibus hominum iugiter diffundat
et fidei suscitet obsequium,
ut omnes, per baptismum ad novam vitam generati
unum populum tuum ingredi mereantur. Per Dominum.

Super oblata

1231 Respice, Domine, in faciem Christi tui,
qui pro omnibus redemptionem tradidit semetipsum,
ut per eum ab ortu solis usque ad occasum
nomen tuum magnificetur in gentibus,
et una ubique maiestati tuae exhibeatur oblatio. Per Christum.

Post communionem

1232 Redemptionis nostrae munere vegetati,
quaesumus, Domine, ut, hoc perpetuae salutis auxilio,
fides semper vera proficiat. Per Christum.

B

Collecta

1233 Deus, qui Ecclesiam tuam sacramentum salutis
cunctis gentibus esse voluisti,
ut Christi salutiferum opus
usque in fines saeculorum perseveret,
excita tuorum corda fidelium, et praesta,
ut ad omnem creaturam salvandam
urgentius vocari se sentiant,
quatenus ex omnibus populis
una familia unusque tibi populus exsurgat et crescat. Per Dominum.

Super oblata

1234 Munera supplicantis Ecclesiae, Domine,
in conspectum maiestatis tuae ascendant accepta,
cui pro totius mundi salute
grata exstitit Filii tui passio gloriosa. Per Christum.

Post communionem

1235 Sanctificet nos, quaesumus, Domine,
mensae tuae participatio, et praesta,
ut, quam Unigenitus tuus in cruce operatus est salutem,
omnes gentes per Ecclesiae tuae sacramentum
gratanter accipiant. Per Christum.

15. Pro christianis persecutione vexatis

Collecta

1236 Deus, qui inscrutabili providentia
passionibus Filii tui vis Ecclesiam sociari,
praesta fidelibus tuis,
in tribulatione propter nomen tuum versantibus,
spiritum patientiae et caritatis,
ut promissionum tuarum fidi inveniantur testes atque veraces.
Per Dominum.

Super oblata

1237 Suscipe, quaesumus, Domine,
humilitatis nostrae preces et hostias, et praesta,
ut, qui, tibi fideliter servientes,
hominum persecutiones patiuntur,
gaudeant se Christi Filii tui sacrificio sociari,
et sua sentiant inter electorum nomina scripta esse in caelis.
Per Christum.

Post communionem

1238 Per huius sacramenti virtutem
famulos tuos, Domine, in veritate confirma,
et fidelibus tuis in tribulatione positis concede,
ut, crucem sibi post Filium tuum baiulantes,
christiano nomine iugiter valeant inter adversa gloriari.
Per Christum.

16. Pro conventu spiritali vel pastorali

Collecta

1239 Infunde in nobis, quaesumus, Domine,
spiritum intellegentiae, veritatis et pacis,
ut quae tibi sunt placita toto corde noscamus,
et, quae noverimus,
unanimi voluntatum consensione sectemur. Per Dominum.

Vel:

1240 Deus, cuius Filius omnibus in nomine suo congregatis
promisit seipsum in medio eorum affuturum,
praesta, quaesumus,
ut illum praesentem nobiscum sentiamus,
et abundare in cordibus nostris
gratiam, misericordiam et pacem
in veritate et caritate experiamur. Per Dominum.

Super oblata

1241 Respiciat, quaesumus, clementia tua, Domine,
tuorum munera famulorum,
ut, quae sunt in oculis tuis salutaria atque recta,
et veraciter intellegant, et fiducialiter eloquantur. Per Christum.

Post communionem

1242 Da nobis, misericors Deus, ut sancta, quae sumpsimus,
et nos in tua voluntate confirment,
et testes ubique veritatis efficiant. Per Christum.

II.
PRO REBUS PUBLICIS

17. PRO PATRIA VEL CIVITATE

Collecta

1243 Deus, qui mirabili consilio universa disponis,
suscipe benignus quas pro patria nostra tibi fundimus preces,
ut sapientia moderatorum et honestate civium
concordia et iustitia firmentur
atque fiat cum pace prosperitas perpetua. Per Dominum.

18. PRO REMPUBLICAM MODERANTIBUS

Collecta

1244 Omnipotens sempiterne Deus,
in cuius manu sunt hominum corda et iura populorum,
respice benignus ad eos qui nos in potestate moderantur,
ut ubique terrarum populorum prosperitas,
pacis securitas et religionis libertas, te largiente, consistant.
Per Dominum.

19. PRO COETU MODERATORUM NATIONUM

Collecta

1245 Deus, qui miro ordine universa disponis
et ineffabiliter gubernas,
respice propitius in congregatos moderatores nationum
eisque spiritum tuae sapientiae clementer infunde,
ut in communem salutem et pacem omnia disponant
atque a voluntate tua numquam discedant. Per Dominum.

20. PRO SUPREMO NATIONIS MODERATORE

Collecta

1246 Deus, cui potestates humanae deserviunt,
da famulo tuo (regi nostro) N.
prosperum suae dignitatis effectum,
in qua, te semper timens tibique placere contendens,
populo sibi credito liberam ordinis tranquillitatem
iugiter procuret et servet. Per Dominum.

21. Pro populorum progressione

Collecta

1247 Deus, qui unam dedisti cunctis gentibus originem,
et unam ex eis in te voluisti familiam congregare,
tuae caritatis ardore omnium corda perfunde
et fratrum suorum desiderio iustae progressionis accende,
ut, per bona quae cunctis affluenter largiris,
humana singulorum perficiatur persona,
et aequitas atque iustitia, quavis divisione sublata,
in hominum societate firmentur. Per Dominum.

Super oblata

1248 Preces ad te clamantium, Domine, propitiatus exaudi,
et, Ecclesiae tuae oblatione suscepta, praesta,
ut omnes homines spiritu filiorum Dei repleantur,
quatenus, inaequalitatibus in caritate superatis,
una fiat in tua pace populorum familia. Per Christum.

Post communionem

1249 Uno pane refecti, quo humanam familiam iugiter instauras,
quaesumus, Domine,
ut, ex unitatis participatione sacramenti,
validum et purum hauriamus amorem
ad progredientes populos iuvandos,
et ad opus iustitiae, inspirante caritate, perficiendum. Per Christum.

22. Pro pace et iustitia servanda

A

Collecta

1250 Deus, qui pacificos revelasti filios tuos esse vocandos,
praesta, quaesumus,
ut illam instauremus sine intermissione iustitiam,
quae sola firmam pacem spondeat et veracem. Per Dominum.

Vel:

1251 Deus, qui paternam curam omnium geris,
concede propitius,
ut homines, quibus unam originem dedisti,
et unam in pace familiam constituant,
et fraterno semper animo uniantur. Per Dominum.

Super oblata

1252 Filii tui, pacifici Regis, sacrificium salutare,
his sacramentorum signis oblatum,
quibus pax et unitas designantur, quaesumus, Domine,
ad concordiam proficiat inter omnes filios tuos confirmandam.
Per Christum.

Post communionem

1253 Largire nobis, quaesumus, Domine, spiritum caritatis,
ut, Corpore et Sanguine Unigeniti tui vegetati,

pacem inter omnes, quam ipse reliquit, efficaciter nutriamus.
Per Christum.

B
Aliae orationes pro pace
Collecta
1254 Deus, conditor mundi,
sub cuius arbitrio omnium saeculorum ordo decurrit,
adesto propitius invocationibus nostris
et tranquillitatem pacis praesentibus concede temporibus,
ut in laudibus misericordiae tuae
incessabili exsultatione laetemur. Per Dominum.

Vel:
1255 Deus pacis, immo pax ipsa,
quem discordans animus non capit,
quem mens cruenta non recipit,
praesta,
ut, qui concordes sunt, boni perseverantiam teneant,
qui discordes sunt, mali oblivione sanentur. Per Dominum.

22BIS. PRO RECONCILIATIONE
Collecta
1256 Deus clementiae et reconciliationis,
qui praecipuos dies salutis hominibus praebes
ad te omnium creatorem et patrem agnoscendum,
(per hoc acceptabile tempus) propitius nos adiuva,
ut, libenter verbum pacis a te accipientes,
omnia in Christo instaurandi
tuae deserviamus voluntati. Per Dominum.

Vel, praesertim tempore paschali:
1257 Deus, verae libertatis auctor,
qui omnes homines unum vis efformare populum
a servitute solutum,
(quique gratiae et benedictionis tempus nobis praebes,)
concede, quaesumus,
ut, incrementa libertatis accipiens,
universale salutis sacramentum
in mundum Ecclesia tua vividius appareat
atque in homines caritatis manifestet et operetur mysterium.
Per Dominum.

Super oblata
1258 Memorare, Domine, Filium tuum,
qui est pax et reconciliatio nostra,
mundi peccatum suo sanguine delevisse,
et munera Ecclesiae tuae propitiatus aspiciens,
da ut, (gratiam huius temporis cum laetitia celebrantes,)
libertatem Christi ad omnes possimus extendere. Qui vivit.

Post communionem

1259 Sacramentum Filii tui, quod sumpsimus,
quaesumus, Domine, vires nostras adaugeat,
ut, ex hoc unitatis mysterio,
validum hauriamus amorem
et ubique tuae pacis operatores efficiamur. Per Christum.

23. TEMPORE BELLI VEL EVERSIONIS

Collecta

1260 Deus misericors et fortis,
qui bella conteris deprimisque superbos,
immanitates a nobis et lacrimas dignare festinanter arcere,
ut omnes in veritate tui nominari filii mereamur. Per Dominum.

Vel:

1261 Deus, auctor pacis et amator,
quem nosse vivere, cui servire regnare est,
protege ab omnibus impugnationibus supplices tuos,
ut, qui in defensione tua confidimus,
nullius hostilitatis arma timeamus. Per Dominum.

Super oblata

1262 Memorare, Domine, Filium tuum, qui est ipse pax,
odia nostra suo Sanguine peremisse,
et, mala nostra propitiatus aspiciens,
da, ut hominibus quos diligis
pacem haec hostia cum tranquillitate restituat. Per Christum.

Post communionem

1263 Uno pane, qui cor hominis confirmat, suaviter satiatis,
da nobis, Domine, et belli furores superare feliciter,
et tuam amoris ac iustitiae legem firmiter custodire. Per Christum.

III.

IN VARIIS CIRCUMSTANTIIS PUBLICIS

24. INITIO ANNI CIVILIS

Collecta

1264 Deus, qui, sine initio et sine fine,
totius es principium creaturae,
da nobis ita hunc annum,
cuius initia tibi dedicamus, transigere,
ut et substantiis abundemus,
et sanctitatis operibus fulgeamus. Per Dominum.

Super oblata

1265 Sacrificia quae tibi offerimus
     ita tuis oculis, Domine, sint accepta,
     ut omnes, qui initia huius anni cum laetitia celebramus,
     reliquum excursum eius in tua mereamur transigere caritate.
     Per Christum.

Post communionem

1266 Adesto, Domine, populis, qui sacra mysteria contigerunt,
     ut in toto decursu huius anni nullis periculis affligantur,
     qui in tua semper protectione confidunt. Per Christum.

25. PRO HUMANO LABORE SANCTIFICANDO

A

Collecta

1267 Rerum conditor Deus,
     qui hominem iussisti laboris officia sustinere,
     da, ut opus quod incipimus huius vitae prosit incrementis,
     et regno Christi dilatando tua benignitate proficiat. Per Dominum.

Vel:

1268 Deus, qui humano labore
     immensum creationis opus
     iugiter perficis atque gubernas,
     exaudi preces populi supplicantis, et praesta,
     ut omnes homines digno potiantur labore,
     quo, suam condicionem honestantes,
     arctius coniuncti fratribus suis valeant inservire. Per Dominum.

Super oblata

1269 Deus, qui humanum genus praesentium munerum
     et alimento vegetas et renovas sacramento,
     tribue, quaesumus,
     ut eorum et corporibus nostris subsidium non desit
     et mentibus. Per Christum.

Post communionem

1270 Unitatis et caritatis mensae participes effecti,
     rogamus, Domine, clementiam tuam,
     ut, per opera quae nobis implenda commisisti,
     et vitam sustentemus terrenam,
     et regnum tuum aedificemus fidentes. Per Christum.

B

Aliae orationes

Collecta

1271 Deus, qui naturalium rerum virtutes
     hominum labori subdere voluisti,
     concede propitius,

ut, operibus nostris christiano spiritu intenti,
sinceram caritatem cum fratribus exercere,
et creationi divinae perficiendae
sociam operam praestare mereamur. Per Dominum.

Super oblata

1272 Suscipe, Domine, munera supplicantis Ecclesiae,
et praesta, ut, per humanum quem tibi offerimus laborem,
operi Christi redemptoris consociari mereamur. Per Christum.

Post communionem

1273 Guberna, quaesumus, Domine, temporalibus adiumentis
quos dignaris aeternis recreare mysteriis. Per Christum.

26. IN CONSERENDIS AGRIS

A

Collecta

1274 Deus, quo iuvante,
semina terrae mandamus, tua multiplicanda virtute,
concede, ut, quae nostris scimus deesse laboribus,
per te, qui das solus incrementum, suppleantur abunde. Per Domine.

Super oblata

1275 Deus, qui verus es corporalium auctor fructuum
et spiritalium summus agricola,
da, quaesumus, laborum profectus nostrorum,
ut fructus terrae abundanter capiamus,
et, quae ab una providentia sumunt principium,
ad tuam gloriam semper cooperentur. Per Christum.

Post communionem

1276 Qui tuis nos, Domine, reficis sacramentis,
manuum nostrarum adesto laboribus,
ut, qui in te vivimus, movemur et sumus,
terrae seminibus benedictione concessa
de segetibus multiplicatis nutriamur. Per Christum.

B

Aliae orationes

Collecta

1277 Benedictionem tuam, Domine Deus,
super populum tuum propitiatus infunde,
quatenus, dante te benignitatem,
terra nostra proferat fructus suos,
quibus ad honorem sancti tui nominis
grata semper mente fruamur. Per Dominum.

Super oblata

1278 Nostris, Domine, adesto muneribus,
ut, qui de granis frumenti

deferimus tibi panem in tui Corpus Filii transmutandum,
semini terrae committendo
per te concessa benedictione laetemur. Per Christum.

Post communionem

1279 Concede fidelibus tuis, omnipotens Deus,
congruam terrae fructuum largitatem,
quibus temporaliter enutriti,
spiritalibus quoque proficiant incrementis,
ut, quorum in hoc sacramento pignus acceperunt,
bona consequantur aeterna. Per Christum.

27. POST COLLECTOS FRUCTUS TERRAE

Collecta

1280 Domine, Pater bone, qui terram homini providus tradidisti,
concede, ut fructibus ex ea collectis
vitam sustentare possimus,
iisdemque ita semper utamur,
ut laudi tuae et omnium utilitati, te opitulante, proficiant.
Per Dominum.

Vel:

1281 Gratias tibi referimus, Domine,
pro fructibus, quos in salutem hominum terra produxit,
quatenus, sicut illos
summae tuae temperamentum providentiae comparavit,
ita de terra cordis nostri
germen iustitiae et fructus caritatis facias exoriri. Per Dominum.

Super oblata

1282 Sanctifica, Domine, munera, quae tibi de terra fructificante
cum gratiarum actione deferimus,
et, qui nobis terrenarum frugum tribuis ubertatem,
fac mentes nostras caelesti fertilitate fecundas. Per Christum.

Post communionem

1283 Da, quaesumus, Domine, ut de perceptis terrae fructibus
hoc salutari mysterio tibi gratias exhibentes,
eodem operante in nobis, bona potiora consequi mereamur.
Per Christum.

28. TEMPORE FAMIS, VEL PRO FAME LABORANTIBUS

A

Collecta

1284 Deus, qui bonus et omnipotens omnibus provides creaturis,
efficacem da nobis dilectionem
erga fratres ciborum inopiam patientes,
ut, fame depulsa, libero ac securo corde tibi valeant deservire.
Per Dominum.

Super oblata

1285 Respice, Domine, oblationem,
quam tibi de tuis datis optimis exhibemus,
ut, quae divinae abundantiam vitae
et unitatem in caritate significat,
ad aequam nos partitionem
mutuumque impellat fraternitatis officium. Per Christum.

Post communionem

1286 Deus, Pater omnipotens, supplices te rogamus,
ut panis vivus, qui de caelo descendit,
ad fratres inopes nos roboret sublevandos. Per Christum.

B
Aliae orationes, ab ipsis esurientibus dicendae
Collecta

1287 Deus, qui mortem non fecisti,
et escam praebes omni carni,
tuorum famem famulorum miseratus expelle,
ut laetius corda nostra et expeditius tibi valeant deservire.
Per Dominum.

Super oblata

1288 Tibi, Domine, de nostra egestate
haec munera libenter offerimus,
a tua benignitate suppliciter exorantes,
ut tuae sint nobis largitionis primitiae salutaris. Per Christum.

Post communionem

1289 Qui cibum caelestem, Domine, a tua largitate suscepimus,
quaesumus, ut spem nobis et robur sic conferat ad laborem,
ut efficaciter nostris fratrumque necessitatibus
subvenire possimus. Per Christum.

29. PRO PROFUGIS ET EXSULIBUS

Collecta

1290 Domine, cui nullus est alienus,
nemo ab opitulatione longinquus,
profugos et exsules, segregatos homines
puerosque dispersos propitius intuere,
ut illis reditus in patriam,
nobis erga egenum et advenam a te benignitas tribuatur.
Per Dominum.

Super oblata

1291 Domine, qui tuum voluisti Filium ponere animam suam,
ut in unum tuos dispersos filios congregaret,
praesta, ut haec pacifica oblatio
communionem obtineat animorum,
et caritatem fraternitatis adaugeat. Per Christum.

Post communionem

1292 Domine, qui nos uno pane et uno calice refecisti,
da nobis humanitatem in advenas ac derelictos
sincero corde sectari,
ut omnes in terra viventium congregari denique mereamur.
Per Christum.

30. PRO CAPTIVITATE DETENTIS

Collecta

1293 Deus, cuius Filius, ad redimendum genus humanum
a captivitate peccati, formam servi accipere dignatus est,
da famulis tuis in vinculis constitutis,
ut illa libertate potiantur,
qua omnes homines, filios tuos, voluisti donari. Per Dominum.

Super oblata

1294 Per humanae redemptionis salutare sacramentum,
quod tibi, Domine, offerimus, praesta,
ut famuli tui a captivitate solvantur,
et animae perpetua gaudeant libertate. Per Christum.

Post communionem

1295 Nostrae libertatis pretium recolentes,
tuam, Domine, pro fratribus nostris imploramus clementiam,
ut a vinculis solvantur,
et servi fiant iustitiae tuae. Per Christum.

31. PRO DETENTIS IN CARCERE

Collecta

1296 Omnipotens et misericors Deus,
cui soli patent cordium secreta,
qui iustum agnoscis et impium iustificare vales,
exaudi preces nostras pro famulis tuis in carcere detentis,
et praesta,
ut per patientiam et spem in afflictione subleventur,
et citius valeant sine offensione ad propria reverti. Per Dominum.

32. PRO INFIRMIS

Collecta

1297 Deus, qui languores nostros
voluisti ab unigenito Filio tuo portari,
ut infirmitatis et patientiae virtutem ostenderes humanae,
preces nostras pro fratribus in aegritudine positis
benignus exaudi, et praesta,
ut, qui doloribus, aerumnis aliisve morbis premuntur,
et inter eos qui beati praedicantur se sentiant electos,
et Christo pro mundi salute patienti se sciant unitos. Per Dominum.

Vel:

1298 Omnipotens sempiterne Deus, salus aeterna credentium,
     exaudi nos pro famulis tuis infirmis,
     pro quibus misericordiae tuae imploramus auxilium,
     ut, reddita sibi sanitate,
     gratiarum tibi in Ecclesia tua referant actiones. Per Dominum.

Super oblata

1299 Deus, cuius nutibus vitae nostrae momenta decurrunt,
     suscipe preces et hostias,
     quibus tuam pro fratribus aegrotantibus
     misericordiam imploramus,
     ut, de quorum periculo metuimus,
     de eorum salute laetemur. Per Christum.

Post communionem

1300 Deus, infirmitatis humanae singulare praesidium,
     auxilii tui super infirmos famulos ostende virtutem,
     ut, ope misericordiae tuae adiuti,
     Ecclesiae tuae sanctae incolumes repraesentari mereantur.
     Per Christum.

33. PRO MORIENTIBUS

Collecta

1301 Omnipotens et misericors Deus,
     qui humano generi, per ipsum mortis institutum,
     aeterne vitae aditum misericorditer reserasti,
     respice propitius famulum tuum extremo agone laborantem,
     ut, consociatus Filii tui passioni
     et eius sanguine signatus,
     tibi valeat immaculatus praesentari. Per Dominum.

Vel, pro hodie morituris:

1302 Omnipotens et misericors Deus,
     qui amorem tuum creaturis omnibus ubique manifestas,
     audi benigne preces quas pro hodie morituris effundimus,
     ut, pretioso sanguine Filii tui redempti,
     absque peccati macula de hoc mundo valeant exire
     atque in sinu misericordiae tuae perenniter requiescere.
     Per Dominum.

Super oblata

1303 Suscipe, Deus, hostiam, quam tibi pro famulo tuo
     in extremo vitae constituto fidenter offerimus,
     et da per eam universa illius delicta purgari,
     ut, qui tuae dispositionis aerumnis in hac vita premitur,
     in futura requiem consequatur aeternam. Per Christum.

Post communionem

1304 Per huius, Domine, sacramenti virtutem,
     famulum tuum dignare clementer tua gratia sustinere,

ut in hora mortis contra se inimicum praevalere non videat,
sed cum Angelis tuis transitum habere mereatur ad vitam.
Per Christum.

34. TEMPORE TERRAEMOTUS

Collecta

1305 Deus, qui fundasti terram super stabilitatem suam,
parce metuentibus, propitiare supplicibus,
ut, trementis terrae periculis penitus amotis,
clementiam tuam iugiter sentiamus,
et, tua protectione securi, tibi serviamus gratanter. Per Dominum.

35. AD PETENDAM PLUVIAM

Collecta

1306 Deus, in quo vivimus, movemur et sumus,
pluviam nobis tribue congruentem,
ut, praesentibus subsidiis sufficienter adiuti,
sempiterna fiducialius appetamus. Per Dominum.

36. AD POSTULANDAM SERENITATEM

Collecta

1307 Omnipotens sempiterne Deus,
qui nos et castigando sanas et ignoscendo conservas,
praesta supplicibus tuis,
ut optata aeris serenitate laetemur,
et pietatis tuae donis ad gloriam nominis tui
salutemque nostram semper utamur. Per Dominum.

37. AD REPELLENDAS TEMPESTATES

Collecta

1308 Deus, cuius nutu universa oboediunt elementa,
te supplices exoramus,
ut, sedatis terrentibus procellis,
in materiam transeat laudis comminatio potestatis.
Per Dominum.

38. IN QUACUMQUE NECESSITATE

A

Collecta

1309 Deus, refugium nostrum in laboribus,
virtus in languoribus, solamen in fletibus,
parce populo tuo,
ut, dignis flagellationibus castigatus,
in tua miseratione denique respiret. Per Dominum.

Super oblata

1310 Suscipe, quaesumus, Domine, preces et oblationes nostras,
ut, qui peccatorum nostrorum flagellis percutimur,
miserationis tuae gratia liberemur. Per Christum.

Post communionem

1311 Tribulationem nostram, quaesumus, Domine, propitius respice,
et iram tuae indignationis,
quam pro peccatis nostris iuste meremur,
per passionem Filii tui, propitiatus averte. Per Christum.

B
Collecta

1312 Omnipotens et misericors Deus,
afflictionem nostram propitiatus intende,
et ita filiorum tuorum onus alleva fidemque confirma,
ut in paterna semper providentia tua
sine dubitatione confidant. Per Dominum.

Super oblata

1313 Suscipe, Domine, munera, quae tibi fidenter offerimus,
et, quam maeroris amaritudinem sustinemus,
fac ut in suavitatis sacrificium convertatur. Per Christum.

Post communionem

1314 Te supplices, Domine, exoramus,
ut, dapibus recreati munitique divinis,
et futuros labores fortiter aggredi valeamus,
et fratres in pressura positos impensius confirmemus. Per Christum.

39. Pro gratiis Deo reddendis

A
Collecta

1315 Deus, qui famulos tuos in tribulatione positos
semper miseratus exaudis,
pro benignitate tua gratias agentes,
te supplices deprecamur,
ut, liberi a malis omnibus,
in gaudio tibi iugiter serviamus. Per Dominum.

Super oblata

1316 Domine, qui Filium tuum dedisti nobis,
ut nos a morte omnique malo benignus eriperet,
quaesumus, ut hoc sacrificium clementer accipias,
quod ab aerumnis liberi tibi in gratiarum offerimus actionem.
Per Christum.

Post communionem

1317 Omnipotens Deus, qui per hunc panem vitae
famulos tuos et a peccati vinculo liberare

et vires eorum dignaris tua pietate reficere,
da nobis in spem gloriae sine intermissione proficere. Per Christum.

B

Aliae orationes

Collecta

1318 Deus, Pater donorum omnium,
a quo descendere confitemur quidquid habemus aut sumus,
beneficia doce nos immensae tuae pietatis agnoscere,
ac te sincero corde totaque nostra virtute diligere. Per Dominum.

Super oblata

1319 Pro collatis donis
sacrificium tibi, Domine, laudis offerimus,
suppliciter deprecantes,
ut quod immeritis contulisti
ad nominis tui gloriam referamus. Per Christum.

Post communionem

1320 Deus, qui nobis in cibum spiritalem reddidisti
Filii tui sacramentum salutare,
quod tibi in actionem obtulimus gratiarum,
da nobis ita virtutis et gaudii muneribus confirmari,
ut tibi servire devotius,
et nova beneficia consequi mereamur. Per Christum.

IV.

PRO QUIBUSDAM NECESSITATIBUS PARTICULARIBUS

40. Pro remissione peccatorum

Collecta

1321 Supplicum preces, quaesumus, Domine, propitiatus exaudi,
et confitentium tibi parce peccatis,
ut pariter nobis indulgentiam tribuas benignus et pacem.
Per Dominum.

Vel:

1322 Propitiare, Domine, populo tuo,
et ab omnibus absolve peccatis,
ut, quod nostris offensionibus promeremur,
tua indulgentia repellatur. Per Dominum.

Super oblata

1323 Hostias tibi, Domine, placationis et laudis offerimus,
ut et delicta nostra miseratus absolvas,
et nutantia corda tu dirigas. Per Christum.

Post communionem

1324 Praesta nobis, misericors Deus,
ut, percipientes hoc munere veniam peccatorum,
illa deinceps vitare tua gratia valeamus,
et tibi sincero corde servire. Per Christum.

41. AD POSTULANDAM CARITATEM

Collecta

1325 Corda nostra, quaesumus, Domine,
tuae Spiritu caritatis inflamma,
ut tuae digna semper ac placita maiestati cogitare
et te in fratribus sincere diligere valeamus. Per Dominum.

Super oblata

1326 Propitius, Domine, quaesumus, haec dona sanctifica,
et, hostiae spiritalis oblatione suscepta, concede,
ut caritatem tuam ad omnes possimus extendere. Per Christum.

Post communionem

1327 Quos uno pane caelesti satiasti,
quaesumus,Domine,
ut Sancti Spiritus gratia perfundas,
et abundanter reficias perfectae dulcedine caritatis. Per Christum.

42. PRO CONCORDIA FOVENDA

Collecta

1328 Deus, summa unitas et vera caritas,
da fidelibus tuis cor unum et animam unam,
ut Ecclesiae tuae corpus concordia vigeat,
et, quae veritatis confessione nititur,
stabili unitate firmetur. Per Dominum.

Super oblata

1329 Deus, qui nos ad imaginem tuam
sacramentis renovas et praeceptis,
gressus nostros in semitis tuis perfice miseratus,
ut caritatis donum, quod a nobis sperari fecisti,
per haec quae offerimus sacrificia tribuas apprehendi. Per Christum.

Post communionem

1330 Sumpsimus, Domine, sacramentum unitatis;
praesta nobis, quaesumus,
sancta unanimitate in domo tua viventibus,
pacem habere quam tradimus, pacem servare quam sumimus.
Per Christum.

43. PRO FAMILIA

Collecta

1331 Deus, cuius in ordinatione
societas familiaris firmum suum habet fundamentum,

respice famulorum tuorum preces miseratus, et praesta,
ut, exemplo sanctae Familiae Unigeniti tui
domesticis virtutibus caritatisque obsequio sectantes,
in laetitia domus tuae praemiis fruamur aeternis. Per Dominum.

Super oblata

1332 Hostiam tibi placationis offerimus, Domine,
suppliciter deprecantes,
ut familias nostras in tua gratia firmiter et pace constituas.
Per Christum.

Post communionem

1333 Quos caelestibus reficis sacramentis,
fac, clementissime Pater,
sanctae Familiae Unigeniti tui exempla iugiter imitari,
ut, post aerumnas saeculi,
eius consortium consequantur aeternum. Per Christum.

44. Pro familiaribus et amicis

Collecta

1334 Deus, qui caritatis dona,
per gratiam Sancti Spiritus,
tuorum fidelium cordibus infudisti,
da famulis tuis, pro quibus tuam deprecamur clementiam,
salutem mentis et corporis,
ut te tota virtute diligant,
et, quae tibi sunt placita, tota dilectione perficiant. Per Dominum.

Super oblata

1335 Miserere, Domine, famulis tuis,
pro quibus hoc laudis sacrificium tuae offerimus maiestati,
ut, per haec sancta, supernae benedictionis gratiam obtineant,
et gloriam aeternae beatitudinis acquirant. Per Christum.

Post communionem

1336 Te quaesumus, Domine, sumentes divina mysteria,
ut famulis tuis, quibus dedisti in nos caritatem,
indulgentiam tribuas peccatorum,
consolationem vitae gubernationemque perpetuam,
quatenus nos omnes, tibi unanimes servientes,
ante faciem tuam congaudentes pervenire mereamur. Per Christum.

45. Pro affligentibus nos

Collecta

1337 Deus, qui caritatis tuae praecepto voluisti,
ut nos affligentibus amorem impendamus sincerum,
da nobis ita novae legis sequi mandata,
ut bona pro malis reddere
et alii aliorum onera portare studeamus. Per Dominum.

Super oblata

1338 Pacem cum omnibus habere cupientes,
tibi, Domine, pro his qui nobis adversantur
hoc sacrificium offerimus,
et Filii tui mortem commemoramus,
per quam, cum inimici essemus, tibi reconciliati sumus. ·
Per Christum.

Post communionem

1339 Per haec pacis nostrae mysteria,
da nos, Deus, cum omnibus esse pacificos,
et eos qui nobis adversantur
tibi gratos efficere, nobisque placatos. Per Christum.

46. AD POSTULANDAM GRATIAM BENE MORIENDI

Collecta

1340 Deus, qui nos ad imaginem tuam creasti,
et pro nobis Filium tuum mortem subire voluisti,
concede supplicibus tuis ita vigilare omni tempore orantes,
ut absque peccati macula de hoc mundo exire,
et in sinu misericordiae tuae
cum exsultatione requiescere mereamur. Per Dominum.

Super oblata

1341 Sicut mortem nostram occidisti, Domine, morte Unigeniti tui,
ita eiusdem sacramenti virtute praesta,
ut, voluntati tuae oboedientes usque ad mortem,
cum pace et fiducia de hoc saeculo exire,
et ipsius resurrectionis participes effici tuo munere valeamus.
Per Christum.

Post communionem

1342 Immortalitatis pignora, Domine, per haec mysteria consecuti,
pro nostrae mortis exitu
pietatis tuae auxilium supplices imploramus,
ut, inimici superatis insidiis,
in sinu gloriae tuae reficiamur aeternae. Per Christum.

MISSAE VOTIVAE

1. DE SS.MA TRINITATE

2. DE MYSTERIO SANCTAE CRUCIS

3. DE SS.MA EUCHARISTIA

A

Collecta

1343 Deus, qui humanae redemptionis opus
per Unigeniti tui paschale mysterium implevisti,
concede propitius,
ut, qui Christi mortem et resurrectionem
in sacramentorum signis annuntiamus fidenter,
salvationis tuae continuum experiamur augmentum. Per Dominum.

Super oblata

1344 Salutis nostrae memoriale celebrantes,
clementiam tuam, Domine, suppliciter exoramus,
ut hoc sacramentum pietatis
fiat nobis signum unitatis et vinculum caritatis. Per Christum.

Post communionem

1345 Sanctificet nos, quaesumus, Domine,
mensae caelestis participatio,
ut, per Corpus et Sanguinem Christi,
fraternitas cuncta copuletur. Per Christum.

B

Collecta

1346 Deus, qui ad gloriam tuam et generis humani salutem
Christum voluisti
summum aeternumque constituere sacerdotem,
praesta, ut populus, quem sanguine suo tibi acquisivit,
ex eius memorialis participatione,
virtutem crucis ipsius capiat et resurrectionis. Per Dominum.

Super oblata

1347 Concede nobis, quaesumus, Domine,
haec digne frequentare mysteria,
quia, quoties huius hostiae commemoratio celebratur,
opus nostrae redemptionis exercetur. Per Christum.

Post communionem

1348 Quaesumus, Domine, ut, huius participatione sacrificii,
quod in sui commemorationem Filius tuus praecepit offerri,
nosmetipsos cum illo oblationem facias tibi sempiternam.
Per Christum.

4. DE SANCTISSIMO NOMINE IESU

Collecta

1349 Sanctissimum Iesu nomen venerantibus,
nobis, Domine, concede propitius,
ut, eius in hac vita dulcedine perfruentes,
sempiterno gaudio in patria repleamur. Per Dominum.

Super oblata

1350 In eius nomine, Pater omnipotens,
munera nostra dignare suscipere,
in quo quidquid petierimus
nos certe consecuturos esse confidimus,
ipso Filio tuo benignissime pollicente.
Qui vivit.

Post communionem

1351 Tua nobis, quaesumus, Domine, miseratione concede,
ut in his sacris mysteriis
Dominum Iesum dignis obsequiis veneremur,
in cuius nomine voluisti omne genu flecti,
omnesque homines invenire salutem. Per Christum.

5. DE PRETIOSISSIMO SANGUINE D.N. IESU CHRISTI

Collecta

1352 Deus, qui pretioso Unigeniti tui Sanguine
universos homines redemisti,
conserva in nobis opus misericordiae tuae,
ut, nostrae salutis mysterium iugiter recolentes,
eiusdem fructum consequi mereamur. Per Dominum.

Super oblata

1353 Maiestati tuae, Domine, oblationis nostrae munera proferentes,
ad novi testamenti Mediatorem Iesum
his mysteriis accedamus,
eiusque aspersionem Sanguinis salutiferam innovemus.
Qui vivit.

Post communionem

1354 Cibo refecti, Domine, potuque salutis,
Salvatoris nostri, quaesumus, semper Sanguine perfundamur,
qui fons aquae nobis fiat in vitam salientis aeternam. Per Christum.

Vel:

1355 Refecti cibo potuque caelesti, quaesumus, omnipotens Deus,
ut ab hostium defendas formidine,
quos pretioso Filii tui Sanguine redemisti.
Qui vivit.

6. DE SACRATISSIMO CORDE IESU

Collecta

1356 Fac nos, Domine Deus, Cordis Filii tui virtutibus indui
et affectibus inflammari,
ut, eius imagini conformes effecti,
aeternae redemptionis mereamur esse participes. Per Dominum.

Super oblata

1357 Deus, Pater misericordiarum,
qui propter nimiam caritatem, qua dilexisti nos,
Unigenitum tuum nobis ineffabili bonitate donasti,
praesta, quaesumus, ut, cum ipso in unum consummati,
dignum tibi offeramus obsequium. Per Christum.

Post communionem

1358 Tui sacramenti caritatis participes effecti,
clementiam tuam, Domine, suppliciter imploramus,
ut Christo conformemur in terris,
ut eius gloriae consortes fieri mereamur in caelis. Per Christum.

7. DE SPIRITU SANCTO

A

Collecta

1359 Deus, qui corda fidelium Sancti Spiritus illustratione docuisti,
da nobis in eodem Spiritu recta sapere,
et de eius semper consolatione gaudere. Per Dominum.

Super oblata

1360 Munera, quaesumus, Domine, oblata sanctifica,
et corda nostra Sancti Spiritus illustratione emunda. Per Christum.

Post communionem

1361 Sancti Spiritus, Domine, corda nostra mundet infusio,
et sui roris intima aspersione fecundet. Per Christum.

B

Collecta

1362 Mentes nostras, quaesumus, Domine,
Paraclitus qui a te procedit illuminet,
et inducat in omnem, sicut tuus promisit Filius, veritatem.
Qui tecum.

Vel:

1363 Deus, cui omne cor patet et omnis voluntas loquitur,
et quem nullum latet secretum,
purifica per infusionem Spiritus Sancti
cogitationes cordis nostri,
ut te perfecte diligere, et digne laudare mereamur. Per Dominum.

Super oblata

1364 Intende, quaesumus, Domine, spiritalem hostiam
altaribus tuis piae devotionis studio propositam,
et da famulis tuis spiritum rectum,
ut fides eorum haec dona tibi conciliet,
et commendet humilitas. Per Christum.

Post communionem

1365 Domine Deus noster,
qui nos vegetare dignatus es caelestibus alimentis,
suavitatem Spiritus tui penetralibus nostri cordis infunde,
ut, quae temporali devotione percepimus,
sempiterno munere capiamus. Per Christum.

C

Collecta

1366 Deus, qui universam Ecclesiam tuam
in omni gente et natione sanctificas,
in totam mundi latitudinem Spiritus tui dona defunde,
ut, quod in ipsis evangelicae praedicationis exordiis
tua est operata dignatio,
nunc quoque per credentium corda diffundat. Per Dominum.

Vel:

1367 Deus, cuius Spiritu regimur, cuius protectione servamur,
praetende nobis misericordiam tuam,
et exorabilis tuis esto supplicibus,
ut in te credentium fides tuis semper beneficiis adiuvetur.
Per Dominum.

Super oblata

1368 Sacrificia, Domine, tuis oblata conspectibus,
ignis Spiritus sanctificet,
qui discipulorum Filii tui corda succendit. Per Christum.

Post communionem

1369 Haec nobis, Domine, munera sumpta proficiant,
ut illo iugiter Spiritu ferveamus,
quem Apostolis tuis ineffabiliter infudisti. Per Christum.

8. De B. Maria Virgine

A

B

De Beata Maria, Ecclesiae matre

Collecta

1370 Deus, misericordiarum Pater,
cuius Unigenitus, cruci affixus,
beatam Mariam Virginem, Genetricem suam,
Matrem quoque nostram constituit,
concede, quaesumus, ut, eius cooperante caritate,
Ecclesia tua, in dies fecundior, prolis sanctitate exsultet
et in gremium suum cunctas attrahat familias populorum.
Per Dominum.

Super oblata

1371 Suscipe, Domine, oblationes nostras
et in mysterium salutis converte,
cuius virtute
et caritate Virginis Mariae, Ecclesiae Matris, inflammemur
et operi redemptionis cum ea arctius sociari mereamur.
Per Christum.

Post communionem

1372 Sumpto, Domine, pignore redemptionis et vitae,
supplices adprecamur,
ut Ecclesia tua, materna Virginis ope,
et Evangelii praeconio universas gentes erudiat
et Spiritus effusione orbem terrarum adimpleat. Per Christum.

C

De SS.mo Nomine Mariae

Collecta

1373 Deus, cuius Filius in ara crucis exspirans
beatissimam Virginem Mariam
Matrem voluit esse nostram, quam suam elegerat,
concede propitius
ut, qui sub eius praesidium securo confugimus,
materno invocato nomine confortemur. Per Dominum.

9. De sanctis Angelis

Collecta

1374 Deus, qui miro ordine
Angelorum ministeria hominumque dispensas,
concede propitius,
ut, a quibus tibi ministrantibus in caelo semper assistitur,
ab his in terra vita nostra muniatur. Per Dominum.

Super oblata

1375 Hostias tibi, Domine, laudis offerimus,
      suppliciter deprecantes, ut easdem,
      angelico ministerio in conspectum tuae maiestatis delatas,
      et placatus accipias,
      et ad salutem nostram provenire concedas. Per Christum.

Post communionem

1376 Pane caelesti refecti, supplices te, Domine, deprecamur,
      ut, eius fortitudine roborati,
      sub Angelorum fideli custodia,
      fortes, salutis progrediamur in via. Per Christum.

10. DE S. IOSEPH

Collecta

1377 Deus, qui ineffabili providentia beatum Ioseph
      sanctissimae Genetricis Filii tui sponsum eligere dignatus es,
      praesta, quaesumus,
      ut, quem protectorem veneramur in terris,
      intercessorem habere mereamur in caelis. Per Dominum.

Super oblata

1378 Laudis hostiam immolaturi, Pater sancte,
      suppliciter postulamus,
      ut in ministerio nostro beati Ioseph precibus foveamur,
      cui dedisti Unigenitum tuum vice in terris custodire paterna.
      Per Christum.

Post communionem

1379 His recreati, Domine, vivificis sacramentis,
      in iustitia tibi semper et sanctitate vivamus,
      beati Ioseph exemplo et intercessione,
      qui magnis tuis perficiendis mysteriis
      vir iustus et oboediens ministravit. Per Christum.

11. DE OMNIBUS SANCTIS APOSTOLIS

Collecta

1380 Beatorum Apostolorum honore continuo
      Ecclesia tua, Domine, semper exsultet,
      ut his praesulibus gubernetur,
      quorum doctrina gaudet et meritis. Per Dominum.

Super oblata

1381 Effunde in nos, Domine,
      quem in Apostolos effudisti abunde, Spiritum Sanctum tuum,
      ut cognoscamus ea, quae per eos nobis donasti,
      et sacrificium laudis ad gloriam tuam rite offeramus. Per Christum.

Post communionem

1382 Fac nos, Deus, cum exsultatione et simplicitate cordis
perseverare in doctrina Apostolorum,
in fractione panis communicantes et orationibus. Per Christum.

12. DE SS. PETRO ET PAULO, APOSTOLIS

13. DE S. PETRO, APOSTOLO

Collecta

1383 Deus, qui beato Petro apostolo tuo,
collatis clavibus regni caelestis,
ligandi atque solvendi pontificium tradidisti,
concede, ut, intercessionis eius auxilio,
a peccatorum nostrorum nexibus liberemur. Per Dominum.

Super oblata

1384 Oblationem populi tui, quaesumus, Domine,
suscipe propitius in commemoratione beati Petri apostoli,
quem ad confitendum te Deum vivum tuumque Filium
secreta revelatione docuisti,
et gloriosa fecisti passione
Magistro suo testimonium perhibere. Per Christum.

Post communionem

1385 Ad convivium, Domine, salutis admissi,
beati Petri apostoli memoriam venerantes,
gratanter exposcimus,
ut Filio tuo, qui solus verba vitae habet,
iugiter haereamus,
quatenus oves gregis tui fideles
ad pascua feliciter deducamur aeterna. Per Christum.

14. DE S. PAULO, APOSTOLO

Collecta

1386 Domine Deus,
qui beatum Paulum apostolum
ad praedicandum Evangelium mirabiliter designasti,
da fide mundum universum imbui,
quam ipse coram regibus gentibusque portavit,
ut iugiter Ecclesia tua capiat augmentum. Per Dominum.

Super oblata

1387 Illo nos, quaesumus, Domine, divina tractantes,
fidei lumine Spiritus perfundat,
quo beatum Paulum apostolum
ad gloriae tuae propagationem collustravit. Per Christum.

Post communionem

1388 Corporis et Sanguinis Filii tui, Domine, communione refectis,
concede, ut ipse Christus sit nobis vivere,
nihilque ab eius nos separet caritate,
et, beato monente Apostolo,
in dilectione cum fratribus ambulemus. Per Christum.

15. DE UNO SANCTO APOSTOLO

Collecta

1389 Robora in nobis, Domine, fidem,
qua Filio tuo beatus N. apostolus sincero animo adhaesit,
et praesta, ut, ipso deprecante,
Ecclesia tua
cunctis gentibus salutis fiat sacramentum. Per Dominum.

Super oblata

1390 Beati N. apostoli commemoratione tibi munera deferentes,
quaesumus, Domine,
ut, eius exemplo, digne Evangelio Christi conversantes,
fidei evangelicae collaboremus. Per Christum.

Post communionem

1391 Sumpsimus, Domine, pignus salutis aeternae,
memoriam beati N. apostoli celebrantes,
quod sit nobis, quaesumus,
vitae praesentis auxilium pariter et futurae. Per Christum.

16. DE OMNIBUS SANCTIS

Collecta

1392 Deus, omnis fons sanctitatis,
fac nos in nostra unumquemque vocatione digne ambulare,
intercedentibus Sanctis tuis,
quibus divisiones gratiarum in terra
et unam in caelo mercedem gloriosam contulisti. Per Dominum.

Super oblata

1393 Grata tibi sint, Domine, munera,
quae pro cunctorum offerimus honore Sanctorum,
et concede,
ut, quos iam credimus de sua immortalitate securos,
sentiamus de nostra salute sollicitos. Per Christum.

Post communionem

1394 Deus, qui nos uno pane reficis et una spe sustentas,
tua nos pariter gratia corrobora,
ut omnes, cum Sanctis tuis
unum in Christo corpus et unus spiritus,
ad gloriam cum ipso resurgamus. Per Christum.

MISSAE DEFUNCTORUM

I.

IN EXSEQUIIS

A

Collecta

1395 Deus, Pater omnipotens,
cuius Filium mortuum fuisse et resurrexisse
fides nostra fatetur,
concede propitius,
ut hoc mysterio famulus tuus N., qui in illo dormivit,
per illum resurgere laetetur. Per Dominum.

Vel:

1396 Deus, qui proprium est misereri semper et parcere,
te supplices exoramus pro famulo tuo N.,
quem (hodie) ad te migrare iussisti,
ut, quia in te speravit et credidit,
concedas eum ad veram patriam perduci,
et gaudiis perfrui sempiternis. Per Dominum.

Super oblata

1397 Pro famuli tui N. salute
hostias tibi, Domine, suppliciter offerimus
tuam clementiam deprecantes,
ut, qui Filium tuum pium Salvatorem esse non dubitavit,
misericordem Iudicem inveniat. Per Christum.

Post communionem

1398 Domine Deus, cuius Filius in sacramento Corporis sui
viaticum nobis reliquit,
concede propitius, ut per hoc frater noster N.
ad ipsam Christi perveniat mensam aeternam. Per Christum.

B

Collecta

1399 Deus, misericordia peccatorum
et tuorum beatitudo Sanctorum,
da, quaesumus, famulo tuo N.,
cuius depositionis (hodie) officia humanitatis persolvimus,
cum electis tuis beati muneris portionem,

ut eum, a mortalitatis nexibus absolutum,
in die resurrectionis ante faciem tuam praesentari concedas.
Per Dominum.

Super oblata

1400 Adesto, Domine, quaesumus, pro famulo tuo N.,
cuius in die depositionis
hoc sacrificium tibi placationis offerimus,
ut, si qua ei peccati macula inhaesit
aut vitium humanum infecit,
dono tuae pietatis indulgeas et abstergeas. Per Christum.

Post communionem

1401 Praesta, quaesumus, omnipotens Deus, ut famulus tuus N.,
qui (hodie) de hoc saeculo migravit,
his sacrificiis purgatus et a peccatis expeditus,
resurrectionis suscipiat gaudia sempiterna. Per Christum.

TEMPORE PASCHALI
C
Collecta

1402 Preces nostras, quaesumus, Domine, benignus exaudi,
ut, dum extollitur nostra fides in Filio tuo a mortuis suscitato,
in famuli tui N. praestolanda resurrectione
spes quoque nostra firmetur. Per Dominum.

Super oblata

1403 Nostris, Domine, propitiare muneribus,
ut famulus tuus N. assumatur in gloriam cum Filio tuo,
cuius magno pietatis iungimur sacramento. Per Christum.

Post communionem

1404 Praesta, quaesumus, Domine,
ut famulus tuus N. in mansionem lucis transeat et pacis,
pro quo paschale celebravimus sacramentum. Per Christum.

ALIAE ORATIONES PRO MISSA EXSEQUIALI
D
Collecta

1405 Deus, cui soli competit vitam post mortem praestare,
libera famulum tuum N. ab omnibus peccatis,
ut, qui Christi tui resurrectionem credidit,
tempore resurrectionis gloriosus tibi iungatur. Per Dominum.

Super oblata

1406 Omnipotens et misericors Deus,
his sacrificiis ablue, quaesumus, famulum tuum N.
a peccatis suis in sanguine Christi,
ut, quem mundasti aqua baptismatis,
indesinenter purifices indulgentia pietatis. Per Christum.

Post communionem

1407 Sumpto sacramento Unigeniti tui,
qui pro nobis immolatus resurrexit in gloria,
te, Domine, suppliciter exoramus pro famulo tuo N.,
ut, paschalibus mysteriis mundatus,
futurae resurrectionis munere glorietur. Per Christum.

II.

IN ANNIVERSARIO

Extra tempus paschale

A

Collecta

1408 Deus, gloria fidelium et vita iustorum,
cuius Filii morte et resurrectione redempti sumus,
propitiare famulo tuo N.,
ut, qui resurrectionis nostrae mysterium agnovit,
aeternae beatitudinis gaudia percipere mereatur. Per Dominum.

Super oblata

1409 Munera, quaesumus, Domine,
quae tibi pro famulo tuo N. offerimus,
placatus intende,
ut, remediis purgatus caelestibus,
in tua gloria semper vivus sit et beatus. Per Christum.

Post communionem

1410 Sacris reparati mysteriis, te, Domine, suppliciter exoramus,
ut famulus N., a delictis omnibus emundatus,
aeterno resurrectionis munere ditari mereatur. Per Christum.

B

Collecta

1411 Quaesumus, Domine, ut famulo tuo N.,
cuius depositionis diem commemoramus,
rorem misericordiae tuae perennem infundas,
et Sanctorum tuorum largiri digneris consortium. Per Dominum.

Super oblata

1412 Adesto, Domine, supplicationibus nostris pro famulo tuo N.,
cuius hodie annua dies agitur,
ut, per hoc sacrificium propitiationis et laudis,
eum Sanctorum tuorum consortio sociare digneris. Per Christum.

Post communionem

1413 Precibus nostris et sacrificiis, Domine,
pro famulo tuo N. benigne susceptis,

te supplices deprecamur,
ut, si quae ei maculae peccati adhaeserunt,
remissionis tuae misericordia deleantur. Per Christum.

TEMPORE PASCHALI

C

Collecta

1414 Omnipotens et misericors Deus,
cuius Filius voluntarie pro nobis carnis subiit mortem,
concede propitius famulo tuo N.
admirabili eius resurrectionis victoriae sociari. Per Dominum.

Super oblata

1415 Omnipotens et misericors Deus,
his sacrificiis ablue, quaesumus, famulum tuum N.
a peccatis suis in Sanguine Christi,
ut, quem mundasti aqua baptismatis,
indesinenter purifices indulgentia pietatis. Per Christum.

Post communionem

1416 Sumpto sacramento Unigeniti tui,
qui pro nobis immolatus resurrexit in gloria,
te, Domine, suppliciter exoramus pro famulo tuo N.,
ut, paschalibus mysteriis mundatus,
futurae resurrectionis munere glorietur. Per Christum.

ALIAE ORATIONES IN ANNIVERSARIO

D

Collecta

1417 Concede, quaesumus, Domine, per beatam Filii tui passionem,
famulo tuo N. remissionem,
quam semper optavit, peccatorum,
ut, te in veritate cognoscens,
visione tua iugiter perfrui mereatur. Per Dominum.

Super oblata

1418 Sacrificium tibi, Domine, pro famulo tuo N.
suppliciter offerimus,
ut, qui te iam dono tuae illuminationis agnovit,
tibi adhaerere perpetuo laetetur. Per Christum.

Post communionem

1419 Repleti alimonia reparationis et vitae, quaesumus, Domine,
ut per eam frater noster N.,
ab omnibus peccatis emundatus,
ad caeleste valeat transire consortium. Per Christum.

E

Collecta

1420 Deus indulgentiarum, da famulo tuo N.,
     cuius anniversarium depositionis diem celebramus,
     refrigerii sedem, quietis beatitudinem et luminis claritatem.
     Per Dominum.

Super oblata

1421 Supplicatio tibi nostra, Domine,
     et grata pariter exsistat oblatio,
     ut famulo tuo N., pro cuius salute defertur,
     plenitudinem tuae redemptionis acquirat. Per Christum.

Post communionem

1422 Praesta, quaesumus, omnipotens Deus,
     ut famulus tuus N.,
     pro quo hoc sacrificium tuae obtulimus maiestati,
     per huius virtutem sacramenti a peccatis omnibus expiatus,
     lucis perpetuae, te miserante, recipiat beatitudinem. Per Christum.

III.

IN VARIIS COMMEMORATIONIBUS

PRO UNO DEFUNCTO

A

Collecta

1423 Deus, Pater omnipotens, qui nos crucis mysterio confirmasti
     et Filii tui resurrectionis sacramento signasti,
     concede propitius famulo tuo N.,
     ut, mortalitatis nexibus expeditus,
     electorum tuorum aggregetur consortio. Per Dominum.

Vel:

1424 Inclina, Domine, aurem tuam ad preces nostras,
     quibus misericordiam tuam supplices deprecamur,
     ut famulum tuum N.,
     quem in hoc saeculo tuo populo misericorditer aggregasti,
     in pacis ac lucis regione constituas,
     et Sanctorum tuorum concedas esse consortem. Per Dominum.

Super oblata

1425 Propitiare, quaesumus, Domine, famulo tuo N.,
     pro quo hostiam tibi laudis immolamus,
     te suppliciter deprecantes,
     ut, per haec piae placationis officia,
     resurgere mereatur ad vitam. Per Christum.

Post communionem

1426 Vitalibus refecti sacramentis, quaesumus, Domine,
ut frater noster N.,
quem testamenti tui participem effecisti,
huius mysterii purificatus virtute,
in pace Christi sine fine laetetur. Per Christum.

B

Collecta

1427 Absolve, quaesumus, Domine, famulum tuum N.
ab omni vinculo delictorum,
ut, qui in hoc saeculo Christo meruit conformari,
in resurrectionis gloria
inter Sanctos tuos resuscitatus respiret. Per Dominum.

Super oblata

1428 Annue nobis, quaesumus, Domine,
ut famulo tuo N. haec prosit oblatio,
quam immolando, totius mundi tribuisti relaxari delicta.
Per Christum.

Post communionem

1429 Prosit, quaesumus, Domine, famulo tuo N.
sacrificium Ecclesiae tuae,
ut, cum Sanctis, Christi consortium inveniat,
cuius misericordiae consecutus est sacramentum. Per Christum.

PRO PLURIBUS AUT PRO OMNIBUS DEFUNCTIS

C

Collecta

1430 Deus, qui Unigenitum tuum, devicta morte,
ad caelestia transire fecisti,
concede famulis tuis (N. et N.),
ut, huius vitae mortalitate devicta,
te conditorem et redemptorem possint perpetuo contemplari. Per
Dominum.

Vel:

1431 Fidelium, Deus, omnium conditor et redemptor,
famulis tuis remissionem cunctorum tribue peccatorum,
ut indulgentiam, quam semper optaverunt,
piis supplicationibus consequantur. Per Dominum.

Super oblata

1432 Hostias, quaesumus, Domine,
quas tibi pro famulis tuis offerimus,
propitiatus intende,
ut, quibus fidei christianae meritum contulisti,
dones et praemium. Per Christum.

Post communionem

1433 Multiplica, Domine, his sacrificiis susceptis,
super famulos tuos defunctos misericordiam tuam,
et, quibus donasti baptismi gratiam,
da eis aeternorum plenitudinem gaudiorum. Per Christum.

Vel:

1434 Famulis tuis, quaesumus, Domine,
oratio proficiat supplicantium,
ut eos, his sacrificiis, et a peccatis omnibus exuas,
et aeternae salvationis facias esse participes. Per Christum.

D

Collecta

1435 Omnipotens sempiterne Deus,
vita mortalium et exsultatio Sanctorum,
te supplices exoramus pro famulis tuis (N. et N.),
ut, mortalitatis nexibus expediti,
regnum tuum in gloria possideant sempiterna. Per Dominum.

Vel:

1436 Omnipotens sempiterne Deus,
qui vivorum dominaris simul et defunctorum,
omniumque misereris,
te suppliciter exoramus,
ut, pro quibus effundimus preces,
pietatis tuae clementia
delictorum suorum veniam consequantur,
et de te beati congaudeant ac te sine fine collaudent. Per Dominum.

Super oblata

1437 Pro famulis tuis N. et N. et omnibus in Christo dormientibus
hostiam, Domine, suscipe benignus oblatam,
ut, per hoc sacrificium singulare vinculis mortis exuti,
vitam mereantur aeternam. Per Christum.

Post communionem

1438 Divina participantes mysteria, quaesumus, omnipotens Deus,
ut haec eadem nobis proficiant ad salutem,
et famulis tuis defunctis,
pro quibus tuam deprecamur clementiam,
prosint ad indulgentiam. Per Christum.

E

Collecta

1439 Deus, cuius miseratione fideles requiescunt,
famulis tuis N. et N. et omnibus in Christo quiescentibus
da propitius veniam peccatorum,
ut, a cunctis reatibus absoluti,
Christi tui resurrectioni socientur.
Qui tecum vivit.

Vel:

1440 Quaesumus, Domine,
    famulis tuis defunctis misericordiam concede perpetuam,
    ut eis proficiat in aeternum
    quod in te speraverunt et crediderunt. Per Dominum.

Super oblata

1441 Munera, Domine, quaesumus,
    quae pro tuorum requie famulorum offerimus,
    placatus intende,
    ut, per haec salutis humanae subsidia,
    tuorum numero redemptorum sorte perpetua censeantur.
    Per Christum.

Post communionem

1442 Sumpsimus, Domine, redemptionis sacramenta,
    tuam clementiam obsecrantes,
    ut, te miserante, nobis viventibus tutelam obtineant,
    et defunctis nostris veniam sempiternam. Per Christum.

Vel:

1443 Inveniant, quaesumus, Domine, famuli tui,
    omnesque in Christo quiescentes, lucis aeternae consortium,
    qui, in hac luce positi, tuum consecuti sunt sacramentum.
    Per Christum.

IV.

ORATIONES PRO DEFUNCTIS

1. PRO PAPA

A

Collecta

1444 Deus, fidelis remunerator animarum,
    praesta, ut famulus tuus Papa noster N.,
    quem Petri constituisti vicarium et Ecclesiae tuae pastorem,
    gratiae et miserationis tuae mysteriis,
    quae fidenter dispensavit in terris,
    laetanter apud te perpetuo fruatur in caelis. Per Dominum.

Super oblata

1445 Quaesumus, Domine, ut, per haec piae placationis officia,
    famulum tuum Papam nostrum N. beata retributio comitetur,
    et misericordia tua nobis gratiae dona conciliet. Per Christum.

Post communionem

1446 Divinae tuae communionis refecti sacramentis,
    quaesumus, Domine,

ut famulus tuus Papa noster N.
quem Ecclesiae tuae
visibile voluisti fundamentum unitatis in terris,
beatitudini gregis tui feliciter aggregetur. Per Christum.

B

Collecta

1447 Deus, qui Ecclesiae tuae famulum tuum Papam nostrum N.
ineffabili tua dispositione praeesse voluisti,
praesta, quaesumus, ut, qui Filii tui vices gerebat in terris,
ab ipso in gloria recipiatur aeterna. Per Dominum.

Super oblata

1448 Munera, Domine, supplicantis Ecclesiae respice propitius,
et, huius sacrificii virtute, concede,
ut famulus tuus Papa noster N.,
quem sacerdotem magnum tuo gregi praefecisti,
in electorum tuorum numero constituas sacerdotum. Per Christum.

Post communionem

1449 Caritatis tuae, Domine, sumentes sacra subsidia,
quaesumus, ut famulus tuus Papa noster N.
misericordiam tuam in Sanctorum gloria perpetuo collaudet,
qui fidelis exstitit mysteriorum tuorum dispensator in terris.
Per Christum.

C

Collecta

1450 Deus, immortalis pastor animarum,
respice populum supplicantem, et praesta,
ut famulus tuus Papa noster N.,
qui Ecclesiae tuae in caritate praefuit,
fidelis dispensatoris remunerationem
cum grege sibi credito misericorditer consequatur. Per Dominum.

Super oblata

1451 Oblationem pacificam populi tui, quaesumus, Domine,
propitius intuere,
qua famulum tuum Papam nostrum N.
tuae misericordiae fidenter committimus, et praesta,
ut, qui tuae caritatis et pacis
in humana familia fuit instrumentum,
earum fructu cum Sanctis tuis perpetuo laetari mereatur.
Per Christum.

Post communionem

1452 Ad mensam aeterni accedentes convivii,
misericordiam tuam, Domine, pro famulo tuo Papa nostro N.
suppliciter imploramus,
ut veritatis possessione tandem congaudeat,
in qua populum tuum fidenter confirmavit. Per Christum.

2. Pro Episcopo

A Pro Episcopo dioecesano
Collecta

1453 Da, quaesumus, omnipotens Deus,
ut famulus tuus N. episcopus noster,
cui familiae tuae curam tradidisti,
cum multiplici laboris fructu
gaudia Domini sui ingrediatur aeterna. Per Dominum.

Super oblata

1454 Immensam clementiam tuam, Domine,
suppliciter imploramus,
ut hoc sacrificium, quod famulus tuus N. episcopus noster,
dum esset in corpore, maiestati tuae pro salute fidelium obtulit,
ipsi nunc prosit ad veniam. Per Christum.

Post communionem

1455 Prosit, quaesumus, Domine, famulo tuo N. episcopo nostro
misericordiae tuae implorata clementia,
ut Christi, in quo speravit et quem praedicavit,
aeternum capiat, his sacrificiis, consortium. Per Christum.

B Pro alio Episcopo
Collecta

1456 Deus, qui inter apostolicos sacerdotes
famulum tuum N. episcopum (*vel* cardinalem)
pontificali fecisti dignitate vigere,
praesta, quaesumus,
ut eorum quoque perpetuo aggregetur consortio. Per Dominum.

Super oblata

1457 Suscipe, Domine, quaesumus,
pro famulo tuo N. episcopo (*vel* cardinali)
quas tibi offerimus hostias,
ut, cui in hoc saeculo pontificale donasti meritum,
in caelesti regno Sanctorum tuorum iubeas iungi consortio.
Per Christum.

Post communionem

1458 Quaesumus, omnipotens et misericors Deus,
ut famulum tuum N. episcopum (*vel* cardinalem),
quem in terris pro Christo legatione fungi tribuisti,
his emundatum sacrificiis,
consedere facias in caelestibus cum ipso. Per Christum.

3. Pro sacerdote

A

Collecta

1459 Praesta, quaesumus, Domine, ut famulus tuus N. sacerdos,
quem in hoc saeculo commorantem
sacris muneribus decorasti,
in caelesti sede gloriosus semper exsultet. Per Dominum.

Super oblata

1460 Concede, quaesumus, omnipotens Deus,
ut famulus tuus N. sacerdos,
per haec sancta mysteria, conspectu semper claro conspiciat
quae hic fideliter ministravit. Per Christum.

Post communionem

1461 Sumptis salutaribus sacramentis,
imploramus, Deus, clementiam tuam,
ut famulum tuum N. sacerdotem,
quem fecisti mysteriorum tuorum dispensatorem in terris,
eorum facias in caelis aperta veritate nutriri. Per Christum.

B

Collecta

1462 Preces nostras, quaesumus, Domine,
quas pro famuli tui N. sacerdotis salute suppliciter deferimus,
propitiatus exaudi,
ut, qui nomini tuo ministerium fidele dependit,
perpetua Sanctorum tuorum societate laetetur. Per Dominum.

Super oblata

1463 Quaesumus, Domine, clementiam tuam,
ut hoc sacrificium servitutis nostrae,
pro famulo tuo N. sacerdote oblatum,
ipsi nunc prosit ad veniam,
qui illud in Ecclesia devota tibi mente exhibuit. Per Christum.

Post communionem

1464 Mensae caelestis alimonia refecti,
te, Domine, suppliciter exoramus,
ut, huius virtute sacrificii,
famulus tuus N. sacerdos
ante conspectum tuum semper exsultet,
qui in Ecclesia tua fideliter ministravit. Per Christum.

4. Pro diacono

Collecta

1465 Concede, quaesumus, misericors Deus,
famulo tuo N. diacono felicitatis aeternae consortium,
cui donasti in Ecclesia tua consequi ministerium. Per Dominum.

Super oblata

1466 Propitiare, Domine, famulo tuo N. diacono,
  pro cuius salute hoc tibi sacrificium offerimus,
  ut, sicut Christo Filio tuo ministravit in carne,
  cum fidelibus servis exsurgat in gloriam sempiternam. Per Christum.

Post communionem

1467 Muneribus sacris repleti, te, Domine, humiliter deprecamur,
  ut per hoc sacrificium famulum tuum N. diaconum,
  quem inter servos Ecclesiae tuae vocasti,
  a mortis vinculis absolutum,
  cum iis qui bene ministraverunt
  partem recipere et in gaudium tuum intrare benigne concedas.
  Per Christum.

5. Pro religioso

Collecta

1468 Praesta, quaesumus, omnipotens Deus, ut famulus tuus N.,
  qui pro Christi amore perfectae caritatis viam percurrit,
  in adventu gloriae tuae laetetur,
  et cum fratribus suis
  de regni tui beatitudine gaudeat sempiterna. Per Dominum.

6. Pro uno defuncto

A

Collecta

1469 Deus, apud quem mortui vivunt
  et in quo Sancti tui plena felicitate laetantur,
  praesta supplicantibus nobis,
  ut famulus tuus N.,
  qui nunc temporali huius mundi lumine caret,
  aeternae tuae lucis solatio perfruatur. Per Dominum.

Super oblata

1470 Placeat tibi, Domine, sacrificii praesentis oblatio,
  ut famulus tuus N.,
  peccatorum veniam, quam quaesivit, te miserante inveniens,
  cum Sanctis tuis semper exsultet,
  et gloriam tuam in aeternum collaudet. Per Christum.

Post communionem

1471 Sumentes dona caelestia, gratias tibi, Domine, referimus,
  humiliter deprecantes, ut famulus tuus N.,
  per Filii tui passionem a peccatorum vinculis absolutus,
  feliciter valeat ad te pervenire. Per Christum.

B

Collecta

1472 Ascendant ad te, Domine, preces nostrae,
  et famulum tuum N. gaudia aeterna suscipiant,

ut, quem ad imaginem tuam creare dignatus es
et adoptionis participem fecisti,
iubeas hereditatis tuae esse consortem. Per Dominum.

Super oblata

1473 Oblationem nostram, quaesumus, Domine,
      quam pro famulo tuo N. fidenter exhibemus, placatus accipias,
      ut ei per hoc sacrificium,
      quod cunctis esse remedium singulare voluisti,
      salutem tribuas sempiternam. Per Christum.

Post communionem

1474 Recreati sacri muneris alimonia, quaesumus, Domine,
      ut frater noster N., mortis vinculis absolutus,
      resurrectionis Filii tui participatione laetetur. Per Christum.

C

Collecta

1475 Inclina, Domine, precibus nostris aures tuae pietatis,
      et famulo tuo N. remissionem omnium tribue peccatorum,
      ut in resurrectionis die vivat,
      et in lucis amoenitate requiescat. Per Dominum.

Super oblata

1476 Omnipotens sempiterne Deus,
      cuius Filius panem vitae nobis praebuit semetipsum,
      et Sanguinem suum in poculum salutis effudit,
      miserere famuli tui N.,
      ut, quod tibi offerimus, sit illi causa salutis. Per Christum.

Post communionem

1477 Aeternae pignus vitae capientes,
      te, Domine, humiliter imploramus pro famulo tuo N.,
      ut, mortalibus nexibus expeditus,
      redemptorum possit adunari consortio. Per Christum.

7. PRO IUVENE DEFUNCTO

Collecta

1478 Deus, qui omnium hominum vitam moderaris et tempora,
      hunc famulum tuum N.,
      quem consummatum in brevi deflemus,
      tibi humiliter commendamus,
      ut in beatitudine domus tuae perenni facias iuventute vigere.
      Per Dominum.

8. PRO DEFUNCTO QUI IN SERVITIO EVANGELII LABORAVIT

Collecta

1479 Misericordiam tuam, Domine,
      pro famulo tuo N. supplices deprecamur,

ut, qui pro Evangelio dilatando allaboravit assiduus,
ad praemia regni mereatur intrare securus. Per Dominum.

9. Pro defuncto post longam infirmitatem consumpto

Collecta

1480 Deus, qui famulo tuo N. dedisti
in aerumnis tibi et infirmitate servire,
concede, quaesumus,
ut, qui Filii tui secutus est patientiae documentum,
eiusdem gloriae consequatur et praemium. Per Dominum.

10. Pro defuncto repentina morte sublato

Collecta

1481 Immensam, Domine, tuae bonitatis ostende virtutem,
ut, qui fratrem nostrum N. repentina flemus morte sublatum,
ad tuum confidamus transisse consortium. Per Dominum.

11. Pro pluribus defunctis

A

Collecta

1482 Propitiare, Domine, famulis tuis N. et N.,
ut, quos regenerationis fonte mundasti,
ad caelestis vitae beatitudinem facias pervenire. Per Dominum.

Super oblata

1483 Pro famulis tuis N. et N., Domine, tibi sacrificium offerentes,
supplices exoramus,
ut ad tuam misericordiam illis conferendam perpetuam
dignanter vota nostra perficias. Per Christum.

Post communionem

1484 Sumptis, Domine, caelestibus sacramentis,
tuam clementiam humiliter deprecamur,
ut famuli tui, percipientes hoc munere veniam peccatorum,
regnum tuum introire,
teque in aeternum mereantur collaudare. Per Christum.

B

Collecta

1485 Tibi, Domine, commendamus famulos tuos N. et N.,
ut defuncti saeculo tibi vivant,
et quae, per fragilitatem carnis, peccata
in mundi conversatione commiserunt,
tu venia misericordissime pietatis absterge. Per Dominum.

Super oblata

1486 Propitiare, quaesumus, Domine, famulis tuis N. et N.,
pro quibus tibi hostias placationis offerimus,
et quia in hac vita tibi manserunt fideles,
apud te pia illis retributio donetur. Per Christum.

Post communionem

1487 Praesta, quaesumus, omnipotens Deus,
ut famulos tuos, per huius sacramenti virtutem,
in congregatione iustorum
aeternae beatitudinis iubeas esse consortes. Per Christum.

C

Collecta

1488 Omnipotens sempiterne Deus,
cui numquam sine spe misericordiae supplicatur,
propitiare famulis tuis N. et N.,
ut, qui de hac vita in tui nominis confessione discesserunt,
Sanctorum tuorum numero facias aggregari. Per Dominum.

Super oblata

1489 Domine Deus, cuius Filius se tibi obtulit hostiam vivam,
accipe, quaesumus, Ecclesiae tuae sacrificium,
ut famuli tui N. et N., a peccatis omnibus absoluti,
ad praemium immortalitatis mereantur pertingere. Per Christum.

Post communionem

1490 Purificent nos, quaesumus, omnipotens et misericors Deus,
sacramenta quae sumpsimus, et praesta,
ut hoc sacrificium sit nobis intercessio ad veniam,
sit fragilium fortitudo,
sit in omnibus firmamentum,
sit vivis atque defunctis remissio omnium peccatorum,
et pignus redemptionis aeternae. Per Christum.

12. PRO CONIUGIBUS DEFUNCTIS

Collecta

1491 Famulos tuos N. et N., quaesumus, Domine, miseratus absolve,
ut, quos coniugalis amor in hac vita fideliter sociavit,
in aeterna, tuae caritatis plenitudo coniungat. Per Dominum.

Vel (pro uno tantum coniuge defuncto):

1492 Famulum tuum (Famulam tuam) N., quaesumus, Domine,
miseratus absolve,
et famulam tuam (famulum tuum) N.
continua pietate custodi,
ut, quos coniugalis amor in hac vita fideliter sociavit,
in aeterna, tuae caritatis plenitudo coniungat. Per Dominum.

13. Pro parentibus

Collecta

1493 Deus, qui nos patrem et matrem honorare praecepisti,
miserere clementer patri et matri meae (parentibus nostris),
eorumque peccata dimitte,
meque (nosque) eos in aeternae claritatis gaudio fac videre.
Per Dominum.

Super oblata

1494 Suscipe sacrificium, Domine,
quod tibi pro patre et matre mea
(parentibus nostris) offerimus,
eisque gaudium sempiternum in regione vivorum concede,
meque (nosque) cum illis felicitati Sanctorum coniunge.
Per Christum.

Post communionem

1495 Caelestis participatio sacramenti, quaesumus, Domine,
patri et matri meae (parentibus nostris)
requiem et lucem obtineat perpetuam,
meque (nosque) cum illis gloria tua satiet sempiterna. Per Christum.

14. Pro defunctis fratribus, propinquis et benefactoribus

Collecta

1496 Deus, veniae largitor et humanae salutis amator,
quaesumus clementiam tuam,
ut nostrae congregationis fratres, propinquos et benefactores,
qui ex hoc saeculo transierunt,
beata Maria semper Virgine intercedente
cum omnibus Sanctis tuis,
ad perpetuae beatitudinis consortium pervenire concedas.
Per Dominum.

Super oblata

1497 Deus, cuius misericordiae non est numerus,
suscipe propitius preces humilitatis nostrae,
et animabus fratrum,
propinquorum et benefactorum nostrorum,
per haec sacramenta salutis nostrae,
cunctorum remissionem tribue peccatorum. Per Christum.

Post communionem

1498 Praesta, quaesumus, omnipotens et misericors Deus,
ut animae fratrum, propinquorum et benefactorum nostrorum,
pro quibus hoc sacrificium laudis tuae obtulimus maiestati,
per huius virtutem sacramenti a peccatis omnibus expiatae,
lucis perpetuae, te miserante, recipiant beatitudinem. Per Christum.

V.

IN EXSEQUIIS PARVULORUM

In exsequiis parvuli baptizati

A

Collecta

1499 Clementissime Deus, qui sapientiae tuae consiliis
hunc parvulum, in ipso vitae limine, ad te vocasti,
preces nostras benignus exaudi, et praesta,
ut cum ipso,
quem baptismatis gratia adoptionis tibi filium effecisti,
et in regno tuo iam credimus commorari,
nos etiam aeternae vitae tribuas esse aliquando consortes.
Per Dominum.

Super oblata

1500 Haec munera tibi, Domine, oblata sanctifica,
ut, quem parentes a te donatum tibi reddunt infantem,
ipsum laeti in regno tuo mereantur amplecti. Per Christum.

Post communionem

1501 Corporis, Domine, et Sanguinis Filii tui communione percepta,
te fideliter deprecamur,
ut, quos in spem vitae aeternae
sacris dignatus es nutrire mysteriis,
in huius tribuas vitae maeroribus confortari. Per Christum.

Aliae orationes

Collecta

1502 Deus, qui maerore scis corda nostra comprimi
propter huius infantis excessum,
praesta, ut, quem iam hac vita defunctum,
te disponente, deflemus,
aeternam in caelo sedem credamus adeptum. Per Dominum.

Super oblata

1503 Hanc oblationem, Deus,
dignare in nostrae signum devotionis excipere,
ut, qui tuae providentiae consiliis submittimur confidentes,
tuae quoque pietatis dulcedine sublevemur. Per Christum.

Post communionem

1504 Divino munere satiati, te, Domine, deprecamur,
ut, qui hunc infantem
ad mensam tribuis regni caelestis accumbere,
eandem et nos participare concedas. Per Christum.

In exsequiis parvuli nondum baptizati

B

Collecta

1505 Fidelium tuorum, Domine, suscipe vota,
ut, quos permittis infantis sibi erepti desiderio deprimi,
eosdem concedas in tuae spem miserationis fidenter attolli.
Per Dominum.

Vel:

1506 Scrutator cordium, Deus, et piissime consolator,
qui horum parentum fidem novisti,
praesta, ut infantem suum, quem plorant hac vita defunctum,
tuae sentiam divinae pietati commissum. Per Dominum.

Super oblata

1507 Hanc oblationem, Deus,
dignare in nostrae signum devotionis excipere,
ut, qui tuae providentiae consiliis submittimur confidentes,
tuae quoque pietatis dulcedine sublevemur. Per Christum.

Post communionem

1508 Corporis, Domine, et Sanguinis Filii tui communione percepta,
te fideliter deprecamur,
ut, quos in spem vitae aeternae
sacris dignatus es nutrire mysteriis,
in huius tribuas vitae maeroribus confortari. Per Christum.

BENEDICTIONES SOLLEMNES

IN CELEBRATIONIBUS DE TEMPORE

1. *In Adventu*

1509 1. Omnipotens et misericors Deus, cuius Unigeniti adventum
et praeteritum creditis, et futurum exspectatis,
eiusdem adventus vos illustratione sanctificet
et sua benedictione locupletet. R. Amen.

2. In praesentis vitae stadio reddat vos in fide stabiles,
spe gaudentes,
et in caritate efficaces. R. Amen.

3. Ut, qui de adventu Redemptoris nostri
secundum carnem devota mente laetamini,
in secundo, cum in maiestate sua venerit,
praemiis aeternae vitae ditemini. R. Amen.

Benedicat vos omnipotens Deus,
Pater, et Filius, ✠ et Spiritus Sanctus.
R. Amen.

2. *In Nativitate Domini*

1510 1. Deus infinitae bonitatis,
qui incarnatione Filii sui mundi tenebras effugavit,
et eius gloriosa nativitate
hanc noctem (diem) sacratissimam illustravit,
effuget a vobis tenebras vitiorum,
et irradiet corda vestra luce virtutum. R. Amen.

2. Quique eius salutiferae nativitatis gaudium magnum
pastoribus ab Angelo voluit nuntiari,
ipse mentes vestras suo gaudio impleat,
et vos Evangelii sui nuntios efficiat. R. Amen.

3. Et qui per eius incarnationem terrena caelestibus sociavit,
dono vos suae pacis et bonae repleat voluntatis,
et vos faciat Ecclesiae consortes caelestis. R. Amen.

Benedicat vos omnipotens Deus,
Pater, et Filius, ✠ et Spiritus Sanctus.
R. Amen.

3. *Initio anni*

1511 1. Deus, fons et origo totius benedictionis,
gratiam vobis concedat,
benedicitionis suae largitatem infundat,
atque per totum annum vos salvos et incolumnes protegat. R. Amen.

2. Custodiat fidei vobis integritatem,
tribuat spei longanimitatem,

perseverantem usque ad finem cum sancta patientia caritatem.
R. Amen.

3. Dies et actus vestros in sua pace disponat,
preces hic et ubique exaudiat,
et ad vitam aeternam feliciter vos perducat. R. Amen.

Benedicat vos omnipotens Deus,
Pater, et Filius, ✠ et Spiritus Sanctus.
R. Amen.

4. *In Epiphania Domini*

1512   1. Deus, qui vos vocavit in admirabile lumen suum,
suam vobis benedictionem benignus infundat,
et corda vestra fide, spe et caritate stabiliat. R. Amen.

2. Et quia Christum sequimini confidenter,
qui hodie mundo apparuit lux relucens in tenebris,
faciat et vos lucem esse fratribus vestris. R. Amen.

3. Quatenus, peregrinatione peracta,
pervenias ad eum, quem magi stella praevia quaesierunt,
et gaudio magno, lucem de luce,
Christum Dominum invenerunt. R. Amen.

Benedicat vos omnipotens Deus,
Pater, et Filius, ✠ et Spiritus Sanctus.
R. Amen.

5. *De Passione Domini*

1513   1. Deus, Pater misericordiarum, qui Unigeniti sui passione
tribuit vobis caritatis exemplum,
praestet ut, per servitium Dei et hominum,
percipiatis suae benedictionis ineffabile donum. R. Amen.

2. Ut ab eo sempiternae vitae munus obtineatis,
per cuius temporalem mortem, aeternam vos evadere creditis.
R. Amen.

3. Quatenus, cuius humulitatis sequimini documenta,
eius resurrectionis possideatis consortia. R. Amen.

Benedicat vos omnipotens Deus,
Pater, et Filius, ✠ et Spiritus Sanctus.
R. Amen.

6. *Tempore Paschali*

1514   1. Deus, qui per resurrectionem Unigeniti sui
dignatus est vobis bonum redemptionis
adoptionisque conferre,
sua benedictione vos tribuat congaudere. R. Amen.

2. Et quo redimente percepistis donum perpetuae libertatis,
eo largiente hereditatis aeternae consortes effici valeatis. R. Amen.

3. Et cui resurrexisitis in baptismate iam credendo,
adiungi mereamini in patria caelesti nunc recte vivendo. R. Amen.

Benedicat vos omnipotens Deus,
Pater, et Filius, ✠ et Spiritus Sanctus.
R. Amen.

7. In Vigilia paschali et die Paschae

1515 1. Benedicat vos omnipotens Deus,
hodierna interveniente sollemnitate paschali,
et ab omni miseratus defendat incursione peccati. R. Amen.

2. Et qui ad aeternam vitam,
in Unigeniti sui resurrectione vos reparat,
vos praemiis immortalitatis adimpleat. R. Amen.

3. Et qui, expletis passionis dominicae diebus,
paschalis festi gaudia celebratis,
ad ea festa, quae laetiis peraguntur aeteris,
ipso opulante, exsultantibus animis veniatis. R. Amen.

Benedicat vos omnipotens Deus,
Pater, et Filius, ✠ et Spiritus Sanctus.
R. Amen.

8. In Ascensione Domini

1516 1. Benedicat vos omnipotens Deus,
cuius Unigenitus hodierna die caelorum alta penetravit,
et vobis, ubi est ipse, ascendendi aditum reservavit. R. Amen.

2. Concedat ut, sicut Christus post resurrectionem suam,
visus est discipulis manifestus,
ita vobis in iudicium veniens appareat pro aeternitate placatus.
R. Amen.

3. Et qui eum consedere Patri in sua creditis maiestate,
ipsum usque in finem saeculi vobiscum permanere
secundum eius promissionem laeti valeatis experire. R. Amen.

Benedicat vos omnipotens Deus,
Pater, et Filius, ✠ et Spiritus Sanctus.
R. Amen.

9. De Spiritu Sancto

1517 1. Deus, Pater luminum, qui (hodierna die) discipulorum
mentes Spiritus Paracliti infusione dignatus est illustrare,
sua vos faciat benedictione gaudere,
et perpetuo donis eiusdem Spiritus abundare. R. Amen.

2. Ignis ille, qui super discipulos mirandus apparuit,
corda vestra ab omni malo potenter expurget,
et sui luminis claritate perlustret. R. Amen.

3. Quique dignatus est in unius fidei confessione
diversitatem adunare linguarum,
in eadem fide perseverare vos faciat,
et per illam a spe ad speciem pervenire concedat. R. Amen.

Benedicat vos omnipotens Deus,
Pater, et Filius, ✠ et Spiritus Sanctus.
R. Amen.

10. *Per annum, I (Benedictio aaronitica: Num. 6, 24-26)*

1518   1. Benedicat vobis Dominus, et custodiat vos. R. Amen.

2. Illuminet faciem suam super vos, et misereatur vestri. R. Amen.

3. Convertat vultum suum ad vos, et donet vobis suam pacem.
R. Amen.

Et benedictio Dei omnipotentis,
Patris, et Filii, ✠ et Spiritus Sancti,
descendat super vos et maneat semper.
R. Amen.

11. *Per annum, II (Phil 4, 7)*

1519   1. Pax Dei, quae exsuperat omnem sensum,
custodiat corda vestra et intellegentias vestras
in scientia et caritate Dei, et Filii sui,
Domini nostri Iesu Christi. R. Amen.

Benedicat vos omnipotens Deus,
Pater, et Filius, ✠ et Spiritus Sanctus.
R. Amen.

12. *Per annum, III*

1520   1. Omnipotens Deus sua vos clementia benedicat,
et sensum in vobis sapientiae salutaris infundat. R. Amen.

2. Fidei documentis vos semper enutriat,
et in sanctis operibus, ut perseveretis, efficiat. R. Amen.

3. Gressus vestros ad se convertat,
et viam vobis pacis et caritatis ostendat. R. Amen.

Benedicat vos omnipotens Deus,
Pater, et Filius, ✠ et Spiritus Sanctus.
R. Amen.

13. *Per annum. IV*

1521   1. Deus totius consolationis dies vestros in sua pace disponat,
et suae vobis benedictionis dona concedat. R. Amen.

2. Ab omni semper perturbatione vos liberet,
et corda vestra in suo amore confirmet. R. Amen.

3. Quatenus donis spei, fidei et caritatis divites,
et praesentem vitam transigatis in opere efficaces,
et possitis ad aeternam pervenire felices. R. Amen.

Benedicat vos omnipotens Deus,
Pater, et Filius, ✠ et Spiritus Sanctus.
R. Amen.

14. *Per annum.* V

1522 1. Omnipotens Deus universa a vobis adversa semper excludat,
et suae super vos benedictionis dona propitiatus infundat. R. Amen.

2. Corda vestra efficiat divinis intenta eloquiis,
ut repleri possint gaudiis sempiternis. R. Amen.

3. Quatenus, quae bona et recta intellegentes,
viam mandatorum Dei inveniamini semper currentes,
et civium supernorum efficiamini coheredes. R. Amen.

Benedicat vos omnipotens Deus,
Pater, et Filius, ✠ et Spiritus Sanctus.
R. Amen.

IN CELEBRATIONIBUS DE SANCTIS

15. *De beata Maria Virgine*

1523 1. Deus, qui per beatae Mariae Virginis partum
genus humanum sua voluit benignitate redimere,
sua vos dignetur benedictione ditare. R. Amen.

2. Eiusque semper et ubique patrocinia sentiatis,
per quam auctorem vitae suscipere meruistis. R. Amen.

3. Et qui ad eius celebrandam sollemnitatem
hodierna die devotis mentibus convenistis,
spiritalium gaudiorum caelestiumque praemiorum
vobiscum munera reportetis. R. Amen.

Et benedictio Dei omnipotentis,
Patris, et Filii, ✠ et Spiritus Sancti,
descendat super vos et maneat semper.
R. Amen.

16. *De sanctis Petro et Paulo*

1524 1. Benedicat vos omnipotens Deus,
qui in beati Petri confessione vos saluberrima stabilivit,
et per eam in Ecclesiae soliditate fidei fundavit. R. Amen.

2. Et quos beati Pauli instruxit indefessa praedicatione,
suo semper exemplo doceat Christo fratres lucrifacere. R. Amen.

3. Ut Petrus clave, Paulus verbo,
ope intercessionis uterque
in illam patriam nos certent inducere,
ad quam meruerunt illi, alter cruce, alter gladio,
feliciter pervenire. R. Amen.

Et benedictio Dei omnipotentis,
Patris, et Filii, ✠ et Spiritus Sancti,
descendat super vos et maneat semper.
R. Amen.

17. *De Apostolis*

1525 1. Deus, qui vos in apostolicis tribuit consistere fundamentis,
benedicere vobis dignetur
beatorum Apostolorum N. et N. (beati Apostoli N.)
meritis intercedentibus gloriosis. R. Amen.

2. Et apostolicis praesidiis vos pro cunctis faciat testes veritatis,
qui vos eorum munerari documentis voluit et exemplis. R. Amen.

3. Ut eorum intercessione ad aeternae patriae hereditatem
pervenire possitis,
per quorum doctrinam fidei Firmitatem possidetis. R. Amen.

Et benedictio Dei omnipotentis,
Patris, et Filii, ✠ et Spiritus Sancti,
descendat super vos et maneat semper.
R. Amen.

18. *De omnibus Sanctis*

1526 1. Deus, gloria et exsultatio Sanctorum,
benedicat vos benedictione perpetua,
qui vobis hodierna tribuit celebrare sollemnia. R. Amen.

2. Eorum intercessione a praesentibus malis liberati,
et exemplis sanctae conversationis instructi,
in servitio Dei fratrumque inveniamini semper intenti. R. Amen.

3. Quatenus cum iis omnibus
valeatis illius patriae possidere vos gaudia,
in qua filios suos supernis coniungi civibus
in pace perpetua sancta laetatur Ecclesia. R. Amen.

Et benedictio Dei omnipotentis,
Patris, et Filii, ✠ et Spiritus Sancti,
descendat super vos et maneat semper.
R. Amen.

ALIAE BENEDICTIONES

19. *In Dedicatione ecclesiae*

1527 1. Deus, Dominus caeli et terrae,
qui vos hodie ad huius domus dedicationem
(dedicationis memoriam) voluit adunare,
ipse vos caelesti benedictione faciat abundare. R. Amen.

2. Concedatque vobis fieri templum suum
et habitaculum Spiritus Sancti,
qui omnes filios dispersos voluit in Filio suo congregari. R. Amen.

3. Quatenus feliciter emundati,
habitatorem Deum in vobismetipsis possitis habere,
et aeternae beatitudinis hereditatem
cum omnibus Sanctis possidere. R. Amen.

Et benedictio Dei omnipotentis,
Patris, et Filii, ✠ et Spiritus Sancti,
descendat super vos et maneat semper.
R. Amen.

20. *In celebrationibus pro defunctis*

1528 1. Benedicat vos Deus totius consolationis,
qui hominem ineffabili bonitate creavit,
et in resurrectione Unigeniti sui
spem credentibus resurgendi concessit. R. Amen.

2. Nobis, qui vivimus, veniam tribuat pro peccatis,
et omnibus defunctis locum concedat lucis et pacis. R. Amen.

3. Ut omnes cum Christo sine fine feliciter vivamus,
quem resurrexisse a mortuis veraciter credimus. R. Amen.

Et benedictio Dei omnipotentis,
Patris, et Filii, ✠ et Spiritus Sancti,
descendat super vos et maneat semper.
R. Amen.

ORATIONES SUPER POPULUM

ORATIONES SUPER POPULUM

1529 Esto, Domine propitius plebi tuae,
   et temporali consolatione non deseras,
   quam vis ad aeterna contendere.
   Per Christum.

1530 Praesta famulis tuis, Domine,
   abundantiam protectionis et gratiae;
   da salutem mentis et corporis;
   da plenitudinem fraternae caritatis,
   et eos tibi semper fac esse devotos.
   Per Christum.

1531 Da, quaesumus, Domine, populis christianis,
   et quae profitentur agnoscere,
   et caeleste munus diligere, quod frequentant.
   Per Christum.

1532 Plebs tua, Domine, quaesumus
   benedictionis sanctae munus accipiat,
   per quod et noxia quaeque declinet,
   et optata reperiat.
   Per Christum.

1533 Fideles tuos, Domine, benedictio desiderata confirmet,
   quae eos et a tua voluntate numquam faciat descrepare,
   et tuis semper indulgeat benficiis gratulari.
   Per Christum.

1534 Populum tuum, Domine, quaesumus,
   ad te toto corde converte,
   quia quos defendis etiam delinquentes,
   maiore pietate tueris sincera mente devotos.
   Per Christum.

1535 Familiam tuam, quaesumus, Domine, propitiatus illustra,
   ut, beneplacitis inhaerendo,
   cuncta quae bona sunt mereatur exercere.
   Per Christum.

1536 Adesto, Domine, famulis tuis,
   et opem tuam largire poscentibus,
   ut iis, qui te auctore et gubernatore feliciter gloriantur,
   et creata restaures et restaurata conserves.
   Per Christum.

1537 Implorantes, Domine, misericordiam tuam,
fideles populos propitius intuere,
ut, qui de tua pitate confidunt,
tuae caritatis dona ubique diffundere valeant.
Per Christum.

1538 Benedic, Domine, plebem tuam,
quae munus tuae miserationis exspectat,
et concede, ut, quod, te inspirante desiderat,
te largiente percipiat.
Per Christum.

1539 Subiectum tibi populum, quaesumus, Domine,
propitiatio caelestis amplificet
et tuis semper faciat servire mandatis.
Per Christum.

1540 Propitiare populo tuo, Deus, ut, ab omni malo liberatus,
et toto tibi corde deserviat,
et sub tua semper protectione consistat.
Per Christum.

1541 Praetende, Domine, fidelibus tuis dexteram caelestis auxilii,
ut te toto corde perquirant,
et quae digne postulant consequi mereantur.
Per Christum.

1542 Familia tua, Deus,
et de celebratis mysteriis suae redemptionis
iugiter collaetetur,
et eos dona perseveranter acquirat.
Per Christum.

1543 Esto, quaesumus, Domine, propitius plebi tuae,
ut, de die in diem quae tibi displicent respuentes,
tuorum potius repleantur delectationibus mandatorum.
Per Christum.

1544 Tueatur, quaesumus, Domine,
dextera tua populum deprecantem,
et purificatum dignanter erudiat,
ut consolatione praesenti ad futura bona proficiat.
Per Christum.

1545 Respice, quaesumus, Domine, super hanc familiam tuam,
pro qua Dominus noster Iesus Christus
non dubitavit tradi mani nocentium,
et crucis subire tormentum.
Qui vivit.

1546 Da, quaesumus, Domine, fidelibus tuis
et sine cessatione capere pascalia sacramenta,

et desideranter exspectare dona ventura,
ut, mysteriis quibus renati sunt permanentes,
ad novam vitam his operibus perducantur.
Per Christum.

1547 Domine Deus, de abundantia misericordiarum tuarum
famulos praesta locupletes, praesta securos,
ut, confirmati benedictionibus tuis,
in omni gratiarum actione semper abundent,
teque perpetua exsultatione bendicant.
Per Christum.

1548 Benedicat vos Deus omni benedictione caelesti,
sanctosque vos et puros in conspectu semper efficiat;
divitias gloriae sua in vos abundanter effundat,
verbis veritatis instruat, evangelio slautis erudiat,
et caritate fraterna semper locupletet.
Per Christum.

1549 Fideles tuos, quaesumus, Domine,
corpore pariter et mente purifica,
ut, tua inspiratione compuncti,
noxias delectationes vitare praevaliant,
atque tua semper suavitate pascantur.
Per Christum.

1550 Adsit, Domine, fidelibus tuis sacrae benedictionis effectus,
qui mentes omnium spiritali vegetatione disponat,
ut ad opera sua exercenda
virtute caritatis tuae roborentur.
Per Christum.

1551 Confirma, Domine, quaesumus, tuorum corda fidelium,
et gratiae tuae virtute corrobora,
ut et in tua sint supplicatione devoti,
et mutua dilectione sinceri.
Per Christum.

1552 Protector in te sperantium, Deus, benedic populum tuum,
salva, tuere, dispone,
ut, a peccatis liber, ab hoste securus,
in tuo semper amore perseveret.
Per Christum.

In festis Sanctorum

1553 Exsultet, Domine, populus christianus
de magnorum Filii tui glorificatione membrorum,
et in quorum est celebritate tibi devotus,
partem acquirat in eorum sorte perpetua,
atque de tua gloria semper congaudeat.
Per Christum.

1554 Plebis tuae, quaesumus, Domine,
       ad te semper corda converte,
       et quam tantis facis patrociniis adiuvari,
       perpetuis non desinas gubernare desidiis.
       Per Christum.

EX APPENDICE MISSALIS ROMANI

ORDO AD FACIENDAM
ET ASPERGENDAM AQUAM BENEDICTAM

1555 Omnipotens sempiterne Deus,
    qui voluisti ut per aquam,
    fontem vitae ac purificationis principium,
    etiam animae mundarentur
    aeternaeque vitae munus exciperent,
    dignare, quaesumus, hanc aquam ✠ benedicere,
    qua volumus hac die tua, Domine, communiri.
    Fontem vivum in nobis tuae gratiae renovari
    et ab omni malo spiritus et corporis
    per ipsam nos defendi concedas,
    ut mundis tibi cordibus propinquare
    tuamque digne salutem valeamus accipere.
    Per Christum Dominum nostrum.
    R. Amen.

    Vel:

1556 Domine Deus omnipotens,
    qui es totius vitae corporis et animae fons et origo,
    hanc aquam, te quaesumus, ✠ benedicas,
    qua fidenter utimur
    ad nostrorum implorandam veniam peccatorum
    et adversus omnes morbos inimicique insidias
    tuae defensionem gratiae consequendam.
    Praesta, Domine, ut, misericordia tua interveniente,
    aquae vivae semper nobis saliant in salutem,
    ut mundo tibi corde appropinquare possimus,
    et omnis corporis animaeque pericula devitemus.
    Per Christum Dominum nostrum.
    R. Amen.

    Vel (tempore paschali):

1557 Domine Deus omnipotens,
    precibus populi tui adesto propitius;
    et nobis, mirabile nostrae creationis opus,
    sed et redemptionis nostrae mirabilius, memorantibus,
    hanc aquam ✠ benedicere tu dignare.
    Ipsam enim tu fecisti,
    ut et arva fecunditate donaret,
    et levamen corporibus nostris munditiamque praeberet.
    Aquam etiam tuae ministram misericordiae condidisti;
    nam per ipsam solvisti tui populi servitutem,
    illiusque sitim in deserto sedasti;

per ipsam novum foedus nuntiaverunt prophetae,
quod eras cum hominibus initurus;
per ipsam denique, quam Christus in Iordane sacravit,
corruptam naturae nostrae substantiam
in regenerationis lavacro renovasti.
Sit igitur haec aqua nobis suscepti baptismatis memoria,
et cum fratribus nostris, qui sunt in Paschate baptizati,
gaudia nos tribuas sociare.
Per Christum Dominum nostrum.
R. Amen.

1558 Supplices te rogamus, omnipotens Deus,
ut hanc creaturam salis
benedicere ✠ tua pietate digneris,
qui per Eliseum prophetam in aquam mitti eam iussisti,
ut sanaretur sterilitas aquae.
Praesta, Domine, quaesumus,
ut, ubicumque haec salis et aquae commixtio
fuerit aspersa,
omni impugnatione inimici depulsa,
praesentia Sancti tui Spiritus
nos iugiter custodiat.
Per Christum Dominum nostrum.
R. Amen.

SPECIMENA FORMULARUM
PRO ORATIONE UNIVERSALI

1559 Deus, refugium nostrum et virtus,
adesto piis Ecclesiae tuae precibus,
auctor ipse pietatis, et praesta,
ut, quod fideliter petimus,
efficaciter consequamur.
Per Christum Dominum nostrum. R. Amen.

1560 Precibus nostris, quaesumus, Domine,
aures tuae pietatis accommoda,
et orationes supplicum benignus exaudi.
Per Christum Dominum nostrum. R. Amen.

1561 Omnipotens sempiterne Deus,
qui salvas omnes et neminem vis perire,
exaudi preces populi tui et praesta,
ut et mundi cursus pacifico nobis tuo ordine dirigatur,
et Ecclesia tua tranquilla devotione laetetur.
Per Christum Dominum nostrum. R. Amen.

1562 Quaesumus, Domine Deus noster,
ut fidelium tuorum supplicationes apud te ipsa commendet,
quae Deum et hominem castis visceribus meruit baiulare.
Per Christum.

1563 Da, quaesumus, Domine,
populum tuum ad te toto corde converti,
ut, quod audet congruis orationibus postulare,
tua miseratione percipiat.
Per Christum.

1564 Miserere, Domine, deprecantis Ecclesiae,
et quae inclinantur tibi corda propitiatus intende,
ut, quos divini mysterii tribuis esse participes,
nunquam tuis destituantur auxiliis.
Per Christum.

1565 Adesto, Domine, tuo populo supplicanti,
ut, quod propria fiducia non praesumit,
Passionis Filii tui meritis consequatur.
Qui vivit.

1566 Deus, qui praesentium hominum vitam agnoscis
diversarum necessitatum passionibus subiacere,

exaudi desideria supplicantium,
suscipe vota credentium.
Per Christum.

1567 Fiant, Domine, tuo grata conspectui vota supplicantis Ecclesiae,
ut tua nobis misericordia conferatur
quod nostrorum non habet fiducia meritorum.
Per Christum.

1568 Adsit, Domine, quaesumus, propitiatio tua populo supplicanti,
ut, quod te inspirante fideliter expetit,
tua celeri largitate percipiat. Per Christum.

1569 Animabus, quaesumus, Domine, famulorum
famularumque tuarum
oratio proficiat supplicantium,
ut eas et a peccatis omnibus exuas,
et tuae redemptionis facias esse participes.
Qui vivis.

VARIATIONES ET TEXTUS INSERENDI

Ea quae hac Appendice continentur concordant cum originalibus

Congregatio de Cultu Divino et Disciplina Sacramentorum,
die 2 februarii 1991

A.

VARIATIONES *

I. IN INSTITUTIONEM GENERALEM MISSALIS ROMANI **

42. Diebus dominicis et festis de praecepto homilia *habenda est nec omitti potest gravi de causa*, in omnibus Missis... habeatur.

56. *h)* Valde optandum est... quod actu celebratur [44].

153. Concelebratio qua unitas sacerdotii et sacrificii necnon totius populi Dei opportune manifestatur, [...] ipso ritu praecipitur *in ordinatione episcopi et presbyteri necnon in Missa chrismatis*.

Commendatur autem, nisi utilitas christifidelium aliud requirat aut suadeat:

a) Feria V Hebdomadae sanctae [...] ad Missam vespertinam;

b) ad Missam in Conciliis, Conventibus Episcoporum et Synodis;

c) ad Missam in benedictione abbatis;

[...]

d) ad Missam conventualem et ad Missam principalem in ecclesiis et oratoriis [...];

---

* Litteris *italicis* indicantur verba seu partes noviter inducta. Uncis quadris [...] significantur verba seu phrases, quae e textibus posthac omittenda sunt. Punctis sine uncis quadris... significantur textus, qui manent immutati. Notae in calce ad textus servantur nisi aliter notetur.

Verba inter parenteses posita adiuncta sunt in textu redigendo, ut variationes inductae melius intellegantur.

** (Decretum, 12 sept. 1983; Prot. CD 1200/83).

[44] Cfr. Congr. Rituum, Instr. *Eucharisticum mysterium*, 25 maii 1967, nn. 31-32: AAS 59 (1967) 558-559; *de sanctissima Eucharistia iterum eadem die suscipienda*: cfr. C.I.C., can. 917.

e) ad Missam in conventibus cuiusvis generis sacerdotum tum saecularium tum religiosorum [62].

155. Episcopi est... et oratoriis [...] [64].

211. Celebratio sine ministro *vel aliquo saltem fideli* non fiat nisi *iusta et rationabili de causa.* Hoc in casu salutationes et benedictio in fine Missae omittuntur.

242, 6) In administratione Viatici... cum Missa [...] in domo infirmi celebratur;

255. *Ecclesiae omnes* sollemniter *dedicentur aut saltem benedicantur. Cathedrales vero et paroeciales dedicentur semper.* Fideles autem... destinantur.

262. *De more adsit in ecclesia altare fixum et dedicatum, quod* exstruatur a pariete seiunctum..., convertatur [81].
[...]

265. Altaria tum fixa tum mobilia iuxta ritum in libris liturgicis descriptum *dedicantur*; altaria tamen mobilia benedici tantum possunt.
[...]

266. Usus [...] deponendi sub altari *dedicando* reliquias Sanctorum, etsi non Martyrum, [...] servetur. Caveatur... conset.

267. *Alia altaria* numero... collocentur [82].

277. Sanctissima Eucharistia asservetur in unico tabernaculo *inamovibili et* solido, *non transparenti et ita clausum ut quam maxime periculum profanationis vitetur.* Quare, de more in singulis ecclesiis, unicum tabernaculum habeatur [89].

282. Panis ad Eucharistiam celebrandam debet esse *mere* triticeus, [...] *recenter confectus,* et, secundum antiquam Ecclesiae latinae traditionem, azymus.

---

[62] Cfr. Conc. Vat. II, Const. de sacra Liturgia, *Sacrosnctum Concilium,* n. 57; C.I.C., can. 902.

[89] Cfr. S. Congr. Rituum, Instr. *Eucharisticum mysterium,* 25 maii 1967, n. 52: *AAS* 59 (1967) 568; Instr. *Inter Oecumenici,* 26 sept. 1964, n. 95: *AAS* 56 (1964) 898; S. Congr. de Sacramentis, Instr. *Nullo umquam tempore,* 28 maii 1938, n. 4: *AAS* 30 (1938) 199-200; Rituale Romanum, De sacra Communione et de cultu mysterii eucharistici extra Missam, ed. typ. 1973, n. 10; C.I.C., can. 938.

II. IN NORMAS UNIVERSALES DE ANNO LITURGICO ET DE CALENDARIO

5. Propter suum peculiare momentum, dominica suam cedit celebrationem solummodo sollemnitatibus necnon festis Domini; dominicae vero Adventus, Quadragesimae et Paschae super omnia festa Domini et super omnes sollemnitates praecedentiam habent. Sollemnitates autem in his dominicis occurrentes *ad feriam secundam sequentem* transferuntur, nisi agatur de occurrentia in Dominica in Palmis aut in Dominica Resurrectionis Domini.

(Decretum, 22 apr. 1990; Prot. CD 500/89)

56, *f)* Sollemnitas Annuntiationis Domini, quotiescumque occurrit aliquo die Maioris Hebdomadae, semper ad feriam II post Dominicam II Paschae erit transferenda. Sollemnitas S. Ioseph, ubi est de praecepto servanda, si cum Dominica in Palmis de Passione Domini occurrit, anticipatur sabbato praecedenti, die 18 martii. Ubi vero non est de praecepto servanda, a Conferentia Episcoporum ad alium diem extra Quadragesimam transferri potest.

(cf. *Notitiae*, 1987, 397)

III. IN CALENDARIUM ROMANUM GENERALE

IANUARIUS

6 IN EPIPHANIA DOMINI   Festum Sollemnitas
Dom. post diem 6 ian.: IN BAPTISMATE DOMINI
Ubi sollemnitas Epiphaniae ad dominicam transfertur, si hac dominica incidit die 7 vel 8 ianuarii, festum Baptismatis Domini celebratur feria secunda sequenti.
(Decretum, 7 oct. 1977; Prot. CD 1400/77)

APRILIS

8 S. Stanislai, episcopi et martyris   Memoria
(Ioannes Paulus II, Litt. Apost. *Rutilans agmen*, 8 mai 1979)

29 S. Catharinae Senensis, virginis et Ecclesiae doctoris   Memoria
(Paulus VI, Litt. Apost. *Mirabilis in Ecclesia*, 4 oct. 1970)

AUGUSTUS

14 S. Maximiliani Mariae Kolbe, presbyteri et martyris   Memoria
(Decretum, 25 mart. 1983; Prot. CD 570/83)

SEPTEMBER

20 Ss. Andreae Kim Taegŏn, presbyteri, et Pauli Chŏng Hasang, et sociorum, martyrum   Memoria
(Decretum, 12 mart. 1985; Prot. CD 570/85)

28 *Ss. Laurentii Ruiz et sociorum, martyrum*
(Decretum, 22 mart. 1988; Prot. CD 1215/87)

OCTOBER

15 S. Teresiae a Iesu, virginis et Ecclesiae doctoris   Memoria
(Paulus VI, Litt. Apost. *Multiformis Sapientia*, 27 sept. 1970; Decretum, 17 febr. 1984;
Prot. CD 600/84

NOVEMBER

24 Ss. Andreae Dung-Lac, presbyteri, et sociorum, martyrum Memoria
(Decretum, 1 iun. 1989; Prot. CD 134/89)

B.
TEXTUS INSERENDI

Die 14 augusti: S. Maximiliani Mariae Kolbe, presbyteri et martyris.
Memoria
Collecta
1570 Deus, qui sanctum Maximiliánum Maríam,
presbýterum et mártyrem,
amóre Vírginis Immaculátae succénsum,
animárum zelo et próximi dilectióne replevísti,
concéde propítius, ut, eo intercedénte,
pro tua glória in servítio hóminum strénue laborántes,
usque ad mortem Fílio tuo conformári valeámus.
Per Dóminum.

Super oblata
1571 Múnera nostra tibi, Dómine, exhibémus,
supplíciter exorántes,
ut sancti Maximiliáni Maríae exémplo,
vitam nostram tibi discámus offére.
Per Christum.

Post communionem
1572 Quáesumus, Dómine,
ut refécti Córpore et Sánguine tuo,
eo caritátis igne accendámur,
quem ex hoc convívio sanctus Maximiliánus María accépit.
Qui vivis.

Die 20 septembris: Ss. Andreae Kim Taegŏn, presbyteri et Pauli
Chŏng Hasang, et sociorum, martyrum. Memoria
Collecta
1573 Deus, ómnium géntium creátor et salus,
qui in Coreána regióne ad cathólicam fidem

pópulum adoptiónis mirabíliter vocásti
atque sanctórum mártyrum Andréae, Pauli ac sociórum
gloriósa confessióne créscere fecísti,
eórum exémplo et intercessióne concéde,
ut nos quoque in mandátis tuis
usque ad mortem perseveráre valeámus.
Per Dóminum.

Super oblata
1574 Obláta pópuli tui réspice propítius,
    omnípotens Deus,
    et sanctórum mártyrum intercessióne concéde,
    nos ipsos sacrifícium tibi acceptábile
    in totíus éffici mundi salútem.
    Per Christum.

Post communionem
1575 Fórtium esca enutríti
    in celebratióne sanctórum mártyrum,
    te, Dómine, supplíciter exorámus,
    ut Christo fidéliter inhaeréntes,
    in Ecclésia ad salútem ómnium operémur.
    Per Christum.

Die 28 septembris: Ss. Laurentii Ruiz et sociorum, martyrum
Collecta
1576 Beatórum mártyrum tuórum Lauréntii et sociórum,
    quáesumus, Dómine Deus,
    patiéntiam in servítio tui et próximi nobis concéde,
    quia in regno tuo sunt beáti,
    qui persecutiónem patiúntur propter iustítiam.
    Per Dóminum.

Die 24 novembris: Ss. Andreae Dung-Lac, presbyteri, et sociorum,
martyrum. Memoria
Collecta
1577 Deus, omnis paternitátis fons et orígo,
    qui beátos mártyres Andréam et sócios eius
    Cruci Fílii tui usque ad sánguinis effusiónem
    fidéles effecísti,
    eórum intercessióne concéde,
    ut amórem tuum inter fratres propagántes
    fílii tui nominári et esse valeámus.
    Per Dóminum.

Super oblata
1578 Súscipe, sancte Pater, múnera quae offérimus
    passiónem venerántes sanctórum mártyrum Vietnaménsium,
    ut inter advérsa vitae nostrae
    fidéles tibi semper inveníri mereámur

et hóstiam tibi acceptábilem nosmetípsos exhibére.
Per Christum.

Post communionem

1579 Uníus panis alimónia refécti,
in commemoratióne sanctórum mártyrum,
te, Dómine, supplíciter deprecámur,
ut in tua dilectióne unánimes manéntes
patiéntiae práemium mereámur cónsequi aetérnum.
Per Christum.

In regionibus Europae

Die 14 februarii: Ss. CYRILLI MONACHI, ET METHODII, EPISCOPI, EUROPAE
PATRONORUM. Festum

Collecta

1580 Deus, qui per beátos fratres Cyríllum et Methódium
Slavóniae gentes illuminásti,
da córdibus nostris tuae doctrínae verba percípere,
nosque pérfice pópulum
in vera fide et recta confessióne concórdem.
Per Dóminum.

Super oblata

1581 Réspice, Dómine, múnera
quae in commemoratióne sanctórum Cyrílli et Methódii
maiestáti tuae deférimus, et praesta,
ut signum fiant humanitátis novae
in dilectióne caritátis tibi reconciliátae.
Per Christum.

Post communionem

1582 Deus, cunctárum Pater géntium,
qui nos de uno pane et uno Spíritu
partícipes éfficis ac aetérni herédes convívii,
in hac festivitáte sanctórum Cyrílli et Methódii
benígnus concéde,
ut tuórum multitúdo filiórum,
in eádem fide persevérans,
unánimis regnum iustítiae et pacis aedíficet.
Per Christum.

INSTRUMENTA LITURGICA QUARRERIENSIA

ILQ 1 (BEL 67) ANTHONY WARD, s.m., **The publications of the Henry Bradshaw Society.** An annotated bibliography with indexes. Roma 1992, pp. 214. Lit. 40.000

ILQ 2 (BEL 69) CUTHBERT JOHNSON, o.s.b., **Christian Burial - The Ordo exsequiarum 1969** with related liturgical texts, indexes and bibliography. Roma 1993, pp. 272. Lit. 45.000

ILQ 3 (BEL 71) CUTHBERT JOHNSON, o.s.b. - ANTHONY WARD, s.m., **Orationes ac benedictiones Missalis Romani anno 1975 promulgatum.** Roma 1994, pp. 292. Lit. 45.000

SUPPLEMENTA 1 CUTHBERT JOHNSON, o.s.b. - ANTHONY WARD, s.m., **Missale Parisiense anno 1738 publici iuris factum.** Reimpressio. Roma 1993, pp. 1000. Lit. 60.000

SUPPLEMENTA 2 CUTHBERT JOHNSON, o.s.b. - ANTHONY WARD, s.m., **Missale Romanum anno 1962 promulgatum.** Reimpressio. Roma 1994, pp. 1099. Lit. 70.000

In praeparatione sunt:

— CUTHBERT JOHNSON, o.s.b. - ANTHONY WARD, s.m., **Orbis Liturgicus in tempore hodierno.** Repertorium peritorum in re liturgica.

— **Sacramentarium Veronense.** Textus, concordantiae et tabulae, *curantibus Cuthbert Johnson, o.s.b. & Anthony Ward, s.m.*

— **Sacramentarium Gelasianum.** Textus, concordantiae et tabulae, *curantibus Cuthbert Johnson, o.s.b. & Anthony Ward, s.m.*

— **Missale Gothicum.** Textus, concordantiae et tabulae, *curantibus Cuthbert Johnson, o.s.b. & Anthony Ward, s.m.*

FINITO DI STAMPARE
NEL GIUGNO 1994
DALLA TIPOLITOGRAFIA UGO DETTI
IN ROMA